SÁBADO À NOITE 3

BABI DEWET

SÁBADO À NOITE

Presidente
Henrique José Branco Brazão Farinha
Publisher
Eduardo Viegas Meirelles Villela
Editora
Cláudia Elissa Rondelli Ramos
Revisão
Vitória Doretto
Gabriele Fernandes
Ariadne Martins
Diagramação
Daniele Gama
Capa
Listo Estúdio Design
Impressão
Assahi

Rua Sergipe, 401 – Cj. 1.310 – Consolação
São Paulo – SP – CEP 01243-906
Telefone: (11) 3562-7814/3562-7815
Site: http://www.editoraevora.com.br
E-mail: contato@editoraevora.com.br

D518s1

Dewet, Babi
Sábado à noite III : com amor e música / Babi Dewet. –
São Paulo : Évora, 2014.

304p. ; 16x23cm.

ISBN 978-85-63993-98-4

1. Ficção brasileira. I. Título.

CDD – B869.3

JOSÈ CARLOS DOS SANTOS MACEDO – BIBLIOTECÁRIO – CRB7 N. 3575

Para meus amigos, porque "casa é onde está o coração" (*Home is where the heart is* – McFLY). Meu coração é de vocês, obrigada pelo abrigo infinito.

agradecimentos

Essa é a primeira vez que preciso começar um livro com uma despedida. Esse pode ser o fim da trilogia *Sábado à Noite*, o final que nem os fãs da *fanfic* leram, mas nunca de suas personagens. Todas elas foram baseadas em amigos, leitores e pessoas que amo. E, impressas nas páginas desses livros, elas viverão para sempre.

Obrigada aos Galaxy Defender (fãs de McFLY) por todo carinho e apoio que recebi durante o processo de SAN. E aos fãs de KPOP por me deixarem fazer parte, aos pouquinhos, de um *fandom* tão mágico e brilhante, literalmente.

Um obrigada com tamanho de "eu te amo" para minha agente, Gui Liaga, que esteve presente comigo desde a ideia maluca lá em 2009 de lançar um livro independente. Sem você eu não teria conseguido. Continuo comendo mal e dormindo muito, me desculpe, Sauron!

Obrigada também ao Arthur, que tem dividido comigo todos os pequenos momentos. Eu não teria conseguido terminar esse livro sem o seu apoio, conversas fictícias com personagens e argumentos. Desculpe pelas maluquices, ser namorado de escritora é dormir por horas com as luzes acesas enquanto eu escrevo "só mais um capítulo".

Obrigada especial ao Bricio, Davi e Rick, porque adoro trabalhar com vocês! Sarah, Maya, Mary K, Bruno, Fer, Ryoshi, Caio, Nat Puga, Draquinho, minha vida é bem melhor porque vocês existem. Mila, Chase, Alê, Marcão, Yanna, Marcelo, Draccon, Pâm, Melina, Shaira, Grace, Sayu, Kenshin, Pri, Trika, André, Shimoda, Vitor, Hugo, meus alunos (oi, Perez! Você disse que compraria dois livros se eu citasse seu nome!) e a SAN Crew, o apoio de todos vocês me inspira muito e me ajuda a enfrentar pequenos desafios! Bee, Benício, minha mãe, meu pai e família querida, que sempre acha o máximo ter uma escritora entre vocês, obrigada!

Às minhas amigas escritoras, Iris Figueiredo, Bárbara Morais, Dayse Dantas, Carolina Munhóz, Paula Pimenta e Lully Trigo, obrigada por me ensinarem um pouco toda vez que a gente se encontra. Aos blogueiros que sempre dão sua opinião verdadeira sobre meus livros e me ajudam a repensar a história, um enorme agradecimento.

A todos da Generale, Henrique, Eduardo, Cláudia, Gabriele e Danubia, obrigada por acreditarem nos marotos mascarados. Foi uma grande jornada até aqui!

Pela última vez, obrigada Tom, Danny, Dougie, Harry e James Bourne. Foram anos incríveis com vocês e sei que eternizei esse amor em formato de livro. E meu amor é muito grande, espero que SAN tenha ficado à altura!

E, a você, leitor, meu eterno obrigada com sabor de miojo e brócolis! Sem você, realmente, nada disso teria acontecido. <3

Babi Dewet

prefácio

O que acontece quando você é uma pessoa do tipo "a louca dos livros" e recebe por e-mail um convite para escrever o prefácio de um? 1) Responde o e-mail na mesma hora dizendo que sim; 2) Sai pulando pela casa; 3) Faz isso ser o assunto da próxima refeição (lanchinho da madrugada no meu caso) ou 4) Todas as anteriores. Bom, acho que vocês já sabem que a resposta correta é a 4, né? Pois é, fiquei super feliz quando recebi um e-mail da Babi me convidando para escrever essas palavras que vocês estão lendo agora.

Deixe-me começar contando para vocês como SAN entrou na minha vida. Estava em uma feira literária em São José dos Pinhais com a escritora Paula Pimenta quando comecei a receber algumas mensagens no Twitter de leitores perguntando se eu iria no evento da Babi Dewet. Mal tive tempo de ler e responder, pois na mesma hora a Paula recebeu uma ligação "de alguém" convidando para almoçar no shopping ali perto. Quando chegamos nem preciso dizer que fiquei "OMG! Que coincidência. É um sinal!" quando vi quem estava sentada na mesa. E foi ali, na praça de alimentação, que decidi que naquele mesmo dia iria ao evento e compraria SAN I. Ainda bem que fiz isso!

Se você é jovem e está lendo SAN agora, com certeza vai se identificar com várias situações e sentimentos vividos pelas personagens e vai ver, por fora e por dentro, o quanto essa é uma fase incrível, angustiante e rica de experiências. É nela que muitas vezes começamos amizades que levamos para o resto vida (pelo menos foi o que aprendi com os meus avós, meus pais e o que posso dizer sobre as amizades que mantenho até hoje), temos o nosso primeiro emprego porque queremos ter independência ou porque precisamos do dinheiro por algum motivo específico... Ah, como é bom ser jovem e viver tantas coisas pela primeira vez.

Em SAN III, além de todas essas "coisas de ser jovem", tem mais duas que começaram a fazer parte da minha vida na adolescência e que estão cada vez mais presentes não só na minha, mas na vida de muitas outras pessoas de hoje: música e internet (pois é, eu não sou tão velha assim e já existia internet nos anos 2000). Ok, na verdade a música sempre esteve presente na minha vida, mas foi na adolescência que comecei a procurar outros estilos e a filtrar melhor o que queria ouvir. Pena que não tinha a Scotty naquela época... Com certeza faria parte da minha trilha sonora!

E o que dizer sobre a internet? Hoje está tão presente na minha vida que fico imaginando o que a Melina de 13 anos pensaria se alguém dissesse que anos depois ela estaria trabalhando como blogueira (ainda tem gente que faz cara de espanto e de dúvida quando falo qual é a minha profissão). Graças à internet, novas profissões e oportunidades surgem numa velocidade incrível, e podemos dizer que a trilogia SAN é um dos "frutos" dela. Para quem não sabe, SAN começou como uma *fanfic* e a Babi conquistou tantos leitores com a sua escrita e carisma que, alguns anos depois, a história ganhou forma de livro (oba!). Um presente para os velhos, novos e futuros fãs.

Se vocês, assim como eu, sofreram com o final de SAN I e SAN II, chegou a hora de saberem como termina essa história. Uma sugestão: preparem um cantinho confortável e deixem por perto um copo de suco (e um prato com miojo com brócolis, quem sabe?!) porque assim que começar o primeiro capítulo, vocês só vão conseguir fechar o livro quando chegarem à última página. Espero que gostem tanto quanto eu!

Melina Souza,
criadora do blog Serendipity
(www.melinasouza.com)

epílogo

Dois anos antes do casamento de Kevin

– Vamos nos casar, esqueceu? – perguntou Daniel. A menina riu.

– E ter um batalhão!

– Orquestra! – Ele corrigiu, rindo também. – Eu vou voltar. Eu sempre volto.

– Não posso dizer que é mentira... – A garota sorriu e depois mordeu os lábios. – Eu te amo.

Daniel não esperava ouvir isso. Sentiu o coração ir à boca e voltar. Batia com força e com vontade, de uma forma que nunca tinha sentido antes. Era ensurdecedor. Ele se aproximou dela e colocou uma das mãos em seu rosto. A menina fechou os olhos. Ele passou lentamente o nariz pela pele do rosto dela. Parecia durar uma eternidade. O mundo tinha parado para eles.

– Namora comigo? – Pediu. Amanda abriu os olhos, encontrando os imensos olhos verdes dele bem perto de seu rosto.

– Mas Daniel...

– Se você for minha namorada eu vou voltar, não importa quando.

– Eu... – A menina suspirou. – Ok, tudo bem.

Ele aproximou a boca da dela...

– Daniel? Daniel!

Ele ouviu um resmungo. Viu o rosto de Amanda se contorcer e começar a se desfazer. Sentiu-se desesperado. Queria gritar para ela voltar, mas não conseguia se mexer. Sua cabeça parecia pesada. Ele não queria que ela fosse embora!

– Cacete, Daniel, acorda!

Ele abriu os olhos se sentindo momentaneamente tonto. Piscou algumas vezes e passou a mão no rosto. Olhou para o seu próprio corpo, deitado, e respirou fundo. Mais um dos sonhos com ela. Não era certo, por que isso ainda acontecia?

Sentiu um cutucão no braço e olhou para o lado. Uma mão negra, com unhas compridas e rosas, lhe estendia seu celular. Ele pegou-o com certa ferocidade.

Quem estava deitada ao seu lado mesmo?

– Alô – Disse sonolento. Mexeu nos cabelos, sentou-se na cama e puxou o lençol do corpo. Estava nu. Ouviu um resmungo e se levantou.

– Você ainda está na cama? Está atrasado dez minutos, cara.

– Desculpa, Caio – Sacudiu a cabeça para afastar o sono. – Acho que perdi a hora.

– Claro! – o amigo bufou. – Venha logo! O Bruno chegou aqui com os tênis trocados e até agora não notou. O que aconteceu com vocês ontem à noite? – Caio riu baixinho. Daniel sorriu. As coisas não mudavam muito entre eles. Concordou com o amigo e desligou o celular. Olhou para sua cama.

– Sai! – Falou alto. A garota sentou, ajeitando os cabelos castanhos encaracolados. Daniel procurou pela sua calça jeans, jogada pelo chão.

– Previsível, seu babaca! – Ela disse debochada, se levantando e procurando suas roupas. Ele ignorou. Era o que fazia sempre.

***

O dia estava claro em Alta Granada, com um sol quente e céu limpo. Mas, em São Paulo, chovia e fazia frio. Já tinha algum tempo que os marotos pertenciam à cidade grande e até o clima agora era diferente. Daniel parou no sinal de trânsito, não que fizesse diferença, o carro mal andava por causa do congestionamento. Ele lamentou em voz alta, Caio iria matá-lo pelo atraso. Como sempre. Se dependesse disso, estaria mais morto que o *Beetlejuice*. Passou as mãos no rosto, nervoso, e ligou o rádio. Estava tocando a música nova do NxZero, a maior concorrência nacional da Scotty nas paradas musicais. Não era nem de perto boa como a música deles! O que os fãs tinham na cabeça? Mesmo tentando se distrair com o rádio, seu sonho voltou como um filme em sua mente – rodando de novo e de novo, e ele bateu a testa no volante. Bateu uma, duas vezes. O sonho não ia embora. O rosto dela não ia embora e o jeito como ela falava que o amava...

Ele mentiu. Sem querer, mas acabou mentindo. Era algo que estava acostumado a fazer agora. Disse que seriam namorados para sempre, disse que iria voltar para ela. E fazia dois anos já! Passou tão rápido. Agora eram pessoas diferentes, de mundos diferentes.

Ele sofreu muito ao ter que ir embora pela terceira vez naquela época, e sabia que tinha machucado sua garota o suficiente para ela não o amar mais.

Daniel riu. Sua garota. Não existia mais isso.

Respirou fundo vendo o semáforo abrir. Depois de mais de um ano e meio sem ao menos se falarem, ou dizer seu nome em voz alta, a dor não parecia ir embora. Voltava sempre para assombrá-lo. Era como se sua vida estivesse incompleta, sem sentido. E ninguém pudesse substituir isso.

Mas o que ele podia fazer? Ele deu o direito a ela de viver. De viver longe dessa bagunça que sua vida se tornava todos os dias.

De viver longe da maior festa que Daniel já vivera na vida!

Ele sorriu sozinho, quase malicioso. Como a vida era fácil sendo um Scotty.

Não, feliz. Fácil.

***

Anna abriu a porta de entrada e sorriu. Os cabelos castanhos lisos e longos estavam presos em um coque mal feito e ela usava um pijama masculino. Era sua casa e não precisava se arrumar, os amigos já tinham se acostumado com ela por ali, como parte da família. Daniel e Bruno discutiam algo incrivelmente idiota naquela noite.

– Desde quando a Madonna fez cirurgia para trocar de sexo? – Bruno perguntou debochado. Daniel deu de ombros e encarou a amiga, sorrindo.

– Fala, senhora Andrade! – Ele piscou. Ela pôs a língua para fora.

– Rafael estava tentando se auto afogar na pia do banheiro, vocês não têm ideia do que perderam – ela fechou a porta assim que os amigos entraram. Bruno franziu a testa vendo Daniel rir alto. Caio veio ao encontro deles na sala de estar e sua roupa estava molhada.

O cômodo não era espaçoso, mas estava bem decorado. Anna tinha bom gosto e fez questão de escolher cada peça e móvel com o máximo de cuidado. Caio não se importava de ter um quarto com as paredes pintadas de roxo, morar com a mulher dos seus sonhos já era tudo o que ele mais queria. Claro que não poderia ficar longe dos amigos, por isso todos moravam perto. Perto até demais, pois Rafael alugara o flat ao lado do de Caio e Anna, e só ia para casa na hora de dormir. O prédio ficava bem localizado, próximo ao estúdio da gravadora. E, por sorte, os fãs ainda não tinham descoberto o endereço. Ou, se tinham, até agora não apareceram para avisar.

– Vocês não acreditam na lambança que aquele idiota fez – Caio falou depois de cumprimentar os amigos. Bruno e Anna o seguiram. Daniel, ainda sentindo um pouco de ressaca, se jogou no sofá reparando nos pôsteres de filmes pendurados na parede. Viu estátuas de super-heróis e réplicas de naves espaciais espalhadas pela estante junto às revistas de moda de Anna. Daniel sorriu. Eles formavam um casal adorável. Pensando em pegar um copo de água, ao se levantar, acabou chutando uma caixa no chão perto da mesinha de centro. Curioso, se abaixou para espiar o que tinha dentro.

Eram fotos antigas. Imagens do colegial e da época em que Caio, Bruno e Amanda brincavam em um parquinho. Sorriu ao ver uma em que estavam com as roupas de *paintball* e sujos de tinta. Amanda estava ao lado dele, sorrindo e ele estava tão sorridente quanto ela. Rafael fazia chifrinho nele com Maya pondo a língua para fora.

Ele sentiu vontade de rir como não fazia há muito tempo. Tinha saudade do passado e aquela amargura toda não parecia ir embora.

Ouviu um barulho e viu Bruno chegar perto com duas cervejas. Ele parecia abatido. Não notara como Bruno parecia ter mais do que os seus 20 anos.

– Tá tudo bem? – Bruno perguntou sentando ao lado do amigo no carpete. Daniel assentiu, pegando a cerveja.

– Ótimo, como sempre.

– Sei... – Bruno riu irônico. – Ontem eu vi a Carol na rua – confessou como se soltasse uma bomba guardada. Daniel arregalou os olhos.

– Carol? A Carol mesmo ou outra?

– Mesmo. A mesma metida e insuportável Carol – Bruno mordeu os lábios, fechando os olhos. – Do mesmo jeito, cara, a mesma. Ela tava tão bonita e cheia de gente em volta...

– Falou com ela?

– De longe. Ela parecia assustada por me ver – Bruno deu um gole na cerveja. Daniel fez o mesmo.

– Contou pra Anna?

– Não.

– Certo – apertou a boca. – Ela tava sozinha ou...?

– Não, Daniel, nem Amanda e nem Maya.

Daniel ficou um pouco sem reação. Não se lembrava da última vez que ouvira o nome dela. Claro que ele pensava nela, mas nunca mencionava seu nome. Nenhum dos amigos o fazia. De alguma forma, Daniel criou uma ilusão onde Amanda vivia apenas em sua cabeça e ouvir alguém se referindo a ela era surreal e tornava aquela angústia de ter feito algo errado um pouco verdadeira.

– Que Maya? – Rafael apareceu na sala de repente, com os cabelos molhados e despenteados. Caio e Anna vinham com ele.

Os cinco se entreolharam. Rafael parecia confuso.

– Que Maya, caras? – Repetiu.

– Nenhuma – Bruno mexeu nos cabelos. Anna olhou para Rafael, preocupada.

– A doce de coco? – ele riu alto. Os outros quatro se olharam sem entender. – Ah cara, que saudade da doce de coco! Como ela está? Casada? Com filhos? Aquela vaca nem me convidou pro...

– Rafa! – Daniel riu, gostava do bom humor do amigo. – Bruno não viu a Maya.

– Ah... Ah ok – ele concordou, decepcionado.

Anna respirou fundo, cansada.

– Meninos, eu vou dormir. Não façam barulho até tarde e se forem sair não levem a chave – ela beijou Caio nos lábios enquanto todos concordavam.

A garota subiu as escadas lentamente com os nomes das amigas ecoando na cabeça. Dois anos. Dois incríveis anos ao lado da Scotty, apoiando Caio, trabalhando, lutando... E todo passado ficara realmente para trás.

O que as amigas estariam fazendo depois de todo esse tempo? Sabia pouco por e-mails trocados de épocas em épocas. Era como se sentisse um pouco de vergonha por ter ido embora. Por ter abandonado todo mundo naquela cidade pequena, sem muito futuro. Largado tudo por amor.

Deitou na cama olhando para o teto. Toda noite ela repetia para si mesma que sua escolha era certa, que ela era feliz desse jeito. Com Caio, ao lado dele, longe de tudo que viveram.

Quanto tempo isso duraria?

***

– Mocreeeeeeia! – Kevin gritou. Gritou de novo e de novo. Levantou-se do sofá, colocando as mãos na cintura de forma impaciente. – Só pode ser brincadeira que você...

– Calma! – Amanda disse ajeitando a calça. Olhou para Kevin, na sala de sua casa, e riu. – Você é um péssimo Michael Jackson.

– E você é um Macaulay Culkin muito hétero! – Ele gargalhou vendo a roupa da amiga. Usava uma calça caqui e uma camiseta branca. Pequenas referências ligavam a um famoso filme e só eles dois estavam achando muita graça nisso. Certeza que ninguém iria compreender.

– Seremos o melhor casal da festa.

– Claro, até porque quem é Michael e Macaulay perto de Mortícia e Gomes? – Kevin disse aumentando a voz.

– Ah não, não me diz que a Guiga...

– Mor-tí-ci-a! – ele repetiu com a língua para fora. Ajeitou a peruca, rindo. – Vamos logo, essa coisa pinica.

– Sei o que pinica... – a garota zombou, pegando o creme de barbear em cima da mesinha. Sacudiu a latinha, olhando para o amigo. Ele arqueou a sobrancelha em dúvida.

– Alô, o filme é *Esqueceram de Mim*!

– Minha sina!

Amanda riu pegando na mão de Kevin e saindo com ele porta a fora.

***

– Ridículo a gente ir nessa festa – Caio disse mal-humorado ao volante. Anna gargalhou, empurrando Rafael e seu grande vestido para conseguir entrar no carro e fechar a porta.

– Você deveria ter escolhido uma fantasia melhor! Vou morrer sufocada com tanto pano até chegar lá! – A menina reclamou.

– Melhor que Ana Bolena, a rainha do sexo medieval?

– Argh, Rafael, seu porco – ela rolou os olhos.

– Você está fantasiada de Mulher Maravilha. Totalmente *last week* – o amigo disse de forma afetada, fazendo Bruno e Daniel rirem. Bruno estava fantasiado de Henrique VIII, amante de Ana Bolena. Daniel era Marty McFLY.

– Cadê seu par? – Caio perguntou ao dar partida no carro enquanto Daniel, apertado entre os amigos na parte de trás, amarrava o tênis da Nike.

– Meu Doutor Brown estará lá. Relutante, claro, acho que nenhuma garota gostaria de se fantasiar de homem assim.

– Deve ser melhor que minha roupa de Homem Invisível! – Caio resmungou alto. Anna gargalhou. – Por que não pude ser o Batman ou o...

– Tenha senso de humor, cara. A piada é com o Homem Invisível e a Mulher Maravilha e os dois...

– EU JÁ SEI, BRUNO! – Caio berrou no volante, fazendo os amigos rirem alto.

***

Amanda se sacudia ao som de uma música eletrônica qualquer com uma lata de cerveja na mão. Só tinha gente esquisita naquela festa e eles tinham viajado quase duas horas de carro para chegar lá. Iria matar Fred por isso!

– Demorei pra saber quem era você – o amigo disse rindo. Estava com um bigodinho preto ridículo e os cabelos lambidos, estranhamente escuros. A garota achava que era spray, porque a testa dele estava ligeiramente manchada.

– Oi, Gomes – Amanda cumprimentou. Eles se abraçaram. – Cadê a Guiga?

– Mesa de doces! Você viu? Essa é a melhor festa do ano e...

– E você vai total nos levar pra casa porque queremos cair bêbados e visitar outro planeta!

– Relaxa, mocreia – Kevin chegou perto deles com Guiga ao lado. As amigas se cumprimentaram com um abraço desajeitado, já sentindo o efeito do álcool. – Ninguém vai deixar Michael Jackson dormir na rua. NOBODY PUTS BABY IN THE CORNER!

– Música errada – Fred sussurrou.

– Tem muita gente famosa nessa festa – Guiga se virou para a amiga, animada. Amanda balançou a cabeça, concordando.

– Soube que os caras da NxZero e da Fresno estão aqui. Vi alguém de zumbi na cozinha e acho que era um deles! O cabelo era igual! Mal pude acreditar!

– Jura? – Amanda perguntou.

A amiga confirmou e se abanou. Amanda reparou novamente no anel de noivado no dedo anelar de Guiga. Era um solitário lindo com uma pedra brilhante em forma de gota. Fred tinha bom gosto e, agora, ganhava bem produzindo bandas e eventos. Finalmente, ele poderia provar para os pais da namorada que seria um bom marido. Não que dinheiro seja o mais importante quando se tem amor, mas pais nunca pensam assim, certo?

Amanda balançou a cabeça no ritmo da música, passando os olhos ao redor e tentando identificar alguém. Nunca tinha visto muita gente famosa, mas deveria ser interessante conhecer os caras que sempre estão na televisão e nas revistas. Ela e Kevin ganharam convites para aquela festa graças aos contatos de Fred, cada dia mais influente no mundo da música e, por consequência, da fama. Diferente de seus antigos amigos de escola, o garoto preferiu ficar em Alta Granada junto de Guiga, planejar uma vida a dois, construir uma família. A agitação da cidade grande não era para ele. Contudo, isso não o impediu de investir na carreira de empresário e, agora que a Scotty tinha estourado, ele gastava muito tempo procurando outras bandas iniciantes.

– Ok, vamos andar e acenar. Preciso arranjar um gato novo, agora que o Lucas me deixou! – Kevin falou alto, empurrando Amanda pelas costas.

– Para de drama! O Lucas só foi fazer intercâmbio. Ele volta no fim do ano e vocês vão se acertar! – Amanda disse por cima do ombro.

– Cale a boca e ande! Vai que hoje você é minha mulher – ele deu um tapa na bunda dela, fazendo-a rir.

– Argh, que nojo! Olha a minha fantasia, eu sou um homem! HOMEM! – Ela berrou e Fred gargalhou dos dois. Eram sempre assim, pareciam um casal de velhinhos rabugentos.

***

Daniel dançava loucamente no meio da pista de dança. A quase inteira garrafa de vodka dividida por ele e Bruno estava fazendo efeito. O amigo já estava agarrado com alguém em um canto e Rafael corria atrás dele tropeçando no imenso vestido, sentindo-se traído. Daniel tinha se livrado da garota que combinara de encontrar ali. Ela não parou de reclamar por ter sido obrigada a usar uma fantasia de homem velho e tirou o jaleco no meio da festa, revelando uma roupa de coelhinha da Playboy. Patético. Ele cansava fácil de garotas fúteis. Já tinha passado muito por isso a vida toda.

***

– Cara, vi um Marty McFLY loucão na pista – um rapaz de Capitão Nascimento passou por Kevin e Guiga comentando. Os dois se entreolharam.

– Quem iria de Marty McFLY pra uma festa?

– Quem iria de Macaulay Culkin? – Guiga perguntou rindo. Tentou ver por cima do pessoal, olhando para a pista de dança e sentiu seu coração quase sair pela boca. – Kev...? – balbuciou.

– Fala, gata.

– Tira a Mandy dessa festa. Agora! – Falou duramente e saiu andando pelo lado oposto, procurando por Fred. Kevin franziu a testa e olhou pela multidão.

Daniel Marques.

Bêbado. Louco. Dançando.

E vestido de Marty McFLY.

Ele deveria ter adivinhado, não é? Isso não era a cara de seus velhos amigos?

– HEY, KEV! – Amanda chamou, sacudindo os braços perto dele. Kevin se assustou, arregalando os olhos. Ela não podia ver aquele garoto ali! Não podia! Depois de dois anos sem notícias, depois de dois anos de sofrimento. – Que foi? – ela perguntou. Kevin sorriu malicioso.

– Achei Lisa Marie Presley – disse virando ela ao contrário da pista. A amiga riu.

– E eu? Vai esquecer de mim? – Gargalhou da própria piada.

Ele empurrou a amiga em direção à saída. Viu Guiga e Fred mais a frente, no jardim da enorme casa. Foi até eles com Amanda ainda rindo sozinha.

– Por que você não me disse? – Guiga gritava furiosa.

– Eu não sabia! Eu já te falei! – Fred sacudiu os cabelos, já não mais grudados com gel.

– Se ele tá aqui, então todos estão e...

– Oeee! – Kevin chamou a atenção. Guiga e Fred se calaram, encarando os amigos.

– Guiga está bêbada. Vocês levam ela pra casa? – Fred pediu. Guiga lançou um olhar mortal para o noivo e pegou na mão de Amanda.

– Vamos, amiga, vamos comigo.

– Eu vou dirigindo! Ainda nem tive tempo para tomar uma cerveja sequer. Que festa caída! – Kevin falou, vendo Fred respirar fundo. Amanda não estava entendendo nada.

– Amiga, você tava brigando com o Bourne?

– Ela tá bêbada, claro – Kevin tentava rir normalmente. O teor alcoólico de Amanda não deixou que ela notasse qualquer agudo na voz do amigo, que denunciava sua mentira. Deu de ombros e seguiu Guiga para o estacionamento. Olhou para as mãos.

– O CREME DO MEU PAI! – E saiu correndo de volta para a mansão. Guiga, Kevin e Fred ficaram estáticos, sem saber o que fazer. Apenas observaram.

***

Amanda entrou na casa atropelando os pés. Reclamou baixo pelos tênis de Kevin, que estava usando. Maldito pé tamanho 41. Respirou fundo. Não lembrava onde tinha deixado a latinha de creme de barbear. Será que tinha largado no sofá do canto da pista de dança?

Andou rapidamente até lá, empurrando algumas pessoas enquanto pedia desculpas bem alto. Perto do sofá, achou um cara usando seu creme e enchendo o rosto de espuma branca. Ela abriu a boca, abismada.

– Ei! Isso não é seu! – Tomou a lata da mão do menino. Ele olhou inconformado e saiu dali, empurrando-a com o ombro.

Amanda balançou a cabeça, irritada, e reparou melhor no sofá. Sentiu o coração bater mais forte, olhando para quem estava sentado ali. Era um garoto usando uma fantasia espalhafatosa de mulher. O corpete dourado parecia meio solto e o chapéu era exagerado demais. A maquiagem, forte, encobria o rosto praticamente todo. O garoto olhava para ela, com os olhos arregalados.

Ficaram se encarando por alguns segundos e a cabeça de Amanda martelava. Eles se conheciam. Ela sabia quem era! E só podia estar bêbada, claro! Começou a rir.

Fred apareceu por trás dela, segurando em seus ombros.

– Guiga tá te chamando, Mandy – disse. Amanda concordou, acenou para o garoto no sofá e foi em direção à saída. Fred olhou para trás e respirou fundo. – Hey, Rafa!

– Acho que eu não entendi muito bem o que acabou de acontecer – o amigo riu, se levantando e ajeitando a saia dourada.

– Nem queira.

– Era a Amanda? A Guiga tá lá fora? E a Maya?

– Não, a Maya não – eles se abraçaram. – Elas tão indo embora, cara. É melhor assim. Não queremos que ela veja o Daniel, você sabe.

– Eu entendo. Sinto saudade. Ela me reconheceu? – ele sorriu maroto e convencido.

– Provavelmente vai culpar a cerveja e vai passar a semana falando de você – os dois riram juntos.

– Você fica na festa, certo? – Fred concordou. – Ótimo, vamos, Caio e Anna estão na cozinha, vão adorar te ver.

Daniel virou de costas, respirando fundo. Tinha ouvido Rafael conversar com Fred! Nem sabia que o amigo já tinha chegado à festa e ele estava irreconhecível com o cabelo loiro comprido amassado com tanto gel e esquisitamente escuro. Eles falaram de Amanda, falaram dela! E ela estava ali na festa!

Correu para a porta da casa, tropeçando, sentindo o coração na boca. Perderia a oportunidade de vê-la? Parou no batente, olhando para a rua. Viu, ao longe, três pessoas de braços dados. Sorriu sozinho reconhecendo Kevin, Guiga e um garoto meio desengonçado entre eles. Apertou os olhos e notou que esse garoto era a única *garota* que poderia ter feito seu Marty McFLY voltar centenas de vezes no tempo e continuar apaixonado. Era a única garota que não saia dos sonhos dele e que atormentava a sua solidão.

– Amanda – ele murmurou o nome dela depois de dois anos tentando ignorá-lo. Sentiu-se leve e, então, voltou para festa procurando por Fred.

um

Casamento do Kevin, dois anos depois

Amanda encarou Daniel de cima do altar. Sua mão estava suada e ela não sabia como tinha criado coragem para falar com ele daquele jeito.

Viu Rafael fofocando com Caio e rindo. Os dois olhavam para um rapaz na frente, que usava uma peruca roxa. Amanda riu. Era o casamento do Kevin, ela podia esperar qualquer coisa.

Ela era a única madrinha. O padrinho era um amigo de Lucas, que morava em Belo Horizonte e tinha vindo especialmente para a cerimônia. Lucas era popular e a maioria das pessoas estava ali por ele. Amanda riu. E pensar que eles um dia tinham sido adorados por toda a escola e que muitos fariam fila para falar com eles. Até Kevin passara por isso e parecia realmente ter sido em outra vida. Como as coisas tinham mudado.

Amanda se sentia ansiosa, sacudia a perna e, por algum motivo, queria que o casamento acabasse logo. Olhou para o celebrante, que recitava algum poema sobre eternidade e confiança, e teve vontade de gritar para ele se apressar. Lucas e Kevin foram feitos um para o outro, era só dizer e pronto! Sentia-se com dezesseis anos novamente – e não mais com 21!

Por que eles tinham voltado para sua vida de repente? Ela não tinha evitado o contato o máximo que podia, mesmo os vendo em todas as revistas, portais da internet, programas de televisão? Teve, inclusive, que fazer uma matéria sobre bandas nacionais para o informativo da cidade uma vez! Até com a sua melhor amiga ela perdera o contato. Agora, era só Daniel Marques aparecer que a cabeça dela virava ao avesso! E o pior era que ela se sentia feliz. Ele estava ali. Outra vez.

Provavelmente não era o mesmo Daniel, mas quem continua sendo a mesma pessoa depois de tantos anos?

***

Troca de votos e de alianças, música, lágrimas, gritos e aplausos. Finalmente! Após os noivos saírem do altar, com uma enxurrada de arroz em suas cabeças, Amanda se sentiu aliviada. Agora poderia mexer o corpo, extravasar sua ansiedade. Os convidados seguiram pelos jardins até o salão de festas do Everest. Era enorme e muito bonito, do jeito que ela sabia que Kevin gostava. Queria poder abraçar o amigo, mas muitas pessoas o cercavam e ela achava que ele merecia um descanso dela depois de todos esses anos.

Maya encostou em seu braço, com Carol ao seu lado.

– Então, Mandy, como está? – perguntou a garota ruiva. Amanda a encarou, reparando nas mudanças no rosto de sua amiga. Ela parecia mais velha, mais séria. E as poucas sardas do nariz estavam cobertas por maquiagem. A Maya de alguns anos nunca teria usado tanta maquiagem assim.

– Eu tô bem.

– Vi você e o perdedor conversando! – Carol comentou, sorrindo. – Eu achei que, por algum motivo, você já tinha se mudado pra São Paulo. Caraca! Você e Daniel ficam nesse vai e vem infinito. É insuportável, você sabe.

– Acho que não era a hora – Amanda deu de ombros, caminhando para baixo de uma das árvores do jardim. O sol já começava a se pôr. – Eu tentei ficar distante o quanto pude. Na verdade eu mal podia imaginar um reencontro assim.

– Pelo menos ele tá gostoso! – Maya cobriu a boca com a mão. Amanda e Carol olharam para ela, surpresas, e as três desataram a rir.

– Muito bonito! – Ouviram uma risadinha atrás delas.

– Ei, Rafa – Amanda o abraçou. – Você não mudou nada.

– Caraca, cresci tipo uns vinte centímetros e tô malh...

– Cresceu nada e continua magricela! – Maya olhou para frente, rindo. Ele abriu a boca, incrédulo.

– Olha como vocês me recebem! Olha só, doce de coco! – Rafael fingiu indignação. – A Anna não faz isso comigo!

As meninas se entreolharam. Amanda mordeu o lábio.

– Cadê ela? – perguntou. Rafael franziu a testa.

– Ela não está passando bem, explicamos pra noiva – O garoto bagunçou o cabelo, agora mais escuro e espetado, rindo. – Ela está com alguma intoxicação alimentar, algo nojento assim.

– Então, a gente tá com saudade. Sei que vocês são famosos e tudo mais, mas ela está indo bem? Faz tempo que não responde nossas mensagens – Maya disse, um pouco decepcionada.

– Ela tá bem, sim. Trabalhando muito, coitada. Sabem que mês passado ela fez um catálogo inteiro para uma loja de roupas caras? Foi bem legal e ela pagou um jantar enorme pra gente! E o Caio é muito bom pra ela. Eu moro ao lado deles, da até para pular pela varanda!

– Uau, Rafael – Carol disse irônica. Ele deu a língua.

– Você não entenderia como é legal.

– Aposto que não – a garota torceu o nariz.

– E o Daniel e o Bruno? – Amanda perguntou, curiosa, olhando para os lados.

– Daniel mora pro fim da rua e Bruno é vizinho dele. Acho que eles vão quebrar o muro e fazer uma casa só, eu ouvi essa fofoca. Ou casar, sei lá. Talvez se inspirem no Kevin.

– Eles não se desgrudam, né? – Amanda riu. Rafael negou.

– As coisas não mudaram taaaaanto assim. Fora eu ter ficado mais bonito e mais alto!

– Aham, Rafael – Maya gargalhou. – Vamos entrar? Eu tô morrendo de sede.

Amanda viu os amigos seguirem em direção ao salão, mas por algum motivo não quis acompanhá-los. Precisava colocar os pensamentos em ordem, e ficou parada, apenas observando as pessoas que circulavam por ali. Logo mais estaria de noite e ela não poderia mais fugir de todos. Teria que entrar e fazer companhia à mãe de Kevin ou dançar alguma valsa com um dos noivos. E, na real, estava super animada por isso!

– Te dou alguma grana pelos seus pensamentos.

– Bruno, você vai pagar uma fortuna! – Ela riu, se virando de costas. Bruno estava apoiado no tronco da árvore, com as mãos nos bolsos. O vento soprava mais forte, fazendo o paletó balançar. Seu rosto ainda era o mesmo, bonito e com a pele clarinha, como ela estava acostumada a ver em pôsteres, clipes e programas de televisão. Mas Amanda viu que ele parecia cansado demais para ter 22 anos. Um pouco atrás estava Daniel, olhando para ela, rindo, com um cigarro na mão. Seus cabelos escuros estavam rebeldes e sacudiam para todo lado.

– Pelo menos agora eu tenho mais grana, pequena – Bruno sorriu, parecendo envergonhado. Amanda o encarou.

– Essa grana podia ter pagado um cabeleireiro – provocou. Ele mordeu o lábio e riu alto.

– Acho que eu fiquei imaginando essa cena por um tempo.

– Faz tanto tempo assim que você não corta o cabelo? – ela riu baixinho. Ele deu a língua.

– É sério. Eu não me perdoo por ter te deixado sozinha.

– Eu não estava sozinha, estava? Eu tive o Kevin e a Maya por um bom tempo. Depois tive Guiga e Fred todo fim de semana.

– Não sentiu minha falta? – Bruno fez uma careta, deixando Amanda com um aperto no peito.

– Mais do que tudo no mundo – Ela estendeu o braço. Bruno sorriu e rapidamente alcançou a mão da garota, puxando-a para um abraço. Daniel continuou parado, perto, só observando, soltando a fumaça do cigarro lentamente.

– Vocês dois podiam se casar e tudo mais – ele disse com uma pontada de ciúmes, tentando parecer irônico. Bruno se soltou de Amanda e olhou para trás.

– Você é um babaca, Daniel – riu, sacudindo os cabelos. Deu um beijo na bochecha de Amanda. – A gente conversa depois da festa, pequena.

– Tudo bem, senhor estrela do rock – a garota sorriu contente, sentindo o nariz gelado pelo vento. O céu estava mais escuro e começava a ficar frio. Bruno piscou para ela e saiu andando, deixando-a parada de frente para Daniel.

Amanda mordeu os lábios e olhou para o chão. De repente tinha ficado com vergonha. Daniel estava tão bonito, tão diferente ali na sua frente. Era como ela imaginava por todo esse tempo. Longos quatro anos sem vê-lo, fora nas revistas e na televisão, claro. Mas apostava que usavam muito Photoshop nas imagens. As poucas sardas dele raramente apareciam.

– Ei, fofa – Daniel sorriu de forma marota, tragando o cigarro. Amanda sentiu as bochechas corarem. Não estava mais acostumada com aqueles sentimentos e nem o frio na barriga, que nada tinha a ver com o vento.

Daniel mordeu o dedão que segurava o cigarro. Queria perguntar sobre o que ela tinha dito antes da cerimônia. Ele a queria de volta. Foram quatro anos inteiros para se arrepender de ter deixado a garota. Poderia ser tarde demais, ela poderia estar em outra, com outro. Mas ela tinha dito: "Espero que você me peça em casamento assim que a gente sair daqui. Eu não esperei você por quatro anos à toa." Então, ela tinha esperado por ele. Ela tinha acreditado nas promessas que ele fez por todo este tempo. Era seu maior medo, não era? Ter perdido a sua garota? Por que agora sentia vergonha e um frio na barriga maior do que já sentira na vida? Nem ficar pelado no palco, certa vez, parecia tão vergonhoso.

– Daniel, sobre o que a gente falou. Hmm... – Amanda começou a falar, se aproximando dele. Ela não podia deixá-lo pensando que estava se jogando em cima dele. Não sabia de onde tinha tirado a coragem! Depois de quatro anos, não podia esperar por muita coisa. Não era como se tivesse passado muitos dias chorando e olhando para o site oficial da banda, pensando se enviava um e-mail ou não. Ou tentando contatar o antigo número de celular, sem sucesso.

Ok, ela havia feito tudo isso. Mas também tinha crescido, arrumado um emprego, outros namorados e uma dignidade. Ou algo assim.

– Você não quer? – Daniel arregalou os olhos. Amanda sentiu a voz dele rouca e se aproximou um pouco mais. Ela encarou os pés.

– O que eu não quero?

Daniel mordeu os lábios e jogou o cigarro na grama, pisando em cima. Ele não sabia como dizer. Sentia uma queimação no corpo inexplicável. Passou as mãos no rosto, se sentindo um pouco suado e vermelho.

– Daniel... – ela disse o nome dele com carinho. Sorriu levemente, chegando perto o suficiente para sentir o perfume dele. Seu estômago deu voltas. O cheiro tinha mudado. Seu Daniel tinha mudado.

O garoto encarou as mãos.

– Eu senti sua falta – confessou baixinho.

– Eu sei como é – Amanda riu. Achou engraçadinho ele estar envergonhado. – Mas eu não estava falando sério sobre o casamento, você não precisa ficar comigo pra sempre só porque sentiu minha falta. Você podia só ter ligado.

– E se eu quiser? – ele perguntou olhando em seus olhos. Ela sorriu.

– Então a gente vai casar e ficar junto – Amanda encarou os olhos verdes do garoto.

– A gente pode casar agora! – Ele deu um largo sorriso.

– Ah claro, Daniel – a garota fez uma careta. – Depois de quatro anos você volta e a gente casa, como se nada tivesse acontecido? Como se eu não tivesse uma vida longe de você!

– Qual o problema? – ele perguntou rindo. Ela fez uma cara de apavorada, brincando.

– Daniel, você não sabe mais meus gostos e... o que eu gosto de ouvir e ler – ela pontuou com os dedos das mãos. – Nem a minha pizza preferida ou se eu ronco de noite!

– Fofa! Você gosta do mesmo que eu, gosta de ouvir McFLY e Paramore, eu aposto. Você lê aquela literatura chata de contos de fadas, sua pizza preferida é calabresa sem cebola e você não ronca!

– Daniel! – a garota disse alto, rindo. Ele riu junto. Sentia saudade de ouvir o nome dele pela voz dela. Tinha até esquecido como era. – Eu prefiro NxZero, sabe como é. Céus, sou previsível assim?

– Eu simplesmente sei quem você é. Sempre soube. E eu não quis te machucar.

– Você fez o que devia, para com isso – Amanda balançou de leve a cabeça, lembrando-se de todas as noites chorando de saudade, querendo ter Daniel por perto.

– Você não me perdoou – ele disse simplesmente. – Eu sei que você me ama, mas você não me perdoa.

– São quatro anos. Não alguns meses – ela mordeu os lábios. – Bom, na teoria são alguns meses, porque se dividir anos em meses, você...

Ele pegou de leve em seu queixo e levantou seu rosto. Tinha se aproximado mais dela. Sorriu quando a garota o olhou nos olhos.

– Está disposta a me aturar? Porque eu preciso de você.

Ela mordeu os lábios concordando. A proximidade não era algo que ela esperava e sentiu o coração sair pela boca. Isso não acontecia há muito tempo. Os lábios de Daniel estavam bem perto e ela podia sentir o cheiro dele como nunca. Ele deu um leve beijo estalado em seus lábios e Amanda sentiu um calafrio pelo corpo todo. Daniel sentiu os pelos arrepiarem.

– Você vai casar comigo, não é? – ele perguntou e sentiu o sorriso dela em sua boca.

– Não hoje.

Daniel se afastou um pouco e começou a rir. A garota o acompanhou.

– Eu tenho um anel! – O garoto anunciou com a voz rouca. Ela gargalhou.

– Você não vai me comprar com joias, Marques!

– É. Acho que não, mas, hmmm – ele levantou a sobrancelha e Amanda arregalou os olhos. Daniel pegou na mão fria dela com a sua quente e apertou com força. Saiu andando, puxando-a com ele. Ela o seguiu, sem entender nada e com receio de perguntar o que ele iria fazer.

***

Daniel passou com ela por uma porta ao lado do salão de festas. Continuou andando pelo chão liso de mármore negro do hotel, onde os passos dos sapatos dos dois ecoavam. Amanda apenas ria, deixando-se levar. Gostava desse sentimento e estava feliz por saber que ainda se sentia viva assim.

A lua surgira e Amanda podia chutar que logo mais Kevin iria perguntar onde ela estaria. Talvez notasse a falta de Daniel ou talvez mandasse os seguranças atrás dela. Ou talvez ele estivesse mais interessado no cara lindo que agora era seu marido. Quem sabe? Ouvia uma música da Lady Gaga ao longe. Ou era alguma coisa em coreano? Não conseguia distinguir a batida.

Balançou a cabeça, vendo o anoitecer pelas enormes janelas do corredor. Daniel parou de repente, olhando para os lados, como se escolhesse para onde iria. Ela tinha certeza de que ele não fazia ideia de onde estavam e aquele prédio não parecia ser habitado. Deveria ser outro salão, no momento inutilizado. O garoto, então, balançou a cabeça e se virou para ela, fazendo com que Amanda se encostasse na parede atrás deles.

– Olha só...

– Daniel, você não tem que falar nada.

– Fica quieta – ele disse grosseiro e fechou os olhos. Amanda mordeu os lábios, achando a voz dele muito sexy. Uma das mãos de Daniel estava apoiada na parede, ao lado da cabeça de Amanda, e a outra estava em sua cintura. Ele respirava fundo sem perder o ar divertido. – Quando eu fui embora depois daquela formatura eu prometi pra mim mesmo não sofrer por abdicar de você e do que você sempre significou pra mim. Você sempre foi a minha melhor amiga e o meu porto seguro. E esses quatro anos foram muito difíceis sem ter você por perto. Sem poder ligar quando recebi meu primeiro grande salário ou então sem ter pra quem contar que Bruno roncava demais à noite, sem que me achassem chato! A vida que eu levo não é algo que me orgulho tanto assim e eu não queria que você sofresse mais por estar comigo – ele falava olhando em seus olhos, sério, sem quase piscar. Amanda apenas concordou. – Eu tive garotas se jogando aos meus pés e a maioria delas só me queria por uma noite e eu não me acostumo com isso! Eu não sou esse Daniel que elas querem, eu sou o cara que joga *paintball* e gosta de ver *De Volta para o Futuro* diversas vezes!

– Eu sei – ela riu baixinho, um pouco chocada com a informação das garotas. Não que não soubesse disso, mas era inevitável sentir ciúmes. Essa história de que o que os olhos não veem o coração não sente era uma mentira deslavada. Pelo menos para quem tinha criatividade e era capaz de imaginar sem precisar realmente ver. Ele mordeu o lábio inferior, respirando fundo.

– Há dois anos, eu te vi pela última vez – Daniel confessou passando o dedo na bochecha dela. – Você não me viu, eu tenho certeza.

– Dois anos? – a garota franziu a testa.

– Era uma festa à fantasia.

– Eu sabia que era o Rafael! Eu sabia, eu falei disso durante meses pro Kevin e ele só negava, me chamando de louca! Aquela traíra dos infernos... – Amanda falou animada e Daniel riu. – Você estava lá?

– Estava. E quando te vi correndo com Kevin e Guiga, e você... estava fantasiada de garoto!

– Macaulay Culkin! Você entendeu a referência? Sensacional!

– Eu percebi que nunca vou achar alguém parecido com você. Entende isso?

– Acho que sim.

– Eu sei que é egoísmo chegar assim do nada e querer você de volta, porque você tem uma vida! Eu tenho noção disso, não tenho pressa. Na verdade, um pouco – Daniel passou a mão, que estava na cintura da garota, nos cabelos dela presos em uma trança lateral. Ele aproximou o rosto e respirou fundo. – Mas eu sempre soube esperar e eu quero que você me conheça novamente e conheça minha nova vida.

– O que quer dizer com isso, Marques? – Amanda perguntou, sentindo as pernas amolecerem. Seu estômago revirava.

– Vem cá – ele a puxou pelo braço. Levou a menina até a janela, do outro lado do salão vazio. Amanda sorriu o sentindo abraçá-la por trás. Daniel colocou o rosto ao lado do dela e o queixo em seu ombro, mirando o céu negro e estrelado pelo vidro. – Quando eu sentia sua falta, eu olhava pro céu, por mais clichê que isso pareça – ele respirou fundo. – Eu fiz de você minha estrela guia, sei lá. Sabe o que isso significa?

– Que você não tem dinheiro pro psicólogo? – ela sorriu com ar debochado. Ele riu baixinho.

– Que você não me saía da cabeça, fofa. E toda noite eu entrava nessa piração de que você estaria esperando por mim. E não eram as drogas. – ele beijou de leve o pescoço dela. Amanda se sentiu completa. Ela esperava por ouvir palavras assim há muito tempo. Sabia que realmente não tinha sido à toa. – E eu tinha tanta coisa pra te dizer e sentia você assim, distante, como aquelas estrelas. Eu sei que é maluquice, mas acho que foi a única forma de tentar deixar tudo pra trás. E ter um porto seguro de novo.

– Então você me ama? – ela perguntou, infantilmente, olhando para o reflexo deles no vidro da janela. Ele riu e apertou seus braços. Ficaram em silêncio por algum tempo.

– Me desculpe por tudo, fofa. Me deixa tentar de novo. Eu estou pronto! Você me faz querer ser um homem melhor, como dizia o grande poeta de *Melhor Impossível*.

– Você está citando falas de filmes!

Ela se soltou dos braços dele, com uma expressão divertida. Daniel arqueou a sobrancelha, vendo Amanda rir.

– Então você quer dizer que mesmo tendo saído com tooodas as garotas que eu sei que saiu, as que estavam nos jornais e outras, você não esqueceu de mim?

– Nope – ele riu do ciúme dela. Tinha gostado disso. Cruzou os braços e viu a menina no meio do corredor, andando de costas.

– E que você terá paciência se eu quiser me acostumar com seu modo de viver? Ou socar cada garota periguete que se aproximar?

– Se você não for muito dramática quanto a isso – ele gargalhou com a careta dela.

– Daniel, alô! Eu não tô brincando!

– Sim, continue.

– Obrigada, mas, Houston, temos um problema.

– Temos? – Ele arqueou a sobrancelha, divertido.

– Você conhece a menina de quatro anos atrás. De dezessete anos. Não sou mais a mesma.

– E o que a menina de hoje tem de diferente assim?

– Bom, você disse que me conhece, mas você não sabe nada sobre mim. Você não sabe nem mais como é meu beijo! Eu posso beijar que nem um camelo – a garota deu de ombros, encostando na parede oposta a que Daniel estava. Ela riu com os braços para trás, querendo muito que ele a beijasse logo. O garoto a fitou e ajeitou o cabelo, andando na direção dela.

Amanda sentiu a garganta queimar e a barriga se contrair. Daniel mordeu os lábios e sorriu malicioso, e era mais do que ela podia aguentar. Ele era tão bonito e aquela situação era tão surreal!

Em um ato rápido, o garoto a pressionou de costas na parede, colando seu corpo ao dela e segurando seus dois braços para cima. Encostou a boca em seu queixo, fazendo a garota soltar um gemido baixo e subiu para sua orelha.

– Espero que em uma coisa você não tenha mudado – disse num sussurro rouco.

A garota se forçou a olhar de frente para ele, fazendo Daniel desgrudar o rosto do dela, e levou a boca aos lábios dele, passando a língua de leve. Ele deslizou uma das mãos pelo lado do corpo dela até chegar em sua coxa. Apertou com força, fazendo mais pressão também na mão que segurava os braços dela em cima da cabeça. Passou o nariz pela bochecha dela, respirando a pele da menina e, então, grudou a boca na dela. Amanda respirou fundo quando a língua quente de Daniel se esfregou na sua e rapidamente soltou os braços da mão dele e entrelaçou seu pescoço, com urgência.

Era o melhor beijo do mundo. Para os dois. Eles não tinham como negar isso.

Ela apertava os cabelos da nuca dele, fazendo-o ficar ofegante e Daniel apertava a garota contra seu corpo. Ela sabia o que queria fazer. E queria isso há muito tempo. Queria Daniel há tanto tempo que não sabia mais se era apenas sonho e se iria acordar em breve, como sempre acontecia.

Pegou a mão dele que estava subindo e descendo em suas costas e colocou em sua coxa. O garoto abriu os olhos, sem quebrar o beijo e viu que ela mantinha os olhos abertos também, como se esperasse pela reação dele. Daniel sorriu e, usando a outra mão, puxou as pernas da menina para cima, entrelaçando-as em sua cintura, pressionando-a com mais intensidade contra a parede. Ela era leve, pequena, era tudo o que ele queria. Era o que sempre quis e que ninguém tinha sido capaz de substituir.

dois

– A gente acabou de fazer sexo enquanto rola uma festa de casamento ao lado, isso deve ser passagem direta pro inferno! – Amanda praguejou enquanto corria atrás de Daniel pelo gramado. As sandálias de salto estavam em suas mãos e o terno dele em seus ombros. Daniel fumava um cigarro mais a frente, olhando para ela e rindo.

– Você ficou mais lerda, anda logo!

– E você ficou mais alto, Daniel! Deixa de ser babaca! – A garota riu alcançando Daniel, que tirou o cigarro da boca e beijou o topo da cabeça dela. Amanda respirou fundo e enfiou as mãos nos bolsos do terno. Sentiu uma caixinha dura e parou de repente. Daniel reparou que a menina não estava mais atrás dele e andou até ela.

– O que aconteceu? Você não está arrependida, está? – Ele parecia assustado, como uma criança. Sentiu o coração bater com força em um repentino desespero. Amanda negou, mordendo os lábios. Os cabelos dos dois balançavam com o vento, bagunçados. As poucas luzes vinham das janelas do salão do hotel mais à frente e da enorme lua. Mas Daniel podia ver a expressão da garota. E não era de arrependimento.

– Daniel... – ela disse lentamente e ele olhou, assustado, para onde as mãos dela estavam.

A menina tirou a caixinha preta do bolso e colocou na mão em frente ao garoto. Os dois estavam a um passo um do outro. Ele tragou profundamente o cigarro, nervoso.

– Você realmente tinha um anel! – Ela olhava para a caixa, surpresa. Ele fez um barulho esquisito com a boca, concordando.

– Tenho – ele consertou. Os dois se olharam e ela abriu um enorme sorriso. Daniel arqueou a sobrancelha. – Você não vai explodir e correr de mim, vai? Porque eu não sou nenhum maluco, nem fiquei doido com o tempo. Eu comprei esse anel há pouco mais de um ano e sempre quis vir te ver e... eu não conseguia e então Kevin me ligou e... e bom, eu...

– Eu nem sei o que dizer – ela balbuciou. – Posso abrir?

– Você quer? – Ele estava pálido e seus imensos olhos verdes brilhavam. Ele soltou o cigarro e pisou em cima. – Abrir e realmente ver?

– Quero sim – ela concordou docemente, sentindo o vento levantar de leve a barra do vestido.

– Você sabe no que implica uma garota abrir a caixa de anel de um garoto, certo?

Amanda encarou Daniel e balançou a cabeça negativamente.

– Nunca abri nenhuma caixa de nenhum cara, Daniel – ela sorriu. Ele passou a mão pelos cabelos.

– Significa que você terá que ficar comigo pra sempre. Não precisa casar hoje, mas eu serei seu e você não terá direito de me abandonar.

– Se é assim, eu devia ter te dado um anel há quatro anos, então! – Ela olhou irônica. Daniel riu.

– É, também acho – e os dois riram. Amanda colocou o cabelo bagunçado e já solto da trança para trás da orelha, espiando Daniel a cada segundo. Pensou se deveria mesmo fazer isso e dar logo esse passo. Não fazia nem 24 horas que ele tinha voltado para a sua vida e agora era como se ele nunca tivesse ido embora. Todo buraco que havia nela parecia preenchido. Tinha de ser a coisa certa a se fazer, senão, ela não sabia o que seria. E, nesse ponto, aos 21 anos, ela estava disposta a correr riscos. Não queria ser a mesma Amanda de sempre.

Mordeu os lábios e lentamente abriu a caixinha. Um anel prateado com uma pedra verde pequena brilhou com a luz da lua. Amanda cobriu a boca com a mão livre.

– Daniel! – arfou. – Nossa...

Era a coisa mais linda que ela já tinha visto. Aquilo tudo parecia um sonho, não conseguia acreditar.

– Você gostou? – Ele perguntou curioso. Os cabelos de Daniel estavam mais desarrumados do que de costume e uma enorme mecha caía pelo seu rosto. Amanda mordeu os lábios, ainda olhando para a caixinha. – É de esmeralda mesmo. Caio me encheu o saco, mas eu gostei desse. Me lembra os seus olhos quando você está ao meu lado. Sabe? Eles brilham mais.

– É perfeito! – Amanda não sabia mais o que falar. Olhou para ele, docemente, sorrindo como uma boba. – Eu não esperava.

– Eu quero que você venha para São Paulo conosco. Quero que fique comigo, que seja minha de novo. Eu tenho tanto pra te mostrar, fofa!

– Daniel – a menina mordeu os lábios. Ir para São Paulo? Era uma mudança e tanto de vida. E sempre foi o maior sonho dela sair de Alta Granada e viver em uma cidade grande. Ele não podia brincar assim com ela. Era algo sério. – Isso não é brincadeira, Daniel, é a minha vida.

– Eu não estou brincando, fofa. Eu não quero mais ficar longe de você. A banda tá no melhor momento, a minha carreira tá indo bem, as coisas estão melhoran...

– Tudo bem! – Ela disse rápido, antes que sua mente começasse a ponderar os prós e contras, fazendo-a desistir. Daniel arregalou os olhos.

– Mas nem falei ainda das festas e dos shoppings! – Ele riu com a rapidez dela. Achou que demoraria para convencê-la. Ficou maravilhado em como ela ainda podia surpreendê-lo.

Amanda colocou o anel no dedo e deu um pulinho, parecendo infantil. Daniel gargalhou, vendo a garota pular em direção aos seus braços.

– Talvez, se você não tivesse ido embora, nós ainda seríamos os mesmos – a menina sussurrou abraçada a ele, com o rosto em seu pescoço. – Ainda teríamos medo de correr riscos e de nos machucar.

– Eu não tenho mais medo, fofa – Daniel passou a mão pelos cabelos dela. Sentia-se feliz como nunca. Sabia que estava fazendo a coisa certa. Ele precisava dela. – Amo você, certo? Pra sempre.

– Também te amo, Marques! – ela riu. – Mas você precisa cortar o cabelo! O que houve com o cabeleireiro de vocês? Férias?

Daniel gargalhou, pegando na mão dela e entrando no salão de festas.

***

O salão estava repleto de gente, uns mais tontos que outros. A decoração era um pouco mais rosa do que Amanda tinha previsto. Os dois entraram sorrindo e viram logo a mesa dos amigos.

– E teve aquela fã, aquela vez – Bruno contava com uma taça de champanhe na mão – que levantou a blusa pro Caio quando a gente passou de carro!

– Ah, que isso! – Maya disse alto. – Na cara dura?

– Se o peito dela não fosse tão esquisito... – Rafael balançou a cabeça. A mesa inteira riu. Amanda reparou que Carol estava sentada longe de Bruno e que Maya estava ao lado de Rafael.

– E o que é um peito bonito pra você, Rafa? – Guiga cruzou os braços em cima da enorme barriga, vendo Fred ficar vermelho. O garoto mordeu os lábios e começou uma descrição que fez metade da mesa ficar envergonhada.

Então, notaram Daniel e Amanda por perto.

– Onde estavam? – Kevin levantou da mesa parecendo desconfiado. – Minha festa, meu casamento, meu bolo de quatro camadas... onde?

– Na... hm, em algum lugar – Amanda sentiu as bochechas corarem. – Foi culpa do Daniel.

– Minha? – O garoto riu jogando os cabelos para trás. – Essa louca que anda devagar demais!

– Daniel! – Caio disse de um jeito reprovador olhando para a mão de Amanda. Os dois se encararam e Caio mordeu os lábios. Amanda reparou.

– O que houve, Caio? Qual o problema? – ela perguntou.

– Nada – ele falou, pegando o copo de bebida da mesa e tomando um enorme gole. Amanda franziu a testa.

– Sério, Caio – a mesa inteira olhava para eles. – Eu não sei o problema que você tem comigo.

– Com você? – Caio quase engasgou, tossindo um pouco. Daniel passava a mão no rosto e Bruno olhava furioso para ele.

– O que você fez, seu idiota?

– Eu não fiz nada! Nada que ela não quisesse, eu não sou um babaca completo.

– Do que estão falando? – Guiga e Carol se entreolharam.

– Eu não tenho problema nenhum contigo, pelo amor de Deus! – Caio se defendeu. – Muito pelo contrário!

– Daniel... – Bruno olhou nervoso.

– Querem parar? – Amanda pediu, se sentando numa cadeira vazia ao lado de Kevin.

– O que você fez, amiga? – Maya riu alto. Amanda corou.

– Nada.

– Um nada de esmeralda? – Guiga perguntou. Todos olharam para a mão de Amanda.

– Ok, eu... – a garota olhou para Daniel, respirou fundo, se levantou e saiu andando pelo salão. Sentiu que estava sendo vigiada, mas não queria saber. Por que estava todo mundo a julgando daquela forma? Por que não ficavam simplesmente felizes por tudo finalmente estar acabando bem?

– Ei, vem comigo – ela sentiu o braço de Bruno em seu ombro, que a levou para o lado oposto do salão. Ele saiu por uma portinha e parou em um pátio com um banco de pedra. Sentaram-se lado a lado, espantando um casal que se beijava loucamente no mesmo lugar.

– Bruno, eu só estou cansada – ela disse abaixando a cabeça. O garoto passou a mão pelos cabelos dela. – O que tá havendo? Vocês estavam brigando com Daniel, até parece que...

– Ninguém briga com Daniel sem motivos. Como ninguém briga com Caio ou Rafael sem motivos – ele riu um pouco. – Daniel sabe ser um idiota às vezes e esse é o nosso medo.

– Como assim, Bruno? Vocês aparecem do nada, Daniel me querendo de volta, Caio não parecendo feliz com isso e você brigando com ele! Pelo visto só Rafael não mudou nada.

– Ele cresceu alguns centímetros! – Bruno pareceu pensativo. – Mas, pequena, não é esse o caso. O Daniel, bom, ele é o Daniel. Você sabe bem. Muita coisa aconteceu nesse meio tempo e ele quer decidir tudo sem pensar.

– Mas e o que eu quero? – ela perguntou, um pouco alterada. – Eu quero ficar com ele e quero muito.

– Sim, e eu sei bem que ele te quer também e tudo mais. Vocês são chatos e românticos, conheço os dois. Mas o Daniel tem uma vida bem complicada.

– Eu não entendo essas coisas, será que alguém pode me explicar?

– Bom, todos nós temos – ele riu irônico. – Mas o Daniel meio que se iludiu com a fama e as coisas que ganhou. Ele, hm... – Bruno pensava em como amenizar os fatos. – Ele mudou muito. Ele parece perdido, como se tentasse se encontrar e isso me machuca porque Daniel não parece feliz há muito tempo. Ele não vive, ele meio que vaga por aí.

– Bruno... – Amanda abriu a boca sem saber o que falar. Estava um pouco chocada. Pela televisão e nas revistas ele sempre parecia o garoto bobão e feliz do grupo, como sempre.

– Eu sei que ter você por perto iria fazer ele melhor e iria, com certeza, ajudá-lo a ser o antigo Daniel de novo – ele mordeu os lábios. – Mas e você? Como vai ser para você?

– O que tem, Bruno?

– Você quer isso para a sua vida? Quer ter um cara problemático, inconstante e carente perto de você? Quer enfrentar essa vida nova?

– Bruno, escuta – Amanda pegou a mão do amigo, com carinho. O garoto a fitou. – Eu moro na mesma cidade desde que nasci. O único namorado que eu tive foi o Daniel. Foi meu primeiro em tudo na vida. Eu não tentei nenhuma faculdade longe daqui, trabalho no mesmo emprego desde o segundo período, tenho os mesmos amigos, os mesmos gostos, as mesmas rotinas, moro na mesma casa. Guiga e Fred vão ter um filho e não vão ter tempo para passear por aí, ver filmes ou qualquer coisa. Kevin vai ter uma vida de casado agora, não vai estar mais comigo sempre – ela sentiu as lágrimas escorrerem pelo rosto, involuntárias. – Minha vida não tem nada de especial, nada mesmo. Eu falhei em tudo. Todo mundo tem uma vida, Bruno, por que eu não posso ter?

– Pequena, eu não... – ele passou o dedo em sua bochecha, secando as lágrimas dela. Bruno puxou a menina para perto e a abraçou de lado. – Eu vou estar com você, certo? Sempre que precisar e a coisa ficar complicada. Eu prometo e dessa vez é de verdade.

– Eu quero muito, Bruno. Ir com vocês, viver de novo. Ficar com Daniel. Não se preocupe comigo, eu sei me virar.

– Tudo bem. Vou ficar de olho no Daniel!

– Bruno! Você deveria ter nascido meu pai! – Amanda falou, fungando. Os dois riram baixinho. – Caio não me quer por perto?

– Ele quer, quer demais. Mas ele tem medo do Daniel te machucar e a gente ter que bater nele e ficar sem guitarrista – Bruno zombou. – Caio meio que tinha proibido o Daniel falar de você porque, assim, enchia o saco.

– Ele falava muito de mim?

– No começo era sempre! E realmente era irritante, porque ele não tinha coragem de te ligar ou fazer a coisa certa. Era como uma desculpa pra ele se afundar cada vez mais. Ele não tem muitos limites. Às vezes acho que ele não cresceu mentalmente – Amanda riu, secando o rosto. – Vai ser muito bom ter você por perto, sabe? Tem a Anna, ela fica muito sozinha, lá só aparecem algumas meninas interesseiras.

– Obrigada, Bruno.

– Vocês tão aí! – Ouviram a voz alta e estridente de Kevin na entrada do pátio. – Eu vou dançar valsa, venham pra cá, AGORA!

– Kevin, que mico – Bruno riu se levantando, ajudando Amanda a ficar de pé.

– Mico é ter de ficar andando pelo meu próprio casamento atrás de vocês! Amanda, para de sumir com garotos o tempo todo! A Maya tá louca pra te contar daquele meu amigo de Oxford que é super bonito e...

– Kevin, cria vergonha! – Amanda brincou, dando a mão para o amigo. – Desculpe, mas você ainda é o cara mais bonito da festa.

– Você não precisa me agradar! – Ele sorriu. – Mentira, precisa sim. Continua...

– E você está maravilhoso nesse terno, sua pele está radiante e... – Os dois voltaram para o salão com Bruno rolando os olhos atrás.

***

Amanda encarou Kevin e Lucas dançando a música principal de *A Bela e a Fera* e sentiu lágrimas brotarem nos olhos. Maya estava ao seu lado e segurava seu ombro. As coisas estavam mudando novamente. Era um ciclo. Ela só tinha que ser sensível o suficiente para notar exatamente o momento em que as coisas aconteciam. O momento em que corações mudavam, sentimentos cresciam, sorrisos iam embora.

De repente, Guiga e Fred foram para o centro do salão e vários casais começaram a fazer o mesmo. Bruno dançava com uma tia-avó do Kevin, o que fez Amanda e Maya rirem com a cena bonitinha e desengonçada. Olharam para Carol e ela estava com o amigo bonito de Oxford.

– Merda, perdi! – Maya falou, indignada e Amanda riu. – Agora não sobrou nenhum cara gato pra mim.

– Você gosta mesmo de me humilhar, não é doce de coco? – Rafael apareceu ao lado delas, ajeitando a gravata borboleta. – Eu não sou um gato por acaso? Um gato alto e másculo?

– Aham, senhor famoso! – Maya disse rindo. – Eu tinha esquecido disso, acho.

Amanda reparou nos olhares que eles trocavam e se sentiu feliz.

– Então vamos dançar – o garoto estendeu a mão. Maya franziu a testa.

– Você não sabe dançar valsa.

– Me testa, então – ele deu um sorriso torto. Maya deu de ombros, soltou a amiga e deu a mão para Rafael. Os dois andaram para o meio do salão. Amanda seguiu com os olhos até ver Daniel parado, do outro lado. Mordeu os lábios. Estava sorrindo para ela, lindo, e esticou o braço em sua direção. Amanda viu que várias garotas do salão olhavam para ele também.

– Ele é só meu – ela sussurrou sozinha e andou rapidamente até o garoto.

três

– Era só o que me faltava! – Amanda resmungou assim que desceu do carro. Segurou a saia do vestido de um lado e com a outra mão abriu a porta de trás. Maya saltou do volante e foi ajudar a amiga. – Preciso carregar os Scotty de volta pro hotel, bêbados!

– Eu não tô nada disso ae, ô minha filha...

– Caio, fica quieto! Se não vou ligar pras revistas de fofoca e ficar milionária com vocês! – Maya ameaçou, enquanto Amanda pegava os braços do amigo. Maya o segurou pelos ombros e Amanda puxou Daniel para fora do carro, em seguida. Bruno e Rafael tinham desmaiado ao lado deles, no banco de trás.

– Fofa! Quanto teeempo!

– É, Daniel, faz alguns minutos! – a garota tentou parecer brava, sem sucesso. Daniel tinha um enorme sorriso no rosto, os olhos pesados e a roupa amassada. – Me ajudaria se ficasse em pé.

– Não sinto meus pés, desculpe – ele tentou rir, mas acabou tossindo engasgado. A garota balançou a cabeça, tentando apoiar Daniel nos ombros. Olhou para os outros dois dormindo.

– Deixa eles aí, depois voltamos para buscá-los! – Maya sugeriu, carregando Caio para a entrada do hotel. Amanda deu de ombros e bateu a porta. Os seguranças olharam feio para elas porque faziam barulho e Caio apontava para o nada, rindo.

– Que tipo de flor é aquela? Vou comprar pra Anna, ela anda meio triste... Ih! Uma nave!

– É um copo plástico, Andrade – Maya bufou, quase arrastando o amigo.

Amanda notou que Daniel estava olhando para ela.

– Estou verde ou algo assim?

– Ah, por quê? – ele perguntou assustado. – Você é verde?

– Às vezes, eu posso ser – ela riu da expressão que ele fez. – Ora, Daniel...

– Quem mandou beber igual um gambá? Quem? – Maya gritava na frente com Caio, que pedia desculpas a cada segundo, juntando as mãos de forma infantil. Amanda riu. Nunca entendia porque a relação do gambá com bebidas. Podia ter prestado mais atenção às aulas de biologia.

Duas meninas pararam, saindo do hotel, e apontaram para eles.

– ... Scotty?

– ... não pode ser, eles aqui e...

– São o Caio e o Daniel mesmo!

– Maya? – Amanda chamou a amiga, alarmada, notando as garotas. Maya não tinha se ligado e olhou para trás, quase derrubando Caio. Ele riu alto. Amanda apontou discretamente com a cabeça.

– O que houve, fofa? Eu tô verde?

– Não, Daniel – ela riu e o garoto olhou para direção que ela mostrava para a amiga.

– Ahh... oooi – ele sorriu abobado para as garotas. Amanda fechou a cara, puxando ele com força. – Fofa, deixa eu falaaaar...

– Vai se ferrar, Daniel, vamos – passou com ele pela entrada do hotel de forma um pouco mais agressiva do que pretendia.

Maya já estava na frente, apoiando Caio no balcão da recepção enquanto tentava descobrir o número do quarto deles. Amanda parou para reparar no saguão do hotel que estavam. Nunca tinha sequer entrado ali. Era o único hotel chique da região e ela não imaginava o quanto. Era lindo! Tudo muito claro, iluminado, branco e dourado. Devia custar uma fortuna ficar hospedado ali. Daniel gemeu ao seu lado e ela apressou Maya para o elevador.

– Desde quando vocês bebem como arruaceiros? – Maya olhou para Daniel. Ele fingiu que estava dormindo e, então, ela encarou Caio. Amanda escondeu uma risadinha, vendo as luzes dos andares ascenderem e sumirem, conforme subiam.

– Não conta pra Anna – Caio fez sinal de silêncio, franzindo a testa. Maya deu um tapa em seu ombro que quase fez o garoto chorar.

– Bom, eles não têm condição nenhuma de ficarem sozinhos! – a amiga olhou para Amanda, que mexia nos cabelos de Daniel, pensativa.

– Hmm... o que sugere? Quer pernoitar?

– Nem pensar – Maya riu vendo Caio encarar a si mesmo no espelho fazendo caretas. – Olha, seu irmão gêmeo!

E as duas riram com a expressão de assustado que ele fez.

***

– Fred! – Amanda berrou no celular. – Eu e Maya não vamos ficar aqui sozinhas! Cadê a amizade nessas horas?

– Caio, se você não tirar seus sapatos eu vou arrancá-los a força – Maya dizia às costas da amiga.

– Não, Bruno está dormindo. Acho que o Rafael também, ou ele está fingindo. Sempre tem essa opção. Já trouxemos os quatro pra cima. Daniel tá quase mergulhando na privada e o Caio, bem – ela olhou para trás e riu. – Está em uma eterna luta com a Maya aqui.

– É sério, Caio. Não, seu nome não é Skywalker!

– Ok, Fred. Vê o que a Carol pode fazer? Ah, tudo bem. A gente se vira. Boa noite, Bourne – e desligou o celular. Encarou os amigos. – Como estamos?

– Caio Skywalker ainda não quer tirar os sapatos – Maya deu um tapa de leve na cabeça do garoto, que fez cara de mau. Amanda gargalhou e ouviu um resmungo. Foi até o banheiro.

Daniel estava de joelhos na frente do vaso. Fazia barulhos chorosos e vez ou outra enfiava o rosto na privada e vomitava. A garota se aproximou, sentindo pena. Nunca tinha visto Daniel nessa situação. Já tinha ajudado Kevin, Guiga e até Fred com bebedeira. Ela mesma sabia como era ficar desse jeito. Mas com 21 anos não cometia tantas besteiras assim. Já era hora dele ter aprendido, não?

– Você quer alguma coisa? – Perguntou docemente, afagando os cabelos do garoto. Ele negou.

– Pode ficar no quarto, fofa, isso vai... – ele fez sinal de que vomitaria e olhou para a menina de novo. – Vai passar em instantes. Não se preocupe.

– Como não? Você tá vomitando a alma.

– Não – ele se engasgou, tossindo alto – se preocupe, fofa. Vai pra lá.

– Certo – a menina ficou de pé e saiu, deixando a porta entreaberta. Olhou para Maya, sentada na ponta da cama segurando dois sapatos. Caio estava de bruços, babando, ao lado de Bruno e Rafael.

– Ele só parou quando eu disse ter visto o Bruce Springsteen na porta.

– Amiga, quem imaginou isso? – Amanda sentou ao lado dela.

– Eu sei. Até ontem eu era uma estudante de engenharia e, hoje, veja só, sou babá da Scotty! E nem tô recebendo nada pra isso! – As duas riram, levantando os polegares. Ouviram um grito do banheiro e um xingamento alto. Amanda bocejou, apertando os olhos.

– Ele não me quer lá.

– Ele está em um estado altamente humilhante, não acha?

– Eu acho que posso ouvir vocês! – Daniel berrou do banheiro. Logo depois, apareceu no batente da porta, esfregando a manga do casaco na boca.

– Eca, Marques, sério! – Maya deu a língua e Amanda se levantou em um pulo.

– Melhor? – Perguntou. Ele negou fazendo bico. A garota estendeu a mão, sorrindo, vendo Daniel se aproximar. – Você quer algo? Um pouco de água?

– Colo? – o garoto franziu a testa. Amanda concordou, sentando no carpete macio da enorme suíte. Daniel deitou ao seu lado, colocando a cabeça entre suas pernas. Maya pôs a língua para fora, dando um empurrão em Rafael na cama e o garoto levantou a cabeça num susto.

– Quê? – Perguntou confuso. Olhou para Maya e sorriu. – Oi, doce de coco.

– Oi! Chega pra lá, acho que estou com sono.

– Veio dormir comigo, né? Depois de tanto tempo eu sabia que iria se render...

– Rafael, alô? Tem três dos seus amigos bem aqui do lado! Se liga, mané! – Reclamou, se enfiando entre ele e Bruno. O garoto riu, dando de ombros e se ajeitando apertado com ela na cama.

Amanda olhou para Daniel em seu colo. Ele olhava para ela e respirava fundo.

– Isso acontece sempre? – Perguntou baixinho. Ele mordeu a boca e evitou os olhos dela por alguns longos minutos.

– Você não vai me deixar, vai?

– Não vou, Daniel, eu não vou – ela beijou sua testa, um pouco suada. Afagou os cabelos dele, vendo-o ficar confortável.

– Acho que não me sentia bem assim há muito tempo – ele falou de olhos fechados. A voz um pouco rouca pelo sussurro. Vários pensamentos passavam pela cabeça de Daniel, ele se sentia um pouco tonto, idiota e diminuído. – Fofa?

– Daniel – ela sorriu e ele fez o mesmo. Adorava quando ela falava seu nome. Era como uma brisa de ar fresco entrando em seus pulmões e limpando todas as coisas ruins. Era como nascer de novo a cada vez que ela o pronunciava.

– Tem muita coisa que preciso te contar. Muita coisa que você precisa saber...

– Tudo bem. Isso pode ficar pra amanhã. Temos todo o tempo do mundo.

– Eu sei – ele respirou fundo. Levantou-se rapidamente e sentou-se de frente a ela, mordendo os lábios. Amanda franziu a testa. – Acho que preciso desabafar.

– Você ainda está bêbado?

– Não – ele disse pegando na mão dela. Tocou em seu anel e passou seus dedos nos da garota. Ficou em silêncio por um tempo. – Eu não me orgulho de muita coisa que andei fazendo.

– Daniel... – a garota fechou os olhos e ele balançou a cabeça.

– Não, fofa, escuta. Eu quero você lá comigo e não quero que me ache um cafajeste, nem nada assim!

– Mas eu não acho.

– Mas você vai. Vai porque eu tenho sido um completo idiota. Porque não sei lidar com a perda. Nem com decepção ou rejeição. Eu não sei por que me tornei esse... Argh, fofa, eu me sinto usado pelas pessoas o tempo todo e eu nem ao menos me importo! – Sua voz ficou um pouco alterada e ele deu um soco no carpete, fazendo sua mão ficar levemente vermelha.

– Você se importa, senão não estaria me falando – ela passou a mão no rosto dele, mas Daniel negou.

– Se eu me importasse não iria pra cama com qualquer garota que me quisesse – confessou com raiva.

Amanda mordeu o lábio e ficou quieta. Sabia que era assim, que a vida dele havia mudado. Mas ouvir da boca de Daniel machucava. Foi como uma faca em sua barriga.

– Daniel... – a garota respirou fundo. Ele fitou seus olhos e ela pôde ver que ele estava com raiva. Talvez dele mesmo. – Eu não me importo. Eu não vou te deixar – disse com a voz trêmula.

– Você não merece alguém como eu – ele se levantou com a mão na boca. Amanda olhou sem entender. – Eu não sou perfeito.

– Eu não quero ninguém perfeito! Marques, para com isso! – Ela se levantou também. Encarou Daniel com profundidade, esperando que ele visse o quão sincera estava sendo. Deu um passo para frente, pegando em seu queixo. – É melhor parar de babaquice antes que eu esqueça que você está embriagado e brigue de verdade com você!

Daniel concordou com a mão ainda na boca. Amanda pôde ver que ele não sabia o que sentia. Estava confuso e ao mesmo tempo, sofria. Ela queria entender, queria poder ajudar. Era doloroso ver seu Daniel, seu garoto, naquela situação.

– Agora você vem dormir e amanhã a gente volta a discutir quem é mais cafajeste aqui. Acho que não te contei do motoqueiro com quem saí no mês passado. Cheio de tatuagens e era tão rebelde que nem usava capacete! – Ela falou puxando Daniel para um abraço. O garoto riu levemente, infantil.

– Duvido – disse baixinho. Amanda riu dando um beijo de leve em seus lábios. Puxou Daniel para seu colo, no carpete, e afagou seu cabelo até a respiração dele ficar pesada em um sono profundo.

– Eu vou te ajudar, eu prometo – e beijou a testa dele, vendo um sorriso se formar em seus lábios antes dela mesma cair no sono, ao lado dele no chão.

quatro

– Eu sabia que não devia ter bebido tanto – Rafael dizia enquanto ajudava Bruno a fechar a mala dele no chão do quarto. – Agora fica tudo girando e girando...

– Agradeça que você não é o Daniel – Maya falou fazendo careta. O garoto estava sentado no banheiro, em frente ao vaso, com uma toalha molhada em volta do pescoço. Bruno deu uma risadinha infantil vendo Caio balançar a cabeça.

– Eu disse que ele faria isso, não disse? – Cochichou e Maya apertou os olhos, querendo ouvir a fofoca.

***

Amanda estava sentada ao lado de Daniel, as costas apoiadas no ladrilho gelado do banheiro. Seu vestido estava amarrotado e ela tinha prendido o cabelo toscamente em um coque.

– Melhor filme de todos os tempos? – Ela sorriu. Daniel puxou os cantos da boca em um breve sorriso.

– O mesmo de sempre. E o seu?

– Ah que sem graça, Daniel – ela sacudiu os ombros. – Eu vou de *Star Trek* do J.J. Abrams.

– Ahn? – Daniel olhou para a garota. O cabelo dele estava molhado, caído pela testa, e ele usava somente a calça social. A toalha branca, molhada, caía pelos seus ombros e ele olhava estatelado para Amanda. A menina parecia divertida. – Desde quando?

– Desde muito tempo. Superou *De volta para o futuro*!

– Ah-ãh! – Daniel negou franzindo a testa, abismado e irônico. – Ninguém supera Marty McFly!

– Aparentemente um Spock gatinho pode – a garota mexeu nos cabelos, gentilmente. Daniel balançou a cabeça.

– Cadê a minha fofa? O que fizeram com ela?

– Te falei, teve aquele motoqueiro... – os dois riram. Ficaram se olhando. – Daniel, você tá meio roxo – ela passou a mão pelos cabelos dele. Ele era lindo. Mesmo todo mal cuidado.

Ouviram uma batida na parede e um xingamento alto.

– Merda, Rafael! – Caio berrava. Amanda se virou para Daniel, sorrindo, e ele quis que toda aquela dor e vontade de vomitar parassem para que ele não perdesse mais nem um minuto enquanto estava perto dela.

– Te amo, fofa – ele disse de repente. Amanda não esperava por isso e ficou em silêncio. Enrolava uma mecha de cabelos perdida nos dedos. Concordou lentamente.

– É... eu amo você também, Daniel – e deu um beijo leve em seu ombro, vendo que o menino enfiara a cabeça para dentro do vaso novamente.

***

Fred estava parado, usando óculos escuros e uma blusa social, recostado em uma árvore ao lado da porta de entrada do hotel. O sol estava a pino, quase meio-dia, e ele estava ali esperando havia mais de quarenta minutos. Havia exatos dez minutos que ligara no quarto dos amigos avisando que os levaria a São Paulo, já que os quatro tinham uma entrevista importantíssima naquela tarde, e eles disseram que estavam descendo e até agora nada.

– Culpa do Daniel – Bruno entregou quando Fred interrogou os amigos, mostrando a quase queimadura de sol. Maya e Amanda, ainda com as roupas da noite anterior, vinham conversando com Caio e Daniel.

– Carol pediu pra ligarem pra ela. Deve ficar na cidade por mais alguns dias – Fred se virou para as amigas. – Guiga foi pra fazenda dos pais dela, deve voltar só no próximo fim de semana.

– Ai, o Kevin! – Amanda pareceu acordar para a realidade, abrindo a bolsinha atrás do celular. Daniel sorriu parando ao lado dela. Maya e Caio continuaram a conversar.

– ... acho que a Coreia tem potencial.

– ... definitivamente...

E Rafael ia na frente dos dois com a língua para fora, achando o papo extremamente chato.

***

Amanda andou um pouco com Daniel ao seu lado. Ele usava óculos escuros, escondendo as olheiras e a expressão de quem ainda passava mal de ressaca. Mas ele estava lindo, como sempre. Os cabelos penteados desajeitadamente e a camisa polo preta com as golas para cima o deixavam com aquela aparência de britânico rebelde que ela tanto gostava. Ele mordia os lábios, ansioso.

– Isso é hora de ligar? Estou dormindo! – Kevin disse ao atender o telefone. Amanda riu.

– Amor, você tem noção de como passei minha noite? – ela falou vendo Daniel pôr a língua para fora, mordendo a unha do polegar.

– Tenho noção de que a minha foi fabulosa, mocreia! – Kevin riu alto. – Nem vi vocês saindo ontem.

– Lógico que não, estava com a língua em lugares impróprios! – A garota balançou a cabeça, tirando a mão de Daniel da boca dele. – Feliz?

– Como uma princesa da Disney! – E os dois gargalharam. Daniel enfiou o dedão de volta na boca. – E você? Com o problemático aí?

– Kev! – Amanda fez careta. Fred chamou Daniel, apressando-o, e ela segurou a mão do garoto. – Depois te ligo, quero te ver antes de você viajar pra lua de mel. Os meninos precisam voltar pra casa agora.

– Mande beijos, abraços e tudo mais pra cada um. E depois quero detalhes!

– Senta e espera, gata! – Ela mandou beijos estalados no telefone, desligando. Olhou para Daniel, que estava com a sobrancelha levantada. – Kevin ainda é o mesmo.

– Ele tá com o... hm, marido? – Perguntou com ironia na voz. Amanda concordou. – Aquela mocreia precisa nos visitar em Sampa. Você vai contar a ele?

– O que, Daniel?

– Sabe, que vai pra lá. Morar – ele pareceu se incomodar, como se não acreditasse que isso fosse realmente acontecer. Amanda riu.

– Fica tranquilo – ela apertou de leve a mão dele, com carinho. – Te vejo em alguns dias.

– Certo – ele concordou, tirando os óculos escuros. Viu Maya se despedindo dos amigos e virou para Amanda, segurando o seu rosto com as mãos espalmadas. Encarou seus olhos e ela respirou fundo, sentindo seu peito subir e descer. Ouvia o som de seu coração bem próximo à cabeça. Sentia o cheiro dele, de banho tomado, invadir sua mente. Daniel se aproximou devagar, beijando de leve seus lábios. Ele queria que o beijo tivesse a sensação de eternidade. Passou o nariz na ponta do dela e sorriu, sentindo as mãos da garota em sua cintura. – Eu não poderia estar mais feliz.

– Espere daqui uns dias quando eu bater à sua porta – ela sussurrou maliciosa e ele abriu a boca, sorrindo. Puxou a menina para um abraço e sentiu uma mão em seu ombro.

– Vamos? – Rafael chamou. Ele concordou, abrindo espaço para os amigos se despedirem de Amanda. Ele abraçou Maya.

– Até mais, doce de coco – Daniel falou para a amiga ruiva, que riu com o apelido.

– Ridículo, Daniel. Vou te chamar de delicinha e tudo mais, então.

– Eu só te chamei pelo seu apelido, oras! – Ele protestou.

– É, eu também – e os dois colocaram a língua para fora. Daniel olhou para Amanda de novo, acenou, e andou em direção ao carro. – Manda o idiota do Rafa ligar quando chegar. Eu não confio no Fred dirigindo.

– Desde quando você se importa comigo, docinho? – Rafael pôs a cabeça para fora da janela, rindo, enquanto Fred mostrava o dedo do meio para elas.

– Não me importo, não se iluda – Maya riu caminhando em direção à Amanda, que acenava para os amigos. – Pronta pra um banho demorado? Soube que a diária tá paga até o fim do dia – As duas olharam para o grandioso hotel atrás delas.

– Acho que um dia de luxo em banheira de hidromassagem não mata ninguém, certo?

– Falou tudo! A gente merece depois dessa noite esquisita com esses meninos – e seguiram abraçadas de volta à recepção.

***

Amanda sentia como se seu mundo estivesse de cabeça para baixo. Sentada em sua cama, ficou por a longos minutos imóvel, repassando os últimos acontecimentos. Ouvia mentalmente a voz de seus amigos dizendo o quanto ela era burra por esperar por Daniel e por sentir sua falta, depois de tudo o que acontecera. Mas no fundo ela confiou, ela sabia, tinha esperanças. E ele voltou, não foi? Ele estava de volta em sua vida e agora dependia só dela para o resto da história acontecer.

Mas ainda era o que ela queria?

Deitou na cama, olhando para o teto. Uma nova vida, um novo começo. Era jovem, tinha muita estrada pela frente, como sua mãe mesmo não cansava de dizer, e essa era uma grande decisão. Ir para São Paulo. Uma cidade grande, movimentada e cheia de oportunidades. Mas também em seu coração sentia que era um local propício para a solidão, onde ela não teria controle de nada, diferente de sua velha cidadezinha. Ela tinha medo disso. De não saber lidar com Daniel ou com a relação dos dois. De, no fim das contas, acabar sozinha.

A primeira coisa a fazer, então, seria falar com a Anna.

Amanda se levantou de repente. Anna. Como tinha se esquecido da sua melhor amiga? Ela estava vivendo lá, com Caio e os meninos. Ela sabia o que esperar dessa vida.

Que Amanda amava Daniel, isso era um fato mais do que comprovado. O que ela mais queria era poder ficar perto dele 24 horas por dia. Ela sabia que não iria se cansar porque esperou muito tempo por isso. Teve muito tempo para pensar e para esquecer, porém ainda sentia a mesma paixão por ele.

Então por que tinha medo?

Discou o número que Caio lhe dera e ouviu o telefone chamar algumas vezes. Ficou nervosa em escutar a voz da amiga do outro lado da linha. Não se falavam há tanto tempo! Permaneceu em silêncio.

– Alô? – Anna repetiu pela terceira vez, sabia que tinha alguém ali, podia ouvir a respiração.

– Anna? Amiga. Sou eu – Amanda falou, respirando fundo. A outra ficou em silêncio por alguns segundos, digerindo a informação e depois soltou um grito seguido de diversos palavrões.

– Eu não acredito, sua louca! Como assim você me liga do nada, fica em silêncio me dando o susto do século depois de tanto tempo! – Anna gritava. Amanda sorriu involuntariamente. Era sua amiga, sua melhor amiga! Como sentira falta disso!

– Eu não sei, desculpe, fiquei nervosa! – Amanda suspirou. – Como você está? Os meninos disseram que você estava doente e por isso não veio ao casamento do Kevin.

– Está tudo bem, foi só, hmm, algo estragado que eu comi – Anna soou insegura, mas Amanda achou melhor não perguntar mais nada. – Não teria como estar melhor! Uau, me conte de você! Daniel chegou aqui roxo de ressaca, mas parecia feliz da vida! Você sabe, Daniel feliz da vida é algo que a gente por aqui não vê faz um belo tempo!

– É mesmo? Acho que ouvi falar. Fico feliz com isso, estou levando alegria ao mundo novamente – Amanda riu. – Acho que temos muito que conversar!

– Sobre o que quiser, sempre!

– Anna... – Amanda vacilou. – Quero morar em São Paulo, recomeçar a vida e ficar perto do Daniel. Mas estou com medo, essa é a verdade. Nós vamos conversar, mas você me conhece, você entende mais que ninguém o que é isso pra mim e eu queria te fazer uma pergunta que vai decidir muita coisa em minha cabeça.

– Pode perguntar – Anna disse um pouco assustada com a repentina mudança na voz de Amanda e a seriedade do assunto. Sabia como isso podia ser difícil. Uma grande decisão. Tinha enfrentado tamanha responsabilidade quatro anos atrás. – Qualquer coisa.

Amanda pensou duas vezes e soube que Anna falaria a verdade. Porque poderia passar o tempo que fosse, nada mudaria o amor que existia entre elas. Podiam dizer o que fosse, mas amizade verdadeira era para sempre. Aquele sentimento, o burburinho no fundo do peito, durava para sempre.

– Você é feliz? – Pensou ter sido muito direta, mas era o que queria saber de verdade. Anna tinha mudado sua vida por causa de Caio. Ela não teve medo.

Mas Anna respirou bem fundo antes de pensar em uma resposta. Não queria decepcionar a amiga e muito menos o namorado – duas das pessoas que ela mais amava na vida. Pensou nos dias sozinha em casa, fazendo bolos e vendo filmes. Nos momentos em que chorou de saudade de Alta Granada, da família e dos amigos. Pensou nos dias vendo Caio pela televisão e como tudo isso a fazia sentir-se viva. Pensou nos meninos, nas conversas, festas, choros e bebidas. Pensou em tantas ressacas que ajudou a curar, nos dramas que presenciou e em todos os sorrisos e abraços sinceros que ela dividiu nesses anos. Nas brigas por causa de ciúmes e depois nas reconciliações. Nas intrigas, fofocas e confusões. Nas lágrimas, nas juras de amor e nas trocas de carinho.

Sorriu sozinha, em seu quarto no pequeno loft que Caio tinha comprado para eles. As paredes eram de um tom de violeta claro, da cor que ela tinha dito que gostava. Caio tinha feito tudo a seu gosto. O apartamento, em um prédio de luxo no mesmo condomínio que os amigos, tinha uma varanda com plantas lindas e uma cozinha grande. Da janela ela conseguia ver o contorno da casa de Bruno no fim da rua e a parede lateral da casa de Daniel. Balançou a cabeça, fazendo o sorriso se abrir mais ainda.

– Bastante – respondeu mais sincera do que nunca. – Muito mais feliz do que eu mesma penso que sou – as duas riram e ficaram um minuto em silêncio. – E aí? Você vem quando?

cinco

Amanda estava sentada em um banco alto do balcão da sorveteria, a mesma de tantos anos, e mordia o canudo do refrigerante. Apesar do vestido fresquinho que usava, ainda sentia calor. Os dias estavam mudando, definitivamente. Ela olhou o relógio algumas vezes até ver a porta do local se abrir e Maya entrar, sorrindo, toda vestida de amarelo e preto.

– Você está linda! – Amanda sorriu vendo a amiga se sentar no banco ao seu lado.

– Você também. Como estamos hoje?

– Com calor! Quer pedir alguma coisa? – Perguntou, entregando o cardápio.

Ficaram em silêncio enquanto Maya escolhia seu pedido e chamava o garçom. Amanda mordeu os lábios com um pouco de vergonha.

– Falei com a Anna.

– Quando? – Maya abriu a boca com uma expressão incrédula. – Como? Como ela tá?

– Ela disse que tá bem. Tenho minhas dúvidas. Falei com ela antes de ontem, depois que voltei pra casa da nossa tarde de riqueza no hotel – Amanda contou e Maya apenas concordou. – Conversamos sobre os meninos, sobre algumas coisas. Maya, eu vou pra São Paulo.

A amiga respirou fundo e sorriu levemente.

– Você tem certeza, não é?

– Acho que sim, amiga, eu realmente quero – Amanda franziu a testa, sentindo o estômago doer de novo. – Sei que tem esse sentimento estranho, como se não fosse a coisa certa, mas – ela olhou para o anel com a esmeralda em sua mão. Maya acompanhou seu olhar e as duas sorriram. – Eu sinto falta dele. Sempre senti, nunca mudou. E ele voltou. Eu não acho que meu coração esteja me dando outra escolha. Você sabe. Amanda e Daniel, Daniel e Amanda. Um não existe sem o outro.

– Eu não quero colocar dúvidas na sua cabeça – Maya passou as mãos pelos cabelos vermelhos. – Mas o Daniel não é o mesmo.

– Eu sei – Amanda sorriu. – E no fundo estou curiosa.

– Ele tem esse tipo de vida que, pelo que ouvi os meninos conversando, não é muito fácil de aturar – Maya soou preocupada. – Eles falaram sobre, sabe, drogas e garotas e todo dinheiro que ele gasta.

Amanda apenas concordou, tomando mais um gole de seu refrigerante. Maya respirou fundo.

– Ele não é feliz, o Daniel. Dá pra ver.

– Dá mesmo – as duas se entreolharam. – Quero fazê-lo feliz de novo, Maya.

A amiga sorriu. Conhecia bem Amanda para saber que ela já tinha tomado sua decisão e que o encontro de hoje era somente para dar o aviso. Sabia que sua amiga tinha mudado. Não era mais a mesma da época da escola quando só pensava nela mesma. Amanda estava colocando outra pessoa acima dela e, na visão de Maya, era algo muito decente e maduro.

– Vou estar do seu lado dessa vez, amiga – ela disse apertando a mão da menina ao seu lado, que sorriu radiante. – Em uma cidade perto, chata pra caramba, mas eu vou estar. Mas posso te dar um conselho? Tente não viver inteiramente pro Daniel, você também merece ter uma vida própria.

– Eu sei! Tenho pensado muito nisso – Amanda suspirou, roubando uma colherada do *sundae* de caramelo que Maya tinha pedido. – Aliás, você sabe que meu sonho sempre foi conhecer mais do mundo, né? E eu queria trabalhar em uma revista ou jornal maior, cansei de fazer notinhas sobre a maior pizza da cidade ou sobre o roubo do carrinho de pipoca do seu Maneco!

– Meu Deus, alguém roubou o carrinho de pipoca? – Maya pareceu chocada e divertida.

– Sim! Foram uns meninos de 13 anos, acredita? – Amanda sorriu, terminando seu refrigerante.

– Mas, Mandy, e seus pais? Vão deixar você se mudar?

– Ai, nem contei pra eles ainda. Minha mãe vai pirar! Mas acho que, se eu mostrar que consigo emprego fácil, vão pegar menos no meu pé.

– Nossa, é uma mudança enorme mesmo...

As duas ficaram em silêncio e ouviram a porta da loja abrir com força, fazendo barulho. Carol entrou com passos largos vestida toda de preto, usando calça de corte reto, regata justa e scarpin altíssimo. Elegante e moderna como sempre. Sorriu para as amigas, sentando-se no lugar vago ao lado de Amanda.

– Desde quando essa cidade tem trânsito? – Reclamou, respirando com dificuldade como se tivesse corrido uma maratona. Amanda riu.

– Há alguns anos, desculpe. Sabe como nós somos, os caipiras.

As três se entreolharam.

– Vou pra São Paulo, Carol – a amiga contou rápido, como se fosse bem mais fácil falar isso para ela do que para Maya. Carol mordeu o lábio.

– Eu moro em São Paulo. Em Campinas, na verdade, mas estou sempre na capital – disse, passando as mãos pelo rosto bem maquiado.

– Como? Por que a gente não sabe disso? – Maya franziu a testa vendo Carol rir um pouco irônica.

– Tem muita coisa que vocês ainda não sabem.

– Que bom que usou o ainda, estou esperando – Amanda cruzou os braços.

– Trabalho em um escritório de advocacia, sou só estagiária. Vou fazer o último ano agora – Carol explicou.

– Logo advocacia! O que deu em você, você é a pessoa menos justa que conheço! – Maya disse indignada.

As três riram e Carol cruzou as longas pernas, pedindo um suco detox para o garçom, que pareceu levemente confuso.

– Costumo ver os meninos pela televisão. Foi muito difícil ficar longe deles – ela continuou com o olhar triste, vendo as duas amigas prenderem a respiração. – Ficar longe do Bruno, sabe? Pelo amor de Deus, ele tinha ido embora! Foi a coisa mais difícil pelo que passei. Acho que os casos, divórcios, escândalos, telefonemas, tudo isso me distraiu.

– Você nunca nem falou com eles por lá? – Amanda perguntou.

– Não, de forma alguma. Chorei um bocado quando vi a primeira entrevista em cadeia nacional. Sabe, eles são famosos por lá. Muito mesmo, saem em revistas e os shows sempre são feitos nos estádios de futebol e tudo mais.

– Caraca – Maya sorriu abobada. – Quem diria. Eu nunca prestei atenção às revistas e quase não vejo televisão. Estou me sentindo em outro planeta!

– Vi Bruno e Daniel em um *pub* uma vez, um tempo atrás, e fiquei sentada a noite inteira. Não queria dar o mole de trombar com eles – Carol falava mexendo as mãos, impaciente. – Os dois estavam com duas meninas vulgares, bem do jeito que achei que fosse o tipo deles agora, sabe? Foi difícil, demais. Mas só confirmei o que eu prometi pra mim mesma. Distância cura tudo.

– Quando se quer esquecer, certo? – Amanda perguntou. Carol concordou.

– Eu quero. Eu esqueci. Não é mais a mesma coisa – Carol sorriu, pegando seu suco da mão do garçom. – Vocês deveriam fazer o mesmo.

– Mas eu não quero – Amanda sorriu. – Nunca quis.

– Você vai sofrer, amiga, você não tem ideia da imagem que Daniel tem por lá, da exposição dos meninos! A Anna quase não sai de casa, você sabia disso?

– Você falou com a Anna? – Maya perguntou. Carol negou.

– Não, não. Mas, nos jornais e nas entrevistas, o Caio diz que é solteiro. E eu sei que não é, sabemos que eles moram juntos, né? Acho que faz parte. Ele não pode dizer que namora. Você acha isso certo?

– Eu... não sei – Amanda piscou os olhos algumas vezes, sentindo-se confusa com tanta informação. – Eu não sei, Carol.

– As fofocas são de todos os tipos. Cocaína, bebidas, mulheres, sabe? Todos eles!

– Até o Caio? – Maya perguntou boquiaberta. Carol deu de ombros.

– Sempre fofocam no plural. Os Scotty isso, os Scotty aquilo...

– Carol, eu não quero ouvir mais nada, por favor – Amanda pediu virando o rosto, sentindo-se um pouco tonta. Era muita informação, muita coisa que ela ainda tinha que pensar. Apesar da decisão tomada, ela sentia falta de ar em imaginar em como tudo tinha mudado tanto. Ela queria seus amigos de novo, os velhos amigos. E se não fossem o que ela esperava?

– Olha, eu não vou dizer mais, mas quero que pense bem. Eu não vou me meter, eu juro.

– Você é uma vaca, não mudou em nada – Maya sorriu e Carol deu de ombros.

– Desculpem, eu não sei por que disse tudo isso. Acho que é raiva. Raiva do Bruno, dele ter aparecido de repente, de tudo ter voltado à tona. Eu não posso lidar com isso, simplesmente não posso.

– Eu vou lá fora tomar um ar – Amanda levantou-se, olhando para o canto do balcão onde normalmente Kevin ficava, mas agora estava vazio, pois o amigo fora aproveitar a vida de casado nas ilhas gregas. Saiu da sorveteria e parou na calçada, embaixo do sol forte, com as mãos na cabeça, sentindo o estômago revirar. O que ela iria fazer?

O seu celular tocou e ela quase deixou o aparelho cair, tamanho o nervosismo. Suas mãos tremiam. Viu que era Anna, respirou fundo e demorou uns segundos para atender.

– ... sai daqui, Rafael! – A amiga gritou do outro lado. – Ah, alô? Amanda?

– Oi – ela respondeu envergonhada.

– Olha, tem quatro animais aqui que estão atrasados para uma entrevista, que querem saber se podem contar com sua presença na festa aqui em casa, no sábado que vem. Calma, Daniel! – Anna reclamou e Amanda sentiu um aperto no peito ao escutar o nome dele. Percebeu que estavam tendo uma pequena luta pela posse do telefone e sorriu ao ouvir a voz urgente do menino.

– Eu tentei te ligar ontem, fofa, mas não consegui. A linha daqui tá uma porcaria. Merda de cidade – Daniel falou e ela sabia que ele estava sorrindo. Se sentiu feliz, imediatamente. – Então, você vem? Certo? É importante.

– Sobre o que é essa festa? – Amanda perguntou mordendo os lábios. Ele riu.

– Nossa música está concorrendo ao primeiro lugar nas vendas do país inteiro e só saberemos os resultados no sábado. Vai rolar festinha aqui na Mansão Malfoy dos Andrade! Temos muita chance e muita esperança, sério.

– Fico feliz – ela sorriu, mesmo sua voz tendo soado um pouco forçada. Daniel respirou fundo.

– Aconteceu alguma coisa, fofa?

Ela parou para pensar antes de responder. Refletiu sobre o que Carol dissera havia pouco e ouviu Daniel chamar seu nome duas vezes.

– Ah desculpe. Não, não aconteceu nada. Eu juro. Estou só cansada. Preciso voltar para o trabalho e estou morrendo de sono! – Falou rapidamente.

– Então você vem? Certo? Venha ver minha casa, eu até contratei uma faxineira! – contou animado. A garota sorriu sentindo um calor inesperado. A animação parecia voltar aos poucos e seu coração bombeava para seu cérebro que era aquilo que ela queria. Que era seu sonho. Daniel Marques era seu sonho. Ela balançou a cabeça.

– Sábado estarei aí – ela confirmou e riu baixinho. – Pode contar comigo! – Falou e completou com um 'para sempre' em pensamento, sentindo o dia subitamente melhorar e todos os problemas esvaírem como um balão furado.

Que se dane a cocaína e as mulheres, Carol. Agora eles teriam Amanda de volta. E pelo drama que eles já viveram, ela poderia acertar tudo ou dar ainda mais dor de cabeça.

seis

Daniel andava de um lado ao outro da sala de Caio, enquanto Bruno jogava golfe no novo Wii adquirido por Anna algumas semanas antes. Assim ela tentava tirar um pouco a atenção dos meninos do Playstation e de seus jogos de guerra, pois eles raramente faziam exercício físico e, já que o técnico de turnês e o fisioterapeuta haviam pedido, era necessário, pelo menos, fingir que estavam se esforçando nessa área.

– Oi, Daniel San, você está atrapalhando minha concentração! – Bruno bufou e Daniel passou as mãos pelos cabelos, revoltados e mal cuidados.

– E se ela não vier, Bruno? – Perguntou de repente. Estava pálido e nervoso.

– Mas ela disse que viria – Bruno deu pausa no jogo. Sabia que não era algo simples para Daniel, embora fosse uma chatice ficar garantindo amor ao seu amigo carente.

– Mas... e se ela não vier? Se ela descobrir que eu sou uma farsa, que ela não quer ficar comigo?

– Seu idiota, olha só – Bruno caminhou até ele e deu um tapa em seu ombro, com mais força do que tinha previsto. – Você ficou longe e ignorou a Amanda por quatro anos. Ela tem o direito de ter dúvidas, você sabe. Ela te ama, a gente vê isso. Mas dê tempo ao tempo.

– Certo. Eu vou dar uma volta – o garoto balançou a cabeça, respirando fundo, e saindo do apartamento, batendo a porta em seguida. Estava começando a ficar com raiva de estar preso na sala de estar do amigo. No fundo, era como se não conseguisse respirar. Caio entrou na sala com uma bandeja de pão de queijo nas mãos e olhou para Bruno.

– O que houve agora?

– Ele está inseguro sobre a pequena. Acha que ela não quer ficar com ele.

– O que, convenhamos, seria o ideal pra ela.

– Caio Andrade! – Anna repreendeu, descendo as escadas rapidamente. – Você quer, por favor, parar com isso?

– Eu só estou dizendo...

– Sei muito bem o que está dizendo e se você não sabe, está magoando um dos seus melhores amigos – Anna disse tirando a bandeja dele, visivelmente irritada. – O que Daniel precisa agora é de apoio, porque finalmente ele encontrou algo que quer e você sabe muito bem como ele tem passado esses últimos anos. Então, menos crítica e mais ajuda, por favor! – Ela deixou a bandeja em cima da mesinha de centro, colocou a mão sobre a barriga e fez careta. – Vocês estão me dando úlcera! – E saiu da sala em direção à cozinha, batendo o pé. Caio olhou para Bruno com a expressão assustada.

– Cara, eu não entendo o que anda acontecendo com ela. De repente ela explode, fica essa tensão toda e pouco depois volta toda carinhosa.

– TPM? – Bruno sugeriu e os dois riram baixinho com medo de Anna ouvir. Caio sentou no sofá, vendo Bruno recomeçar o jogo.

– Mas você sabe, né? Que ela tem razão – Bruno confirmou. Caio mordeu os lábios, pegando um pão de queijo.

– Vou me esforçar mais, eu prometo. Só me dói muito saber que a Amanda pode sofrer mais aqui do que longe do Daniel. Ela não tem ideia de como ele tá insuportável.

– Acho que ela tem, Andrade, eu acho que tem – Bruno disse, sacudindo o controle. Olhou para a tela satisfeito. – Quem é o rei do golfe?

***

Daniel abaixou a cabeça, enfiando as mãos nos bolsos do casaco. Estava fazendo um frio contido, com certeza no fim da semana iria chover. Respirava fundo enquanto caminhava em direção à sua própria casa no final da rua. Sua cabeça estava a mil. O que iria fazer? Como pensar? Merda. Ele nunca ficara tão inseguro assim nesses últimos anos. Toda essa ansiedade o estava fazendo mal. A imagem dele mesmo, alguns meses atrás, o assombrava como um aviso de que tudo iria voltar a acontecer. Solidão, garotas, sonhos ruins. Tudo isso estava fadado a acontecer na vida dele.

Entrou em casa, deixando a porta sem trancar e largou o casaco em cima do sofá branco que ficava ao lado da porta. Alguns outros casacos perdidos estavam depositados ali havia semanas. Andou até a cozinha e abriu a geladeira, pegando uma garrafa grande de cerveja. Sentou na pequena mesa ao lado da pia, abriu a garrafa com a boca e tirou o celular do bolso. Ficou encarando o aparelho. Ele queria que Amanda ligasse. Ela não tinha atendido o telefonema dele mais cedo e ele não queria soar desesperado. Não que olhar para o telefone iria lhe conceder qualquer tipo de poder Jedi e de repente ela iria lembrar de que ele existia.

– Liga, liga... toca... – ele murmurava, bebendo um gole da bebida a cada pensamento em voz alta. O telefone, então, tocou e ele o soltou em cima da mesa rapidamente, assustado. Olhou ao seu redor, esperando encontrar algum espírito ou algo assim. – Céus, que doideira! – E sem olhar o visor, atendeu nervoso. – Alô?

– Dan? – A voz era feminina, um pouco mais fina do que esperava que fosse.

– Quem é? – Perguntou soando grosseiro. A menina do outro lado riu.

– Você é mesmo um cafajeste de dar o número do telefone pras pessoas e nem se lembrar delas.

Daniel sentiu um pouco de vergonha, que logo virou irritação e bebeu mais um gole da cerveja.

– Quem é? – Perguntou de novo, fingindo ser mais simpático dessa vez. A menina fungou alto.

– Natália! Eu disse que ligaria. Olha só – ela falou melosa e Daniel sabia o que viria em seguida. Balançou a cabeça sentindo-se um pouco tonto. Entornou o conteúdo da garrafa e rapidamente voltou à geladeira para pegar mais uma. – Eu vou estar no La Vita hotel hoje de noite. Posso esperar você lá?

Daniel riu olhando para a garrafa em suas mãos. Que comum, pensou. Bebeu mais alguns goles antes de responder.

– Eu não sei – disse lambendo os lábios vermelhos. – O que eu ganho com isso?

– Você sabe bem o que ganha, gato. Não é como se não ganhasse sempre, certo? – Ela riu de forma barulhenta. Daniel sorriu abobado para as paredes da cozinha. Não fazia ideia de quem era Natália. Como sempre.

– Fica esperando, quem sabe eu apareço – ele respondeu da forma mais misteriosa que conseguia e desligou o telefone. Bebeu rápido o resto da cerveja e secou a boca com as costas da mão. Precisava de um banho. O sentimento de ser usado por garotas estava esvaindo de sua mente, assim como a solidão, enquanto pensava no que iria ganhar à noite. Uma bela garota nos braços, um quarto exalando a sexo e algumas boas doses de vodka. Como a vida de um Scotty era boa.

***

Amanda selecionou uma *playlist* no laptop e olhou para a mala aberta em cima da cama. Começava a tocar Linkin Park, algumas músicas antigas e nostálgicas. A mala ainda estava vazia. Era quarta-feira e ela não tinha sequer separado uma roupa para a mudança. Sabia que não seria uma viagem somente de ida, as coisas não funcionavam desse jeito. Ela nunca fora impulsiva.

Será que era hora de mudar?

Tinha avisado a seu chefe que aqueles seriam seus últimos dias de trabalho e ele pareceu um pouco chocado. Em uma cidade pequena, nenhuma mudança era esperada e ele com certeza achava que Amanda passaria o resto da vida ali dentro na sala minúscula, cheirando a café e a madeira velha, digitando histórias sem graça e poucas novidades para o jornal local. Ganhando o suficiente para pagar as contas e só.

Contar para os seus pais foi a parte mais difícil. Ela os reuniu na noite anterior, na hora do jantar. Foram alguns gritos, muitas lágrimas e discussões. Seu pai aceitou mais rápido do que sua mãe, como ela previa. Claro que Amanda não pôde contar que iria morar com Daniel. Ela disse que dividiria o apartamento com Anna, mesmo correndo risco de sua mãe descobrir a verdade rapidamente, através dos fofoqueiros da cidade. Mas ela esperava que, quando isso acontecesse, já estaria empregada e poderia viver da forma como quisesse. Ela já era adulta e estava na hora de cuidar da própria vida, como seu pai mesmo afirmara, de forma categórica.

Quando se formou no colégio, tudo o que ela mais queria era viver em uma cidade grande, dinâmica, cheia de oportunidades. Mas dependia financeiramente, e até emocionalmente, de seus pais. Agora era diferente. Amanda sentia que precisava correr atrás de seu sonho. Correr atrás do amor da sua vida. E ninguém poderia impedi-la a não ser ela mesma.

Andou pelo quarto, passando as mãos nos cabelos, e encarou a caixinha preta do anel que Daniel tinha lhe dado. Estava em cima da mesa, fechada, a joia enclausurada lá dentro como se chamasse pelo seu nome. Tinha decidido que só voltaria a usá-la quando oficializasse algo legal com Daniel, uma vez que se sentia meio desesperada por pensar que tudo seria fácil só de sentir o anel no dedo. Não, precisava ir com calma. Uma coisa era ser impulsiva e espontânea, a outra era ser idiota. Pegou o celular, sentindo o coração disparar subitamente e um pânico dominar seus pensamentos. Discou o número do hotel de Kevin, que tinha anotado na agenda.

– Que bom que você ligou – ele disse respirando fundo. – Lucas e eu estávamos em uma eterna briga sobre chinelos. E aí, o que me conta?

– O que eu faço? – Ela se jogou na cama e deixou a vontade de chorar sobressair à vontade de se manter firme. Ela não queria ser durona. Ela queria gritar, se desmanchar em lágrimas e pedir ajuda.

– Ok, rebobinando. O que está sentindo? – Kevin era paciente, como sempre. Amanda fungou, sentindo as lágrimas rolarem pelo rosto.

– Uma dor tipo de estômago, mas sei que é nervoso. Sinto uma necessidade de gritar e chorar, mas eu me sinto feliz. Meus dedos parecem dormentes, porque quero colocar o anel que ganhei naquela noite e... Viu? Eu sorri!

– Uau, vou chamar a polícia.

– Kevin – Amanda disse em alerta. O amigo riu do outro lado. – É uma decisão importante. Até vale pagar ligação pra outro país!

– É verdade, é sim. E você não tem problema nenhum em se sentir confusa assim. Deixa só te fazer uma pergunta.

– Diga – ela fungou.

– Como você vai arrumar uma mala em dois dias? Que merda tá fazendo? Você viaja no sábado! – Ele berrou. Amanda fez uma careta.

– Deus, Kev, achei que fosse me dar um conselho útil!

– O conselho que te dou é levantar a bunda gorda daí e levar suas roupas mais sensuais. Não esqueça o desodorante e as calcinhas de renda! – O amigo disse pensativo. Amanda sorriu involuntariamente.

– O que faço com minha metade que não quer ir? A que tem medo de se decepcionar com o Daniel? – Perguntou. Kevin pareceu pensar.

– Primeiro – ele disse pausadamente –, quando é que você teve expectativas com Daniel? Você espera realmente um príncipe encantado ou o Robert Pattinson?

– Hm, não – ela confirmou, se sentindo menos triste.

– Certo. Segundo – ele respirou fundo, como se buscasse paciência –, essa sua metade que não quer sair da casa da mamãe é a metade que deve ser ignorada. É a metade que fez com que você ficasse grudada nessa cidade até hoje trabalhando em um escritório infeliz de jornal da igreja. Sério, não é difícil decidir entre vida entediante e namorado gostoso, famoso e rico, é?

Amanda riu alto. Não tinha jeito, ela sabia que podia contar com Kevin para melhorar seu humor. Só não sabia o quanto isso iria durar.

– Não desliga nunca mais o telefone, tenho medo desse sentimento passar – ela pediu manhosa. Kevin riu.

– Você viu que horas são? Aqui tá de noite! E eu tenho um marido gostoso totalmente nu do meu lado. Vai procurar o seu, beijos.

– Ah, Kev! Que absurdo! – Os dois riram e desligaram após uma despedida melosa.

Amanda respirou fundo e olhou para o mural de seu quarto, com todas as fotos antigas que nunca saíam dali, ouvindo *Faint* do Linkin Park. Sorriu inesperadamente, se sacudindo como uma adolescente em cima da cama. Então, afinal, o que fazer? Sentir medo era bom? Porque era tudo que ela sentia naquele momento.

– MÃE, CADÊ A OUTRA MALA GRANDE? – Sentindo-se um pouco mais corajosa, Amanda foi até o quarto de seus pais para conseguir ajuda.

I am a little bit insecure
(Eu sou um pouco inseguro)
A little unconfident
(Um pouco desconfiado)
'Cause you don't understand

(Porque você não entende)
I do what I can
(Eu faço o que posso)
But sometimes I don't make sense
(Mas às vezes eu não faço sentido)
I am what you never want to say
(Eu sou o que você nunca quer dizer)
But I've never had a doubt
(Mas eu nunca tive dúvida alguma)
It's like no matter what I do
(É como se não importasse o que eu faço)
I can't convince you
(Eu não posso lhe convencer)
For once just to hear me out
(Por uma vez só me ouvir)
So I let go
(Então deixo acontecer)
Watching you
(Te observando)
Turn your back like you always do
(Dê as costas como você sempre faz)
Face away and pretend that I'm not
(Abaixe o rosto e finja que eu não estou)
But I'll be here
(Mas eu estarei lá)
Cause you're all I got
(Porque você é tudo que eu tenho)

***

Daniel ouviu o telefone tocar algumas vezes antes de abrir o olho direito. Respirou fundo e sentiu um cheiro estranho de perfume. Doce demais, ele pensou. O telefone continuava a tocar e ele resmungou alto. Sentou na cama e olhou para os lados. Estava sem roupas e uma garota de cabelos lisos pretos dormia no outro lado da cama. Ele fez uma careta. Claro, ele ainda era o mesmo.

Olhou no visor e viu que era o número de Caio. Depois conferiu a data e a hora e arregalou os olhos, apavorado. MTV! Ele esqueceu a droga da entrevista com a MTV!

Levantou rapidamente, enfiando todas as roupas o mais rápido que pôde. Colocou o celular ainda tocando no bolso e, com os sapatos nas mãos, andou até a porta do quarto sem se preocupar em fazer silêncio. Sentiu algo gelatinoso nos dedos do pé e teve medo de olhar para baixo.

– Ew – ele choramingou vendo que era uma camisinha. Sacudiu o pé e decidiu que não era hora de pensar nisso, ele tomaria banho quando chegasse em casa. Bateu a porta e desceu o elevador, acendendo um cigarro.

Merda de hotel barato, merda.

***

– Eu não vou perdoar o Daniel – Bruno esbravejou, andando de um lado ao outro na recepção do prédio da MTV. Duas mulheres estavam sentadas no sofá esperando pelo último Scotty. Rafael falava no telefone com um cantor de uma banda paulista de rock, animadíssimo sobre o fim de semana e combinando de comprar algumas pílulas suspeitas. Os amigos raramente prestavam atenção ao que ele dizia, sabia que ninguém iria escutar para repreendê-lo. Caio continuava com o celular em mãos, tentando ligar para Daniel. – Se o idiota estiver onde penso que está...

– Me desculpem – Daniel entrou na recepção correndo, com os cabelos bagunçados e sujos, respirando rápido. Caio desligou o celular, visivelmente furioso e se virou de costas em direção ao elevador sem dizer uma palavra. Rafael fez um sinal positivo a Daniel e seguiu o amigo. As duas mulheres cumprimentaram o garoto brevemente e seguiram Caio também. Bruno cruzou os braços.

– Onde estava?

– Hm, em casa – Daniel falou tentando arrumar os cabelos. Bruno sorriu irônico.

– A porta estava aberta, eu passei lá mais cedo pra te chamar e não tinha ninguém! – Falou com raiva. Daniel abriu a boca e mordeu os lábios. Coçou a cabeça e deu de ombros.

– Não interessa onde eu estava, interessa?

– Ah interessa sim – Bruno seguiu o garoto de perto, que começou a andar em direção ao elevador. – Interessa quando você prometeu todo um amor a minha melhor amiga. Interessa porque eu estou te apoiando nessa enquanto o resto da banda não está.

– O Rafael também? – Daniel olhou para trás. Bruno cerrou os olhos, furioso.

– Rafael faz o que eu mando, normalmente.

– Não me importa, Bruno, me deixa em paz – Daniel apertou os olhos, com dor de cabeça. Bruno respirou fundo entrando no elevador com o amigo.

– Eu vou quebrar a sua cara se descobrir que você anda fazendo o que não deve. Eu não tenho medo de deformar você. O Caio é bem mais bonito como *frontman*.

Daniel riu baixinho vendo Bruno cerrar mais os olhos e, então, concordou, enfiando as mãos nos bolsos da calça.

sete

Anna andava de um lado ao outro conversando com os convidados, fazendo seu papel de anfitriã. Afinal, tinha passado o dia todo arrumando a casa, comprando toalhas novas, bebidas e comidas para receber todo mundo. Usava um vestido azul curto de paetês e seus longos cabelos lisos estavam presos em um coque desconstruído. Caio e Bruno discutiam abertamente sobre política em um canto da sala, enquanto Rafael conversava animadamente com duas VJs famosas. Um grupo de doze pessoas enchia o pequeno flat de Caio com falação, cervejas e a televisão ligada na MTV. Em algum momento, Fábio Moura, um dos produtores da gravadora, entrou na sala falando no celular. Todos se entreolharam, ficando em silêncio.

Daniel estava sentado no braço do sofá, usando uma jaqueta de couro por cima da roupa preta. O dia estivera frio e a noite ficava clara com os trovões a todo minuto. Ele consultou o relógio mais uma vez vendo Fábio acenar para os amigos. Estava ficando tarde e Amanda não tinha sequer dado notícias. Não queria ligar para ela. Não queria ser um incômodo. Mas estava preocupado. Bebeu um gole de sua cerveja consultando o relógio novamente.

***

Amanda mordia os lábios, parada em frente ao terminal de ônibus de sua cidade. Já tinha se despedido em casa de seus pais, porque sabia que fariam uma cena na rua e era a última coisa que precisava. Queria encarar aquilo sozinha, para ser o quão covarde quisesse, sem julgamentos. E ali estava, uma mala de cada lado. Um vento frio cortava a noite, embora ela suasse. Apertou a blusa fina contra o corpo. Estava nervosa, trêmula. Olhou para os lados, sacudindo o pé em sinal de ansiedade. O ônibus estava parado na sua frente e os passageiros entravam um por um, entregando o bilhete ao motorista. Ela encarou o seu. Em quase três horas poderia encontrar Daniel e seus outros quatro amigos, dos quais sentia uma saudade tremenda. Assustava-se com o jeito que seu coração pulsava, mais forte ao pensar neles, ao pensar nos antigos bailes de sábado à noite e nos dias livres jogando *paintball* ou vadiando na praia.

Era novamente sábado à noite e ela estava parada, sentindo seu mundo ir abaixo. Ouvira suas amigas dizendo que quando se tem dúvida ao comprar uma roupa é melhor não levar. Será que também cabia para essa situação?

Olhou para os lados e viu duas meninas com mochilas. Elas pararam perto de Amanda, conferindo os bilhetes. Aparentavam ter uns dezesseis anos, conversavam alto e riam de quando em quando.

Amanda reparou, então, que uma delas usava uma camiseta escrita *Eu amo Scotty*, em preto e vermelho. Abriu os olhos, assustada. Era algum tipo de aviso? Adolescentes usavam mesmo camisetas com a banda dos meninos? Era alguma brincadeira de Deus?

– ... pro show na quarta. Pablo disse que vai ter sessão de autógrafos na semana que vem.

– Quero minha foto com o Rafael – a mais loirinha disse. Percebeu que Amanda a encarava e sorriu. – Vai pro show dos Scotty também?

Amanda respirou fundo, um pouco assustada com a pergunta. Ficou lisonjeada por se passar por mais nova do que era na verdade. Sorriu, animadamente.

– Estou pensando nisso – respondeu. As meninas se olharam, contentes.

– Vai ser meu terceiro show – a loirinha continuou. – Eu não vivo sem eles. Meus pais agora já até me deixam ir sozinha pra São Paulo, mas minha tia fica me esperando na rodoviária de lá.

– Qual é o seu predileto? – a outra garota de pele morena perguntou. Amanda estagnou. Sentiu as palmas das mãos molhadas. Isso era sério?

Sentiu vontade de rir. Não rir das pobres meninas, mas rir da situação. Quem diria, Daniel, quem diria... Ela pensava, lembrando do menino sentado debaixo da árvore da escola, tocando de forma errada seu violão antigo. Sabia agora que era fingimento dele, que ele era ótimo no que fazia. E mesmo depois de bailes, shows, confusões, brigas, beijos e quatro anos distantes, aquilo tudo ainda a fazia suar frio nas mãos.

– O Bruno – Amanda respondeu, orgulhosa. As meninas sorriram espantadas.

– Ele é bonito e tal, mas o Rafael é muito mais! – a loira falou. A amiga discordou.

– Daniel Marques é o cara mais gato do mundo!

– Ah, você acha? – Amanda escondeu um riso esganiçado. – Tenho amigas que concordam.

– O Caio tem namorada, a gente respeita isso, embora ele não admita publicamente, sabe? Deve ser coisa de banda – a garota loira deu de ombros. – Já vi ele com essa menina várias vezes, mas nas entrevistas ele não diz nada, ó só – e estendeu uma cópia da revista *Sensação*, aparentemente recém-comprada na banca da rodoviária, dobrada em uma foto enorme dos quatro garotos super bem vestidos de terno. Amanda pegou nas mãos e abriu nas páginas principais, verificando um quadro de perguntas e respostas. Uma delas era sobre namoradas.

Todos afirmavam que eram solteiros, livres e desimpedidos. Amanda sentiu uma pontada no peito. Por que as revistas mentiam desse jeito? Ela tinha certeza que Caio não iria esconder seu namoro. Ele amava a Anna e ela largou tudo para ficar com ele, certo? Se conhecia alguém mais verdadeiro no mundo, esse alguém era Caio.

– Última chamada para o ônibus das sete e meia em direção a São Paulo – o alto falante soou. A menina aceitou a revista de volta, vendo o sorriso de Amanda sumir.

Será que era algum tipo de sinal mesmo? Era um bom ou ruim? Ficou encarando o ônibus, mordendo os lábios, vendo as garotas se afastarem e entregarem os bilhetes ao motorista.

– Você não vem? – a menina morena perguntou, olhando para Amanda, agarrada em suas malas, com o cabelo castanho claro preso em um rabo de cavalo mal feito e vestindo roupa de malha fina demais para aquele frio.

Parece estar prestes a vomitar, a morena pensou. *Espero que não sente perto de mim!*

***

Daniel consultou o relógio mais uma vez.

– Calma, cara – Rafael chegou perto do amigo. – Ainda são nove horas. O ônibus dela era qual? Das sete?

– E meia – Daniel respirou fundo. – Eu sei, mas estou com um pressentimento ruim.

– Isso é TPM – Bruno ofereceu uma garrafa de cerveja para o amigo. Rafael estendeu a sua e os três brindaram. – Em breve, ao nosso segundo grande sucesso musical nas paradas.

– Deus te ouça, cara – Rafael tomou um gole. Daniel bebeu também, em silêncio. Ainda sentia algo esquisito, como se Amanda não fosse chegar essa noite. Como se ela não quisesse vir. Isso era algum tipo de sinal?

Andou até a janela da sala, com uma das mãos no bolso, encarando a fina garoa que começava a cair lá fora. Tinha que parar de ser ansioso. Bebeu mais alguns goles da garrafa, sentindo alguém se aproximar.

– Está calado hoje, Marques – uma garota de cabelos curtos e coloridos comentou, aproximando-se dele. Daniel lembrou que ela era de uma das VJs convidadas. Ele sorriu. Ela não era linda, mas tinha algo que o atraía. Devia ser os braços tatuados e o micro vestido preto colado ao corpo curvilíneo. Olhou de soslaio para Bruno e fez careta vendo que o amigo o encarava com a expressão fechada, como se ele fosse fazer algo de errado.

Ele estava esperando sua namorada chegar. Por que iria ficar dando mole pra uma VJ?

Apenas sorriu para ela e voltou a olhar pela janela. A chuva estava engrossando.

– Quer ir na cozinha comer alguma coisa? Você parece com fome.

– Não, obrigado – Daniel falou um pouco mais ríspido do que gostaria. – Desculpe, estou pensativo hoje. Esperando, sabe... minha hm... namorada – ele pareceu tenso como se fosse difícil externar o assunto.

– Ah! – a garota achou graça. – Namorada? Daniel Marques? Tem certeza?

Ele concordou mordendo os lábios, sem voltar a olhar para o rosto dela, apenas encarando a janela. Era difícil de acreditar. Daniel Marques tinha uma namorada.

Cinco anos antes essa desconfiança viria porque ele era um perdedor, um garoto qualquer da escola, que gostava de sacanear todo mundo e que não recebia atenção das populares. Agora ele estava ali, rico, famoso e inúmeras garotas – até mesmo alguns caras! – davam em cima dele descaradamente. Tanta coisa podia mudar em pouco tempo. Ele nem se reconhecia mais!

Passou as mãos pelos cabelos.

– Desculpe, Marques, mas é realmente difícil de acreditar – a garota parecia se desculpar pelo silêncio dele. Daniel riu baixinho.

– Nem me fala.

– Mesmo assim, se quiser, sei lá, conversar – ela sorriu, sugestiva. – Ok, não quero conversar. Só me procure – e piscou, dando meia volta. Daniel franziu a testa. Estava dando fora em uma garota atraente e famosa. Cadê a Amanda?

***

Anna estava sentada em sua cama. As náuseas vinham e voltavam, e ela estava cansada de fazer sala para um monte de gente que nem sequer a conhecia. Caio entrou de fininho pelo quarto, sorrindo. Coçou a cabeça e sentou ao lado da namorada. Beijou de leve sua testa, fazendo-a rir.

– Estou cansada. Fábio não disse quando sai o resultado?

– Não, amor, não disse – Caio riu com o bico de Anna. – Pode ficar por aqui, eu me viro lá embaixo. O maior problema parece ser o Daniel.

– Ele está enlouquecido, não está?

– Ansioso, vamos dizer assim – Caio balançou a cabeça, entrelaçando os dedos de Anna nos seus. – Acha mesmo que tem chance da Amanda não vir?

– Ela queria vir. Lógico que ela tinha dúvidas, ela sabe que Daniel não é mais o mesmo – Anna pensou. – Mas ela queria vir.

– Acha que devemos tentar ligar pra ela?

– Vou tentar – a garota pegou o celular da mesinha de cabeceira, discando o número da amiga. Tocou, tocou e ninguém atendeu. Tentou pelo menos três vezes antes de se dar por vencida. – Não diz nada ao Daniel, ela deve estar dormindo no ônibus.

– Ok – Caio concordou. – Que horas ela disse que chegaria?

– Na rodoviária por volta das dez. Ela ficou de ligar.

– Certo – Caio beijou os lábios da namorada, se levantando. – Descansa um pouco, você parece pálida. Qualquer coisa me chama.

Anna concordou, vendo o homem de seus sonhos sair pela porta. Deixou a preocupação tomar conta da sua cabeça. Tinha um péssimo pressentimento sobre Amanda não atender o telefone. Péssimo.

***

Daniel deixou a garrafa de cerveja em cima da mesinha da sala e andou até o gancho atrás da porta, puxando um chapéu Fedora preto. Procurou a chave de seu carro no molho que estava na mesa, sendo observado pelos amigos. Bruno se aproximou com a testa franzida.

– O que pensa que tá fazendo?

– Vou até a rodoviária. Eu não vou ficar esperando. São nove e quarenta, ela já devia ter dado alguma notícia – Daniel explicou, ajeitando o chapéu na cabeça. – Estou preocupado, Bruno, me deixe ir.

– Eu vou com você – o amigo disse, pressentindo que Daniel não daria conta de tudo sozinho. Ele realmente parecia nervoso, as mãos estavam tremendo e o teor alcoólico dele estava acima do normal. Tentou alcançar Fábio para ver se o motorista do produtor estava por ali.

– Porra, cara, até nisso? Eu não vou fazer nenhuma merda! – ele falou alto, fazendo algumas pessoas olharem. Bruno balançou a cabeça.

– Seu imbecil, vou junto, sim. Você tá nervoso. Me dá essa chave, vou conseguir o motorista pra levar a gente lá, porque você já bebeu muito!

Daniel respirou fundo, um pouco envergonhado, e seguiu Bruno atrás de Fábio. Mil coisas passavam em sua cabeça. Ela não o queria porque era um idiota. Ela tinha desistido. Também, quem não desistiria?

Sorriu irônico, já dentro do carro, com as mãos nos bolsos, no banco de trás. Bruno, na frente, olhava atento para a rua por causa da chuva forte e evitava conversar com o motorista.

– Eu quero que ela venha, eu não sou um completo babaca quando ela está por perto – Daniel confessou, suspirando. Bruno apenas olhou para o amigo. Daniel tinha uma expressão inconfundível no rosto.

– Cara, não acha que tá exagerando um pouco? Ela deve chegar logo mais, o ônibus ainda nem parou.

– Eu sei, eu estou sendo ridículo, mas – ele respirou fundo – eu tenho medo. De perder ela de novo. E de novo. E de novo. E daí pra sempre.

– Você só vai perder se fizer merda, eu já te disse – o amigo retrucou mexendo no rádio do carro – Você parece criança, a Amanda não é nenhuma idiota, ela não vai sofrer de novo por sua causa.

– Eu não quero isso não, Bruno – Daniel parecia decepcionado – Se eu pudesse voltar no tempo acho que eu seria completamente diferente.

– É? Seria como? Mais alto? – Os dois riram.

– Talvez teria sido melhor se eu não tivesse chamado ela pra jantar lá em casa há bons anos atrás. Porque até então eu não sabia o que ela sentia e era ótimo ser rejeitado e pronto. Era isso.

– E ela gostar de você é um problema? – Bruno franziu a testa.

– O envolvimento foi o problema. Ela disse que gostava e eu então me deixei envolver mais. É ridículo, do que eu estou falando? Noites e noites sem dormir com as lembranças das promessas adolescentes que eu fiz a ela. É ridículo se eu disser que é desse jantar que me arrependo.

– Ela deve se arrepender, a coitada comeu brócolis...

– Cala a boca! – Daniel disse, balançando a cabeça, vendo o amigo rir. Bruno trocou de estação, tentando achar algo bom, que não fosse a música da Scotty, que de alguma forma estava tocando em três estações diferentes. Achou outra, que também não tinha funk. Estava tocando MXPX. Ele riu.

– *You Put This Love In My Heart* – Bruno falou, ouvindo que música era. Daniel concordou e os dois cantarolaram algumas partes conhecidas.

– *I know the loneliness I've had before* – Daniel batucava no banco do amigo, na sua frente – *I never feel it anymore.*

– *Cause your lovin has released me from all that is in my past* – Bruno continuou. Daniel respirou fundo.

– Acho que estou apaixonado de novo – falou de repente. Bruno riu baixinho. – É sério, é loucura, depois de tantos anos. O que era amor virou aquele fogo apagado, morno, e eu sentia falta de quando era aceso. Sentia falta do calor dela e dos beijos, do jeito que ela falava meu nome e como me fazia rir à toa – ele olhou pela janela do carro, acompanhando os pingos de água escorrerem. – É como se faltasse um pedaço e você sabe que é a paixão, porque o sentimento ainda está lá no fundo. E daí resolvemos voltar e quando eu a vi... – Daniel riu involuntariamente. – Ela estava com aquele vestido branco, linda, do lado do Kevin. Era como nos sonhos que me atormentavam. A pequena, que não tinha mudado em nada, do mesmo jeito que eu tinha visto pela última vez – deu um sorriso um pouco mais largo. – Do mesmo jeito, Bruno, eu tenho pesadelos. Com ela indo embora, vestida daquele jeito no casamento do Kevin – o garoto olhou triste para Bruno, que não estava entendendo nada daquele papo de bêbado. – Ela olhando e me vendo um lixo, descobrindo que é muito melhor do que eu, muito boa pra mim e simplesmente desistindo – ele fungou alto, socando a janela com força. – E ela tá daquele jeito, cara. Os cabelos soltando da trança e sorrindo como se fosse a melhor coisa do mundo poder me ver de novo. Me ver! E eu, um cafajeste imbecil, fui egoísta. Eu não pensei nela, pensei Bruno?

– Não pensou, Daniel.

– Eu não pensei...

– Mas ela não é nenhuma panaca. Escuta só – Bruno respirou fundo, medindo as palavras porque sabia que poderia causar uma reação nada agradável ao amigo – Ela conversou comigo e pareceu muito feliz de poder ter você de novo com ela. Ela não gosta da vida dela por lá. Ela disse que não tem graça. Digo, sem você – sentiu-se incomodado de falar dessas coisas, mas não estava aguentando ver Daniel daquele jeito. – Você pode pensar que ferrou a vida dela indo embora, mas de qualquer forma você está tentando se redimir, voltando pra ela. Ela só quer isso, que eu saiba. O idiota do Daniel Marques.

– O idiota – o garoto fungou passando a manga do casaco de couro no rosto.

– O idiota que ela ama, seu imbecil, para de mimimi e vira homem! – Bruno sorriu vendo a rodoviária crescer em frente a eles. – Se algum *paparazzo* te pega assim, eu vou fingir que te bati.

Daniel sorriu de leve, enfiando o chapéu na cabeça. Ainda se sentia mal, mas um fiozinho de esperança começava a brotar nele.

oito

Quando o carro foi estacionado na rodoviária, Bruno conversou com o motorista e entrou sorrateiramente com Daniel no elevador que daria ao andar de desembarque. Apenas uma garota estava lá dentro com eles. Daniel e Bruno olhavam para baixo, tentando esconder o rosto, enquanto a garota firmava os olhos neles como se tentasse verificar se eram mesmo os caras de seus sonhos.

– O tempo tá ruim hoje, né, Francis? – Daniel disse puxando um sotaque esquisito. Bruno arqueou a sobrancelha e concordou.

– Está sim, cara, está sim.

– Acha que melhora até a partida de futebol amanhã? – Daniel insistiu e Bruno teve vontade de rir. A menina parecia confusa.

– Ah, não sei Joaquim, não sei – deu de ombros. – Espero que sim – e saiu rápido, assim que o elevador abriu as portas. Daniel olhou para a garota, estarrecida, parada ainda no mesmo lugar.

– O Francis não gosta muito de futebol, entende? – e seguiu o amigo, vendo a menina fazer uma careta.

– Você é um imbecil – Bruno riu com Daniel na sua cola. – Francis? Francis? – aumentou a voz, rindo.

– O quê? Você poderia se chamar Francis!

– Desde quando algum homem chama Francis?

– Ué, vários! – Daniel coçou a barba recém-aparada. – Você tem cara de Francis.

– Vai se ferrar, Marques!

– Joaquim não foi muito criativo também, admita – e os dois riram baixinho, caminhando até a porta de desembarque. Vários ônibus estavam estacionados, liberando passageiros cheios de sacolas, bagagens e pressa. Os olhos de Daniel corriam para todos os lados. Cores de cabelo, roupas, garotas baixas... Ele checava tudo. Seu coração parecia bater muito mais rápido.

– Acho que o ônibus dela deve ser aquele ali, não é? Bate com o horário.

– Ela não veio, Bruno – Daniel resmungou perto do amigo, olhando para os lados. Bruno balançou a cabeça.

– Vamos esperar. Se não for esse ônibus, deve ser o próximo – os dois caminharam até uma área mais vazia, mais à frente, perto do ônibus que marcava ter chegado às dez horas. Eram dez e cinco e Daniel sentia um frio descomunal. Seus ossos pareciam doer e o queixo batia rápido, fazendo um barulho esquisito. Ele levantou e arriscou andar até a plataforma, quando viu os passageiros saltarem do ônibus das dez. Ficou perto de uma viga metálica que serviu de esconderijo quando duas meninas vestidas com camisetas da Scotty passaram conversando em voz alta. Daniel respirou fundo e continuou esperando. Nunca se sentira ansioso como agora. Era pior que subir em um palco no Rio de Janeiro e encarar uma multidão furiosa por eles. Era muito mais esquisito do que aguardar uma confirmação de música de sucesso ou qualquer outro sentimento parecido que já tivera. Era pior. A sensação de que voltaria sozinho para casa deixava-o perturbado, sem sentidos, olhando abismadamente o motorista fechar o compartimento de malas e ligar o ônibus, saindo do terminal.

***

O local começava a ficar vazio e, meio de longe, Bruno só via Daniel de costas com as mãos nos bolsos da calça, parado, perto do grande buraco onde o ônibus estivera momentos antes. Bruno checou o horário. Eram quase dez e meia. Não sabia se viria outro ônibus depois daquele e se sentiu triste por Daniel. Era uma cena deprimente. O amigo murchava a olho nu, como alguém que perde as esperanças. Bruno se levantou vendo que só sobraram os dois perto da plataforma e andou até onde o outro estava. Colocou a mão em seu ombro, apertando de leve, mostrando que estava ali com ele.

– A gente pode esperar – disse baixinho. Daniel não tinha nenhuma expressão no rosto, como se já soubesse que isso aconteceria. Ele olhava fixamente para frente.

– Ela não vem – ele sussurrou. – Acho que eu mereço isso.

– Não fala merda, Joaquim, sério – Bruno balançou a cabeça, mas o amigo nem sorriu – Olha, deve ter outro ônibus. A gente pode esperar. Vai ver aconteceu alguma coisa, já tentou ligar pra ela?

– Não – o garoto balançou a cabeça. – Eu vou até o banheiro. Já volto – virou as costas e saiu andando. Bruno ficou encarando o amigo virar a esquina e voltou a olhar para o terminal vazio. Onde estaria sua amiga? Ela não podia desistir agora.

Afinal, ela não queria o idiota do Daniel Marques?

***

Anna se levantou da cama e decidiu ir à sala perguntar sobre sua melhor amiga. Ainda se sentia um pouco tonta, mas estava preocupada com Amanda. E também queria saber o resultado da disputa musical. Sabia que isso seria papo por muito tempo e que poderia significar bastante dinheiro entrando em formato de pizzas durante a semana toda. Encontrou Caio e Rafael conversando com duas garotas desconhecidas. Reparou nas pessoas conversando e bebendo e não encontrou nem Amanda, nem Bruno e Daniel. Algo estava errado. Sorriu serenamente para o namorado e andou até a cozinha. Apoiou-se no balcão, olhando para a pia, sentindo a cabeça latejar. Não aguentava mais aquele enjoo. Puxou o celular do bolso e apertou, pela décima vez, o botãozinho verde. O telefone tocou, tocou e de repente alguém atendeu.

– Amanda? – a voz da amiga soou preocupada e alta. Do outro lado, ouvia o barulho de vários carros passando em poças de água e muita chuva.

– Eu não sei o que deu em mim – Amanda disse de repente. – Eu juro que eu não sei.

– Você não veio – Anna falou mais para si mesma do que para a amiga. As duas ficaram em silêncio.

– Anna, eu amo o Daniel – Amanda disse, percebendo que o sinal do celular estava ruim e falhando. Iria cair a qualquer momento e ela não entendia bem se a amiga a estava ouvindo ou não. – E você não tem ideia do que eu faria pra poder ficar com ele.

– Você não veio – Anna repetiu baixinho. A outra, do outro lado, fungou.

– Eu preciso desligar. Você diz a ele que eu o amo? Muito?

– Eu digo, amiga. Claro – Anna viu que a ligação tinha caído. Então ela não tinha vindo. E Daniel tinha ido atrás dela! Oh Deus, essa seria uma noite complicada. Olhou para a janela e viu a chuva aumentar torrencialmente, batendo no vidro da cozinha e entrando pelas frestas da madeira. Respirou fundo, pensando baixinho, que as coisas precisavam ficar melhores. O dia não podia acabar daquele jeito.

***

Daniel encarou o espelho sujo do banheiro da rodoviária. O cheiro ruim não o incomodava. Nada ali parecia real. Por que a dor do abandono era tão forte? Ele agora tinha medo que Amanda tivesse se sentido assim quando ele foi embora. Todas as vezes que ele foi embora. Sentiu raiva de si mesmo, olhando para o seu patético reflexo. Por que ele tinha que ser tão idiota, por quê? Ele merecia aquela dor, ele merecia que sua garota ficasse longe dele. Bateu o punho na pia com força, irritado. Quem ele era? Cadê o

Daniel Marques que tocava violão debaixo da árvore e compunha músicas para a garota dos seus sonhos? Cadê o garoto que jogava *paintball* e ouvia Beatles o dia inteiro?

Ele deveria voltar a ouvir Beatles. Tinha que voltar a ser uma pessoa melhor. E tinha que achar um campo de *paintball* ali em São Paulo.

Passou as costas da mão no rosto, limpando o suor, e respirou. Viu Bruno entrar no banheiro apressado.

– Anna ligou, a ligação estava horrível, mandou a gente ir pra casa. Devem estar dando os anúncios agora. Sinto muito, cara.

– Tudo bem – Daniel concordou, rouco, enfiando o chapéu Fedora novamente na cabeça. – Tudo bem.

***

Caio viu Daniel e Bruno entrarem na sala, correndo, por conta da chuva, seguidos do motorista. O chapéu de Daniel estava encharcado e Bruno tirava o casaco da cabeça. Abraçou os amigos, reparando enfim que eles não traziam Amanda junto. Alguma coisa estava errada.

Muita gente estava naquela sala e Daniel não se lembrava de ter visto todo mundo antes de sair. Estivera tão perdido assim? Cumprimentou algumas pessoas até chegar em Anna, que servia uns canapés para Fábio, o produtor. Daniel sorriu meio torto, aceitando a comida e vendo o olhar preocupado da amiga.

– Daniel, você...

– Vai ficar tudo bem, fica tranquila – ele disse baixinho, dando um beijo em sua bochecha. Anna mordeu os lábios, concordando, quando Fábio desligou a TV e todo mundo olhou para ele. O rádio celular nas mãos anunciava o top dez de *singles* mais vendidos, na voz do cara da gravadora, e Daniel chegou perto de Caio, abraçando o amigo de lado, esperando pela notícia.

Será que tudo tinha mesmo que dar errado naquela noite?

– ... em terceiro lugar, Fábio, ficou o NxZero com aquela música chiclete. Puta merda – o contato do produtor falou em voz alta. Todo mundo riu do xingamento. Daniel, de alguma forma, ficava olhando para a porta o tempo todo como se ainda restasse uma possibilidade de sua sorte mudar.

"Eu serei um cara melhor" ele pensava, enquanto o produtor anunciava que o segundo lugar era de uma cantora de axé, "eu prometo que irei me esforçar e ser muito melhor do que isso. Eu sei que posso ser, mas eu preciso dela comigo".

– Fábio – o contato disse e ficou em silêncio. As pessoas na sala pararam de conversar e Daniel prendeu a respiração. – Fábio, o primeiro lugar é *A Menina*, dos Scotty!

– Ahhh puta merda! – Bruno levantou do sofá em um pulo, abraçando uma das garotas que estava ao seu lado. Anna abriu uma garrafa de champagne, fazendo a rolha estourar com um barulho alto e todo mundo bateu palmas para os quatro garotos. Caio abraçou Daniel fraternalmente, sentindo o amigo tenso e tremendo.

– Ei, é uma boa notícia!

– Eu sei, cara, parabéns. Você é um puta compositor – e os dois sorriram um para o outro. Daniel abraçou Rafael, que parecia estar chorando com um copo de refrigerante nas mãos.

– Ai cacete, vou ligar pra doce de coco! Eu disse pra ela que iria conseguir, não disse?

– Acho que sim – Daniel falou sorrindo, vendo o amigo contente. – Mande um beijo para ela.

– Eu mando, cara, eu mando – Rafael se afastou com o celular nas mãos.

Daniel viu Bruno cumprimentar todo mundo na sala e sorriu. Pegou uma garrafa de cerveja de cima da mesa e bebeu longos goles. Agradeceu os cumprimentos de todo mundo, sorrindo sem vontade. Ainda doía saber que Amanda não tinha vindo por sua causa. Ele queria muito que ela estivesse ao seu lado naquele momento. Tinha passado a semana inteira pensando só nisso e de repente os planos tinham mudado. Ela devia estar com medo de ser abandonada de novo. Ela não estava errada. Ele não era mais o Daniel Marques de antigamente. Tinha 22 anos e ainda parecia um adolescente.

– E lá vai ele de novo – cantou baixinho uma música que ele e Caio tinham começado a escrever naquela semana. Não queria chorar. Teria que enfrentar tudo, ligar para ela, saber o que houve. Se ela não o quisesse mais, teria que conquistá-la, teria que trazer sua garota para perto dele de novo. Ele tinha tomado uma decisão e não iria voltar atrás. – Ele tentou ser melhor, mas lá vai ele de novo...

A sensação de que a qualquer momento ela iria entrar pela porta da sala estava atormentando sua cabeça, então Daniel decidiu dar uma volta. Queria acender um cigarro! Todo mundo estava se divertindo, até Caio começara a beber, os amigos não paravam de rir, e ele não queria estragar o clima com sua chatice. Daniel estava orgulhoso da banda e de todo o trabalho até ali, mas, no momento, não conseguia demonstrar.

Encontrou Anna no caminho e acenou com a cabeça. Pegou a chave de casa na mesinha e saiu pela porta dos fundos. Iria demorar até alguém notar sua saída e até lá ele poderia dar um jeito naquela cara de frouxo. Andaria a pé até o fim da rua, tomaria muita chuva, fumaria uns dois cigarros no estúdio em sua casa, tocaria guitarra de cueca e tentaria beber até dormir sem sentir mais nada. Era um bom plano para o fim da noite.

***

Já sentia o sapato ensopado quando avistou a casa de Bruno. A rua parecia uma cachoeira, com tanta água escorrendo. Era bem bonito, tudo iluminado pelos postes. Se sentiu inspirado. Não conseguiria acender um cigarro ali, mas se sentia tão nervoso que começou a cantar, em voz alta, alheio de que tinha uma vizinhança que provavelmente queria dormir. O problema era deles. Deveriam ficar felizes por ouvirem o garoto cantar de graça!

A música que veio na cabeça era de um cantor britânico chamado Matt Willis. Não era famoso nem nada, mas Daniel tinha todos os álbuns do cara e da banda que ele tinha feito parte, anos atrás. Era genial e simples, como ele gostava. E tinha sentimento. Cantou alto, cuspindo a água que entrava na boca e se aproximando, vagarosamente, à sua casa.

Falling into you, I'm falling into pieces
(Me apaixonando por você, estou caindo aos pedaços)
Just got to tell you but
(Eu apenas tenho que te dizer, mas)
I'm scared you won't believe it
(Estou com medo que não acredite em mim)
And one day I'll wake up to find that we broke up
(E um dia eu acordarei para descobrir que a gente terminou)
I don't want that for you, I don't want that for me
(Eu não quero isso pra você, eu não quero isso pra mim)
I just want to stay here
(Eu apenas quero ficar aqui)

Daniel sacudiu a cabeça e percebeu que a chuva tinha engrossado mais. Que sorte, hein? Não bastava estar sentindo um buraco negro eterno no peito, tipo uma nebulosa que engolia tudo de bom que tentava sentir e pensar? Seu corpo doía de andar contra o vento e ele tinha vontade de parar, sentar no chão, e esperar tudo ir embora. Mas decidiu que iria em frente porque precisava se jogar em algum lugar seco.

I feel that it's time to say those three words to you
(Sinto como se fosse hora de te dizer aquelas três palavras)
Words are all that I have
(Palavras são tudo que eu tenho)
Don't walk away, don't want to feel no pain
(Não vá embora, não quero sentir dor)
That's okay I got you
(Está tudo bem porque tenho você)

Daniel olhou para a sombra da sua casa no escuro, vendo todas as luzes apagadas. Somente alguns postes na rua ajudavam a guiar os olhos no meio daquilo tudo. A chuva ainda caía forte e, por um momento, seu coração deu um salto enorme, como se fosse sair pela boca. Um buraco no chão tinha sido aberto. Tinha alguém sentado na escadinha de acesso à sua porta. Tinha alguém encolhido da chuva, uma mancha escura, em frente à sua casa. Ele sentiu os dedos tremerem e o coração bater forte, mais forte do que suportava, ouvindo mais um pedaço da música em sua cabeça, sem conseguir cantar.

Don't walk away girl I'm begging you
(Não vá embora, garota, estou implorando)
You gotta hear what I'm telling you
(Você tem que ouvir o que estou te dizendo)
Don't want to feel your pain
(Não quero sentir sua dor)
'Cause I believe in you
(Porque eu acredito em você)
And I hope you feel it too
(E espero que você sinta isso também)

I don't want that for you, I don't want that for me
(Eu não quero isso pra você, eu não quero isso pra mim)
I just want you to stay here
(Eu só quero que você fique aqui)

Ele colocou a mão no rosto, tentando conter os pingos de água que caíam em seus olhos. Andou apressado até a entrada da casa, sentindo o gosto da chuva na boca e ouvindo o barulho alto do seu coração. Quem estava sentado na escadinha se levantou. Daniel se sentia em um filme. Viu a pessoa andar até a frente da casa e a luz do poste iluminar seu rosto, os cabelos claros escorridos e molhados e a roupa, fina e encharcada, colada no corpo magro. Amanda chorava.

– EU QUERO QUE VOCÊ FIQUE AQUI! – Daniel gritou, sufocando uma risada. Ela estava a poucos metros dele, os dois parados, se encarando. Abria os olhos com dificuldade por causa da chuva e o barulho dos trovões assustava a menina. – Quero que fique aqui comigo, que não vá embora. Nunca mais!

– Daniel... – ela disse sorrindo e correndo até o garoto. Daniel sentiu um calafrio arrepiar todo o seu corpo. Sorriu, engolindo água, sentindo o choque do corpo de Amanda contra o seu, enquanto ela passava as pernas em torno de sua cintura e apertava os braços ao redor do seu pescoço. Ele não conseguia acreditar.

Ela veio!

A menina desferiu beijos em todo o seu rosto, enquanto ele apertava seu pequeno corpo entre seus braços. Ela veio!

– Eu acabei perdendo meu ônibus – ela gritou por causa do barulho da chuva. – Peguei outro que parou em uma cidade perto e vim do jeito que eu pude, me desculpe.

– Você veio! – ele falou sentindo as lágrimas se misturarem com a chuva. Ela concordou, vendo os cabelos de Daniel escorridos na testa, deixando-o com uma aparência linda e frágil. O garoto segurou o rosto dela com as duas mãos e beijou seus lábios com uma urgência enorme. A língua dela estava quente e ele sentiu os pelos dos braços arrepiarem com o choque térmico e o toque feroz que ela tinha. Parecia suave e nervoso ao mesmo tempo.

Andou lentamente com ela em seus braços até a porta de casa, tirando a chave do bolso da calça e deixando a chuva para trás enquanto entravam na sala. A garota desceu de seu colo e colocou suas malas para dentro.

Amanda puxou Daniel pela gola da camiseta, juntando novamente as bocas e o obrigando a bater a porta com força, com os pés. Daniel tirou o casaco molhado de couro, enquanto a garota tremia de frio.

– Vem, você vai tomar um banho quente comigo – ele disse. Amanda mordeu os lábios pensando em como tudo ficava melhor com ele por perto. Em como estava certa de que essa era a decisão a se tomar e que não havia dúvidas. Ela amava aquele idiota do Daniel Marques.

***

Daniel acendeu a luz do banheiro de seu quarto e tirou a camiseta branca ensopada. Amanda entrou logo depois dele, fazendo o mesmo. Os dois não conseguiam desviar os olhares um do outro.

– Eu achei que você não viria.

– Desculpe – a garota disse, sentindo os olhos encherem de lágrima. – Eu estava com medo e...

– Apenas... tire suas calças – ele interrompeu, com um sorriso maroto, enquanto seus olhos também ficavam marejados. A garota sorriu, balançando a cabeça. Daniel se aproximou e beijou os lábios dela de leve. – Ahhh fofa, você não tem ideia do que eu senti. Me desculpe por todo o sofrimento que eu já te fiz passar, por favor.

– Ei, Daniel – ela tentou imitar o sorriso malandro dele. – Apenas tira suas calças.

Os dois sorriram abobalhados enquanto se despiam. Daniel mordeu os lábios ao ver sua garota de calcinha e sutiã, como imaginava há anos. Ficou encarando o corpo dela sem conseguir acreditar. Era um bastardo sortudo. Em um impulso, segurou a garota entre os braços, colocando suas costas contra a parede e respirando fundo o cheiro dela.

Mordiscou o rosto dela até chegar em sua boca, puxando o ar durante o beijo, deixando Amanda sem fôlego por instantes. Ela se encolhia em seus braços, sentindo as mãos de Daniel percorrer seu corpo sem pudor, como quem precisava daquilo para viver.

Amanda levantou as mãos e fincou as unhas em suas costas, pulando em seu colo novamente. Daniel empurrou o corpo da menina para dentro do enorme box do banheiro, abrindo o chuveiro com água quente e deixando os corpos já molhados tremerem com o choque de temperatura. Os dois gemeram alto, enquanto Daniel ainda segurava a garota pelas pernas, movimentando ela da forma como lhe convinha. Amanda tirou seu sutiã e sentiu Daniel ficar mais excitado, descendo suas mãos por seu colo. Ela deixou a água cair em seu rosto, olhando para cima, agradecendo mentalmente que a dor que agora sentia era pela força com que ele queria ficar com ela e não pelo abandono que sofrera por tantos anos.

Daniel não conseguia pensar direito. O cheiro era inebriante, o gosto era alucinante e o fato de que agora a sua dor era meramente uma lembrança o fez sorrir entre o beijo.

– Te amo, fofa.

– Também te amo, seu idiota – ela respondeu em um suspiro.

nove

Amanda abriu os olhos sentindo a cabeça doer um pouco. Droga de chuva, agora ameaçava pegar um resfriado feio. Ficou pendendo o peso do corpo nos cotovelos, enquanto abria os olhos. Estava nua debaixo dos lençóis. Olhou para o seu lado e viu Daniel com o rosto enfiado no travesseiro, o braço direito aberto e o esquerdo encostado no corpo. Sorriu. Ele era lindo de qualquer forma.

Acariciou devagar suas costas brancas, cheias de pintinhas, seguindo o contorno dos músculos. Como seu Daniel tinha mudado. Chegou nos cabelos, passando as mãos levemente entre os fios, arrancando um suspiro do garoto que permanecia com o rosto para baixo. Ela sorriu mais ainda, deixando-se impregnar com aquela felicidade que ela sabia que só Daniel podia proporcionar.

Não sabia quanto tempo tinha passado analisando as costas do garoto, mas eventualmente ele rosnou baixo e virou o rosto para o lado. Ela sorriu e se levantou, procurou suas roupas e saiu do quarto em silêncio.

***

Daniel se mexeu desconfortável na cama. Tateou o seu lado antes de abrir os olhos e se deparar com o lençol enrolado e a cama vazia. Sentou no susto, passando as mãos no rosto e então ouviu um som vindo ao longe, enchendo a casa dele de música.

I give her all my love
(Eu dou a ela todo meu amor)
That's all I do
(É tudo o que eu faço)
And if you saw my love
(E se você ver o meu amor)
You'd love her too
(Você também vai amá-la)
I love her
(Eu a amo)

Ele se sentiu como se algo estivesse inflando seu corpo, sua alma. Era delicioso! O som dos Beatles invadia sua casa, amortecendo o sol fraco que aparecia pela janela. Lembrou-se de que tinha que voltar a ouvir mais Beatles. Escutou alguns barulhos vindo da cozinha, panelas batendo, e sorriu satisfeito. Então, tudo ainda estava dando certo.

Se levantou, pisando no chão frio do quarto, e andou lentamente até o banheiro. Uma voz feminina, a voz de Amanda que ele conhecia muito bem, cantou alto com a música, fazendo-o sorrir. Ela cantava bem. Era como se o lembrasse dos dias na escola, quando faziam música juntos embaixo da árvore no pátio.

A love like ours
(Um amor como o nosso)
Could never die
(Nunca poderia morrer)
As long as I
(Enquando eu)
Have you near me
(Tenho você perto de mim)

Andou silencioso, vestindo somente uma calça de moletom, até a porta da cozinha. Amanda estava com uma camiseta enorme, de costas para Daniel, mexendo no fogão. Ela cantava junto com a música no *speaker* do iPod. Daniel sorriu.

– Beatles, então – ele disse, com a voz um pouco rouca. A menina riu se sacudindo, sem olhar para trás.

– Algumas pessoas ainda têm bom gosto musical – ela balançou a cabeça. – 50 Cent? Usher? Tem certeza que é o mesmo Daniel?

– Outch – ele chegou perto dela, espiando por cima de seu ombro. – Cheira bem.

– Eu tomo banho – ela gargalhou se virando de frente. Daniel fez uma cara safada.

– Os ovos.

– Foi o que achei na geladeira. O que houve contigo, Marques? Cadê os bolos e os brócolis?

– Foram trocados sutilmente por bacon e infinitas comidas gordurosas, por favor me ajude! – ele falou rápido, abraçando a menina. Amanda riu alto, batendo em seu braço e levando a frigideira para a mesa. Daniel a seguiu.

– Eu não faço nada pela metade, Daniel Marques – ela se sentou, apontando a outra cadeira para ele. Daniel sentiu um frio na espinha. – Bruno e Caio já foram avisados, Rafael ainda está dormindo.

– Avisados do quê? – Daniel sentou, arregalando os olhos e enfiando um garfo de ovos mexidos na boca.

– Você vai ver – a menina se levantou, beijando-o na testa e dançando até a geladeira para pegar uma caixa de suco.

– Preciso ter medo? – ele perguntou com a boca cheia. Amanda sorriu maliciosamente.

– Se por você tudo bem levar uns tiros...

***

– Uau! – Rafael exclamou ao sair do carro. Bruno tirou os óculos escuros, parando ao lado dele.

– Que maneiro, como a gente nunca tinha visto isso antes?

Caio trancou a grande picape, quando Anna desceu. Ele adorava aquele carro, era muito melhor do que dirigir a antiga van de sua mãe. Quanta coisa mudara desde os tempos de escola!

– Vocês nunca quiseram – Anna caminhou ao lado de Amanda até a entrada do campo.

– Caramba, um campo de *paintball* perto de casa e cheio de... de...

– Trincheiras, Daniel – Caio completou. Daniel riu.

– Tipo isso!

– Definitivamente, o dia mais feliz da minha vida – Rafael falou entrando na recepção. – Depois do casamento do Kevin... e de ontem... e do último baile e...

– Tudo bem, Rafa, tudo bem – Bruno deu tapas nas costas do amigo. – Bom dia, nós temos uma reserva para as 15 horas no nome de Bruno Torres e queríamos pegar os equipamentos – O garoto falou com a atendente, que ficou assustada quando reconheceu os meninos. Todo mundo que gostava de música sabia quem eram os Scotty, ainda mais em São Paulo.

– Errr claro, é só ass... hm... assinar aqui e – a recepcionista parecia atordoada. – Será que vocês podem bater uma foto comigo? Sabe, eu adoro a banda!

– Claro, gata! – Rafael se debruçou no balcão sorrindo. – Adorei seu perfume.

A garota ficou pálida e arregalou os olhos. Era difícil resistir ao charme de um homem bonito, ainda mais famoso.

– E depois da gente tirar a foto, será que tem como conseguirmos balas de tinta extras? – Rafael pediu, usando a sua voz mais charmosa.

– Claro! Sem probl... sem problema algum! – a mulher sorriu de maneira exagerada.

Amanda ficou surpresa. Era tão fácil assim? Ser um Scotty realmente parecia maravilhoso. Uau, agora ela iria conhecer o outro lado da fama, parecia surreal!

Anna a chamou para vestir as roupas de proteção, enquanto os meninos tiravam fotos com a atendente.

– Anna, você tá bem? Você parece mais branca que o normal.

– Claro, amiga! É só que... aqui em São Paulo não tem praia, né? Fica difícil pegar uma corzinha – Anna tentou sorrir, mas estava difícil esconder seu mal estar.

Amanda achou a voz de Anna um pouco insegura, mas não quis falar mais nada. Se tivesse algo, a amiga lhe contaria. Elas ficaram muito tempo separadas e aos poucos iriam retomar a amizade. Tudo na hora certa.

Os garotos passaram por elas correndo e dando berros másculos, se posicionando no campo em busca do melhor lugar para atirar. Amanda acompanhou todos seus amigos, respirou fundo e se sentiu em casa pela primeira vez em tanto tempo.

Daniel colocou a mão em sua cintura, dando um beijo leve no topo de sua cabeça.

– Obrigado, não teria nada melhor do que um *paintball* pra gente comemorar sua vinda pra cá – disse e a menina beijou de leve os lábios dele, sorrindo feliz.

– Só agradeça depois de levar uma surra no campo – e correu para perto de Bruno. Daniel sacudiu a cabeça, indo ao alcance dela.

***

– Então, como será o esquema? Eu tô no time da Anna! – Rafael levantou a mão enquanto o instrutor entregava as armas com as bolas de tinta extras. Anna riu e Amanda enrugou a testa.

– Por quê? A Anna nunca foi boa em *paintball* – olhou impressionada.

– Quê? A Anna é monstro, ela anda a pessoa mais brava da face da Terra. Imagina o que pode fazer no campo! – Rafael explicou e Caio fez uma expressão de que iria matá-lo.

– Vamos detonar todos esses maricas, Rafa! – Anna levantou a mão para Rafael, em um cumprimento.

– Essa é minha garota! – Rafael bateu com a mão na de Anna. Caio abriu os braços.

– Pô, e eu?

– Você é do meu time, Andrade. Em homenagem aos velhos tempos – Amanda sorriu, chegando perto do amigo. – Obrigada por ter aceitado vir.

– Previsão de ser um dia de total alegria – ele disse, brega. Os dois sorriram como se escondessem um segredo e, dividindo Bruno para o outro time e Daniel para jogar com eles, correram para o campo fazendo mil e um sinais como se todos se entendessem muito bem ali dentro.

– Que os jogos vorazes comecem! – Caio berrou se escondendo e levando um tiro de tinta bem próximo de sua cabeça.

– Não nas partes íntimas, é a regra! – Daniel gritou quando o tiro de Anna passou de raspão nele. A garota levantou o dedo médio, o fazendo rir. Bruno aproveitou a cena e atirou em sua perna.

– Se contenha, Daniel! Você é guitarrista da música mais tocada por aqui, mas é um maricas em campo! É por isso que é tão ruim em *Left for Dead*! Se liga! – gritou. Daniel olhou horrorizado, apontando a arma para cima, mirando o fim da trincheira do outro time.

– Segura essa, doce de coco – sussurrou soltando o gatilho e ouvindo um berro quando sua bolinha subiu no ar e desceu exatamente onde Rafael estava.

Amanda correu para perto de Caio, se escondendo com ele atrás de um tapume de madeira pichado.

– Estou feliz que você veio – Caio disse arfante, enquanto a garota olhava para os lados, vigiando. – Daniel estava um caco. Você realmente faz o cara ser melhor, obrigado por isso. Estávamos precisando do Daniel antigo de volta – ele confessou. Amanda concordou, sorrindo, e imitou um som de coruja com a boca. Caio a acompanhou. Ouviram Rafael xingar e os dois se abaixaram.

– Porra, corujas não! – o garoto gritou com medo. Os amigos riram baixinho.

– Vou fazer o que puder pra ajudar – a menina falou abaixada ao lado de Caio. – E como estão as coisas em casa, com a Anna? Você roubou minha melhor amiga, agora me deve explicações...

– Ah – o menino sorriu, como se algo estivesse iluminando seu rosto. Amanda adorava essa reação dele sempre que falavam de Anna. – É sempre ótimo. Ela sente falta da cidade, de vocês, dos pais, sabe? E ultimamente ela tem andado meio ranzinza e grossa, mas mulheres... ninguém entende!

– Obrigada por fazê-la feliz – Amanda sorriu, acenando para o outro lado do campo. – Daniel precisa de ajuda, acho que Bruno e Anna acertaram ele.

– Como nos velhos tempos – Caio se levantou, apontando a arma.

– Sim – Amanda sorriu antes de correr. – Como nos velhos tempos.

dez

– Foi a partida de *paintball* mais roubada de todos os tempos! – Caio reclamava em direção ao carro, estava suado e com o cabelo sujo de tinta verde. Bruno e Rafael riam satisfeitos, mais sujos que todos os outros. – Vocês dois ultrapassaram a linha.

– Ultrapassaram nada! – Daniel falou alto. Amanda olhou para ele.

– Qual foi, você era do nosso time!

Anna começou a rir e pôs as mãos na cintura.

– Chega de correria por hoje, acho que essa tarde pede Starbucks.

– Sua velha – Rafael entrou na picape resmungando, enquanto Bruno e Caio discutiam táticas de jogo. Caio realmente achava que Bruno estava errado e o amigo estava se divertindo tentando irritá-lo.

– Você não viu porque estava de maricas correndo com os braços pra cima...

– Eu tinha sido atingido! Estava indo pra base! – Caio esganiçou a voz, desesperado.

– Eles sempre fazem isso? – Amanda perguntou sentando ao lado de Anna no banco de trás. Bruno sentou no lado do motorista e Caio no banco do carona. Rafael foi no outro carro com Daniel.

– Sempre, eles pioraram bastante! – elas riram. – Acho que temos muito pra conversar, certo?

– Certo! Eu preciso de uma vida aqui agora, de um emprego. Eu falei pros meus pais que estou morando com você e que já tinha conseguido uma vaga em uma empresa de assessoria. Me cobre nessa, hein!

– Pode contar comigo! E a gente vai dar um jeito na questão do trampo.

– Nossa, preciso aprender essas gírias paulistas! – Amanda riu, pegando a mão da amiga.

– Ah, mano, estou tão feliz que você veio! – Anna apertou a mão de Amanda, fazendo graça. – Eu estava me sentindo bem sozinha.

– Tem ouvido falar da Carol? Soube que ela está morando em Campinas. É aqui perto, né?

– Bruno diz que a viu outro dia, mas eu não sei de mais nada – Anna deu de ombros. – E Maya? E a Guiga? Pra quando é o bebê? Às vezes vejo o Fred, já que ele frequentemente faz reuniões por videoconferência e tudo mais, mas não falamos muito sobre ela...

– Estão ótimas. A Maya tá muito mais bonita! E a Guiga tá enorme, super linda. Acho que ela já entrou no sétimo mês de gestação – elas sorriram, cúmplices. – Ela tem a boa vida que merece. Fred é um cara de sorte!

– Rafael fica falando sobre a Maya vir pra cá, é verdade?

– Falamos sobre isso... ainda não sabemos. Acho que ela não está satisfeita com a faculdade que escolheu – Amanda checou o celular. Nenhuma ligação. Deveria ligar para Maya mais tarde.

– Vou torcer por isso.

– Mandy, Anna, podem dizer pro Caio que eu não roubo? – Bruno olhou para trás. As amigas se entreolharam.

– O que a gente ganha com isso, Torres? – Anna perguntou.

– Justiça? – ele repetiu.

– O que a gente ganha com isso, Torres? – Amanda repetiu.

– Elas não se vendem fácil, Bruno. Elas são como da Tropa Estelar e... – Caio interferiu.

– Pago o Frappuccino de vocês no Starbucks – Bruno sugeriu.

– Fechado – Amanda falou.

– EI! – Caio berrou.

– Caio, o Bruno não costuma roubar – Anna deu de ombros. Bruno riu alto, satisfeito.

– Perdedor. Como nos velhos tempos...

***

Entraram na enorme loja de cafés perto da Avenida Paulista. A rede Starbucks dominara São Paulo e os loucos por cafeína, como Caio, se tornaram fãs de carteirinha do lugar. Estavam suados, sujos de tinta, mas não paravam de sorrir. Daniel se sentia vivo outra vez, de mãos dadas com a garota dos seus sonhos, curtindo um dia de folga com os melhores amigos. Caio estava abraçado a Anna, atrás de Rafael e Bruno na fila, tentando ignorar os olhares das pessoas que estavam por ali.

– Queremos um Latte, três Frappuccinos de café com caramelo e dois Iced Caramel Macchiato, um deles sem caramelo.

– Sim, senhor – o rapaz disse e depois sorriu. – Será que poderiam autografar esse papel pra mim? Minha irmã adora vocês!

– Ahn? – Bruno olhou em volta, não queria que os clientes por ali escutassem e também resolvessem pedir uma foto ou autógrafo. Ele estava cansado, precisava de um bom banho e só queria aproveitar o dia com os amigos. Não que fosse mal agradecido, pelo contrário, a banda era tudo para ele, seu sonho, sua família. Mas nunca quis a fama. A ideia das máscaras nos bailes da escola tinha sido dele, certo? Só que eles não eram mais adolescentes em sua cidade natal. Aquilo era São Paulo e eles não eram simples pessoas indo ao Starbucks no fim da tarde. Eram a Scotty indo ao Starbucks no fim da tarde. – Claro, com prazer!

– Vamos sentar logo, não gosto que fiquem olhando pra mim – Anna pediu, escolhendo uma mesa no fundo da loja, soltando a mão do namorado. Amanda e Rafael a acompanharam.

– Uau, primeiro a menina no *paintball* e agora o cara do caixa! É sempre assim? – Amanda perguntou, ainda surpresa. – As pessoas sempre olham tanto?

– Ah sim – Rafael concordou, acenando para uma adolescente que passou dando risadinhas. – Sempre.

– E não incomoda? Quero dizer, era o que vocês queriam, sem dúvida – Amanda sorriu. – Mas como é?

– É estranho, mas é revigorante. Me sinto importante na maior parte do tempo e isso é ótimo pro ego – Rafael explicou, meio envergonhado. Anna fez um som estranho com o nariz.

– Ego, ego... Amanda, é só o que eles têm. Ego. Nunca vi.

– Qual é, Anna, você sabe como é – Rafael começou a fazer bolinhas com os guardanapos.

– Vocês gostam de chamar a atenção. Gostam de sair por aí fazendo farra pra aparecer nas revistas, então não vem dizer que é estranho e tudo mais – ela falou, irritada. Rafael deu de ombros.

– Tanto faz.

– Mas não tem aquelas fãs que vem gritando e pulando? – Amanda riu da expressão de horror que Rafael fez. Anna abriu um sorriso engraçado.

– Ah tem! – o garoto falou baixo. – Aos montes.

– As senhoras fofocam demais – Daniel falou alto, sentando ao lado de Amanda. Ele sabia ser escandaloso quando queria. Bruno sentou-se também, trazendo uma bandeja com as bebidas. Caio ficou ao lado de Anna, mas não se aproximou muito. Parecia estar tomando cuidado para não encostar nela.

Entreolharam-se em silêncio por alguns segundos e, sem que notassem, gargalharam, achando divertido simplesmente estarem juntos de novo. Daniel apertou a mão de Amanda por baixo da mesa enquanto tentava alcançar Rafael para lhe dar um tapa, pois o garoto cuspia café em todo mundo enquanto ria. Amanda retribuiu o apertão se sentindo mais feliz que nunca. Então tudo seria como sempre foi.

***

– O quê? – Caio andou de um lado para o outro na sala do seu flat, fazendo Anna e Bruno ficarem tontos. – Mas isso nem é possível, não... não aconteceu nada e... Fábio!

– Ih... – Bruno rolou os olhos enquanto Anna mordia a boca.

– Fábio, foi só café! Que coisa absurda! – Caio reclamou, desligando o telefone. Encarou os amigos, frustrado, mexendo nos cabelos. – A gente tem reunião em algumas horas lá na gravadora. Parece que Fábio não gostou muito de sairmos no jornal de hoje cedo com as meninas.

– Eu apareci na droga do jornal? – Anna falou sem entender. – Starbucks?

– É! Uma hora que estivemos lá, uma hora... – Bruno repetiu pegando o telefone. – Vou avisar ao Danny, ele deve estar dormindo ainda.

***

Amanda dobrava algumas camisas jogadas pela sala quando o celular de Daniel tocou em cima da mesinha. Ela ficou apreensiva. Não sabia se atendia ou não. Poderia ser alguém importante ou alguma garota. Não, ela não deveria atender. Parou de recolher as roupas e ficou encarando o celular. Tocava uma música eletrônica bem chata. Que irritante, pensou. Se aproximou do telefone para espiar o número e viu o nome de Bruno na tela. Suspirou aliviada.

– Ah olá, Bruno – disse rapidamente. – Tive medo de atender o telefone – ela riu.

– Daniel tá dormindo, né?

– Ele sempre acorda tarde assim? Antigamente ele levantava cedo, preparava bolo e tudo mais!

– É, uma das coisas que mudaram. Mas você precisa acordar ele. Temos reunião na gravadora às duas.

– Ah, ok.

– E acho que você pode querer saber que saiu no jornal – Bruno riu, debochado. Amanda arregalou os olhos.

– Quê? O que eu fiz? – ela perguntou e depois fez um barulho estranho com a boca. – Ah! O Starbucks?

– É, tipo ah mesmo. O produtor idiota parece estar furioso. A Anna nunca apareceu em nenhum jornal assim.

– Achei que fosse normal, tipo, ela namora o Caio – Amanda prendeu o celular no ombro e continuou dobrando as camisetas.

– Não, a Anna não gosta de sair publicamente com ele. Acho que as fãs nem sabem muito dela.

– Verdade, ouvi a conversa de umas meninas na rodoviária.

– Bom, vou ligar pro Rafa, que deve estar no jardim. Ele inventou que quer ter uma roseira! Já viu coisa mais gay? Só ele mesmo. Depois te ligo – e desligou. A menina deu de ombros, deixou as roupas dobradas no sofá e decidiu acordar logo Daniel.

Entrou devagar no quarto, vendo o menino deitado de bruços com o rosto enfiado no travesseiro, como na última noite. Sorriu enquanto andava até ele e sentou-se ao seu lado.

– Daniel... – chamou baixinho. O garoto resmungou.

– Cami, não inventa, não é assim que funciona – ele murmurou. Amanda arqueou a sobrancelha e riu baixo. Ele estava falando o nome de outra garota enquanto dormia. Isso iria render boas conversas.

– Ei, Daniel, a Cami que se dane – ela o cutucou com mais força. Daniel se mexeu.

– Não vou, não vou... – ele falou embolado. Amanda segurou em seu ombro e o sacudiu. O menino abriu os olhos e encarou a garota. Depois sorriu angelicalmente.

– Bom dia, fofa.

– Bom dia, dorminhoco. Você tem reunião daqui a pouco, melhor lavar esse rosto e comer alguma coisa.

– Ah – ele apertou a cabeça no travesseiro. – Eles tão acostumados com meus atrasos.

– Daniel! – a menina levantou, foi até as janelas e abriu as cortinas. – É seu trabalho, caramba!

– E é minha casa também! – ele gritou, grosseiro. Amanda não sabia o que dizer. Ele estava certo, talvez ela estivesse se metendo onde não era chamada. Encarou a cama, fechou as cortinas e saiu do quarto. Que idiota. Daniel bufou alto, sentando-se na cama. Sentiu-se arrependido. Ela não tinha nada a ver com seu mau humor matinal. Andou até a sala e encontrou a garota arrumando os sapatos espalhados pelo chão.

– Desculpa.

– Você tá certo, Daniel. É a sua casa. Você acorda a hora que quer – ela sorriu olhando para ele. Jogou a pilha de camisas dobradas no colo do menino. – Mas também cate suas próprias roupas ou não chame uma garota pra morar com você – e saiu da sala, deixando Daniel em pé, de cueca, segurando uma porção de blusas.

***

– Ei, me perdoa. Eu não estou acostumado a acordar cedo – ele se aproximou de Amanda, na varanda. A menina tomava um copo de refrigerante e observava o pequeno jardim de trás, que dava para um muro mal pintado e velho. Ela não deveria ter se metido nas coisas dele, mas o que podia fazer se ficava preocupada? Aquilo era tão diferente do seu quarto em Alta Granada.

– Tudo bem. Mas já que está de pé é melhor comer algo e ir pra casa do Bruno. Eu vou sair pra resolver algumas coisas – ela se virou para ele. Daniel passou as mãos em seus cabelos e Amanda não soube reagir. Sentiu um choque em seu corpo e quis, imediatamente, poder abraçá-lo. Ele passou as mãos em seus braços.

– Está frio, melhor usar um casaco.

– Obrigada – ela sorriu, sentindo as bochechas quentes. Daniel se aproximou lentamente, encostando os lábios de leve nos dela. Os dois sorriram. – Você é um idiota.

– Mas sou um idiota apaixonado.

– Continua idiota – ela passou a mão nos cabelos dele.

– Você é linda – Daniel beijou a ponta do nariz de Amanda. – Mas eu estou ficando sem partes genitais nesse frio aqui fora, então melhor a gente entrar – disse, enquanto ela ria e encarava a cueca dele.

***

Amanda apertou o casaco contra o corpo e desceu a rua devagar. Os cabelos voavam com o vento frio, que cortava seu rosto. Apesar disso, tinha sol. Não entendia aquele tempo em São Paulo. Usava uma bota preta sem salto, meia calça e um short jeans e estava se arrependendo de não ter saído de moletom mesmo. Queria ir só até o centro comercial ali perto, procurar uma banca de jornal. Não para o Fashion Week ou algo assim.

Pensou em tudo o que precisava fazer e resolver. A começar pelo emprego. Ela tinha que arranjar um emprego para poder pagar seu próprio apartamento. Não ficaria mofando na casa de Daniel enquanto ele trabalhava. Isso não era nem opção para ela. Puxou o telefone e decidiu ligar para Maya.

***

– Você está gastando uma nota de interurbano – Maya alertou, depois de quase vinte minutos no telefone. Amanda riu, sentada em um banquinho. Tinha parado em frente ao centro comercial, comprado uma latinha de refrigerante e sentado para conversar.

– Tanto faz, é estranho não ter Kevin por perto, então...

– Vai logo ver o jornal na banca, quero saber como foi a matéria! – a amiga gritou do outro lado.

– Calma, que pressa... – ela se levantou e seguiu para a banca. As pessoas que passavam por ela sempre paravam um pouco para olhá-la. Apesar de tudo que Amanda pensava de si mesma, ela ainda era bonita. E estava definitivamente bem vestida para aquela ocasião.

Parou em frente à banca pensando em qual jornal poderia estar. Viu uma foto do Caio na capa de uma revista adolescente e abriu a boca.

– O que houve? Que som foi esse? Surpresa? Quem apareceu? – Maya emendou uma pergunta na outra. Amanda apanhou a revista.

– Caio Andrade é o gato do momento – ela leu. Maya riu alto.

– Quem disse isso? Quem tá doente assim? Desde quando?

– Desde que publicaram isso na revista *Ousada*! – Amanda balançou a cabeça. – Isso é demais pro meu coração.

– Oh meu Deus, o gato do momento é seu amigo! – Maya brincou. A amiga riu, colocando a revista debaixo do braço. Definitivamente iria comprar.

Olhou para mais revistas de adolescentes e folheou algumas. Em uma página estava a letra de *Tudo Sobre Você*, dizendo que foi escrita por um dos integrantes sobre uma ex-namorada.

– Maya, você precisa vir nessa banca! – Amanda juntou a revista com a outra. Depois de escolher mais cinco, com pôsteres, entrevista com Bruno e Rafael e um perfil do signo do mês com Daniel, se virou para os jornais. – Hmm... são tantos. *Cinco Minutos*? *Esfera*? – ela leu e parou. Na capa do próximo tinha uma pequena nota com uma foto de divulgação da Scotty. Leu em voz alta: – *Boyband* do momento é vista com garotas em cafeteria. Oh Deus...

– E daí? Tipo, quem publica essas coisas?

– Essa jornalista mal amada, pelo visto! – Amanda riu, nervosa, abrindo rapidamente o jornal. Na parte de fofocas estava estampada uma foto embaçada deles sentados à mesa no Starbucks, na tarde passada.

– Vai ler em voz alta ou eu vou ter que ir até aí?

– Maya, você não tá no trabalho? – Amanda riu. A amiga bufou.

– Ah tanto faz, é só um estágio. E eu odeio tudo que tem a ver com engenharia eletrônica no momento. Manda bala!

– Hmm... diz tipo que a *boyband*, que irá fazer um show nessa quarta-feira, foi vista com duas meninas não identificadas na tarde de ontem em uma cafeteria na Avenida Paulista, em São Paulo – Amanda fez uma pausa. – Ei, eu sou muito bem identificável!

– Claro que é amiga, continue!

– A assessoria da banda alega que eles não têm namoradas e que estavam apenas tomando café com amigas. Um informante nos disse que Caio Andrade, sentado à esquerda da foto e Daniel Marques, à direita, entraram de mãos dadas com as duas meninas e até trocaram carícias íntimas à mesa.

– Ew, que tipo de gente escreve isso? – Maya perguntou.

– A foto tá bem ruim, mas dá pra ver que somos eu e a Anna – Amanda contou, rolando os olhos pelo artigo todo. – Fala sobre a probabilidade de eles estarem namorando e sobre o show de quarta, só. Mas que droga!

– É uma droga que você não tenha aparecido total na foto – Maya riu. A amiga balançou a cabeça entregando o dinheiro ao jornaleiro e pegando a sacola com as revistas e o jornal.

– É uma droga que isso possa causar problemas, quero dizer, parece que eles estão tendo uma reunião hoje com o produtor por conta disso.

– Que produtor encrenqueiro! E daí que os caras têm namorada? – Maya fungou.

– Eu não sei também o que tem de mal. Eu sei que cheguei agora e as coisas com o Daniel nem estão cem por cento resolvidas, mas e a Anna?

– Ih ferrou, o patrão tá chegando. Depois te ligo, amiga. Não dá mole aí na rua, vai que pedem seu autógrafo! – as duas riram.

Subindo a rua, de volta para a casa de Daniel, Amanda notou três meninas que passaram, encarando. Será que ela estava só muito bonita mesmo ou era possível que alguém tivesse a reconhecido daquela foto horrorosa? Ela realmente precisava passar na casa de Anna.

onze

– Na capa do *Paulista*! – berrou Fábio, jogando o jornal em cima da mesa de mogno escuro. Os quatro Scotty estavam sentados na sala de reunião da gravadora e se entreolharam. Bruno pegou o jornal e passou o olho.

– Eu realmente não entendo todo esse estardalhaço por...

– Torres, você tem ideia do quanto eu gasto pra que a imagem de vocês seja a melhor possível perante as fãs? Alguma ideia?

– Milhões? – Rafael perguntou e Daniel riu tampando a boca. Fábio olhou para eles, furioso.

– Não milhões, lógico que não! Vocês são o quê, Lady Gaga? Não! Mas não me provoquem, eu gasto uma nota pra divulgar o quão bonitos e perfeitos vocês são, esse tipo de notícia não é bom.

– Daniel vive nas colunas de fofocas com fotos em bares com milhares de garotas, Fábio! Me dê uma direção quanto a isso – Caio foi firme, como o líder que sempre era. Daniel prendeu a respiração.

– Valesca Popozuda ainda lança músicas novas? – Bruno perguntou alto, desinteressado, folheando o jornal. Fábio respirou fundo.

– Daniel ser galinha é marketing. As fãs leem e pensam: uau, eu posso pegar o Daniel Marques também. Pimba! Meu dinheiro foi bem gasto!

– E a gente sair com duas garotas não é legal, por quêêêê? – Caio franziu a testa.

– Vocês estavam de mãos dadas. Foram vistos fazendo carícias, coisas de namorados. O pessoal da loja garantiu que eram namorados. Uma coisa é sair de farra a outra é ser um casal.

– Aonde você quer chegar, Fábio? A gente não pode namorar? – Daniel perguntou. Fábio sentou na cadeira da ponta da mesa.

– Não publicamente. Pras revistas e pra mídia vocês são solteiros. Não quero discussão quanto a isso. Só eu sei quanto custa pra vender vocês, não façam isso comigo. Se as fãs acham que vocês estão solteiros, então elas terão motivos para seguirem vocês. Caras casados e fiéis não têm meninas tirando sutiãs pra eles!

– Serei sempre solteiro – Rafael disse e Bruno riu concordando.

– Então é assim? A gente esconde pra sempre as nossas namoradas, mesmo a Anna, que mora comigo desde o início, e fica tudo bem? – Caio perguntou, cansado. Fábio concordou.

– Desculpa, meninos. São ossos do ofício. Infelizmente vocês precisam passar uma imagem. Era pra termos tido essa conversa antes e foi um erro meu. Não quero ser carrasco, só zelar pela fama de vocês e pelos ingressos dos shows. Caio, sua namorada só precisa entender que não pode sair por aí falando que namora um Scotty. Não por enquanto.

– Certo – Caio mordeu os lábios. Daniel coçou a cabeça.

– Preciso de um cigarro.

– Encontro vocês na quarta-feira para a passagem de som. Vai ser lá na casa de shows mesmo, não esqueçam. Onze da manhã! – Fábio alertou, observando os garotos se levantarem. Apertou a mão de cada um deles. – E nada de exposição de namorada por aí. Mais uma notícia dessas e eu vou à falência!

– Que drama! – Bruno reclamou – É só vender seu iate e a ilha no Espírito Santo... – sussurrou, vendo Caio sorrir.

Os quatro seguiram pelo corredor, enquanto Daniel mexia no bolso. Caio pegou o telefone e ligou para Anna.

– Acha que ele falou sério quanto aos sutiãs? – Rafael perguntou. Bruno deu de ombros.

– Desde quando vocês veem mais sutiãs que eu? – Daniel zombou, colocando o cigarro na boca.

– Você tem ideia do quão nojento você soou agora? – Bruno rolou os olhos, puxando um maço do bolso. Daniel acendeu o cigarro, passando pela portaria do prédio para a rua.

– Tanto faz...

***

– Então você não pode dizer que namora o Caio – Amanda repetiu, sentada na cama de Anna. A amiga dobrava as roupas recém-tiradas do varal.

– Não ligo pra isso – ela sorriu, sincera. – No fim do dia ele volta pra casa e é todo meu.

– Ah, mas é tão esquisito – Amanda mordeu os lábios. – Isso de ter o namorado nas capas das revistas? Uau, é tipo...

– Depois você se acostuma – Anna gargalhou, entrando no pequeno closet para guardar as roupas. – O Daniel é tão popular quanto o Caio, só ficar esperta.

– Eu vou precisar de dicas, definitivamente! – as duas riram juntas.

Amanda ficou pensativa vendo Anna guardar as roupas do namorado. Não devia ser fácil como ela falava. Só de imaginar, ela já se sentia nervosa, como se fosse algo com o que precisasse se envergonhar. O que o produtor estava pensando?

O telefone de Anna tocou. Era Caio.

– Amanhã vou comprar roupas novas pra você, está com o guarda-roupa muito repetitivo. Tem cinco blusas só de *Doctor Who*, seis de *Star Wars* e pelo menos vinte de *Harry Potter*! – ela avisou ao namorado. Amanda só observava. Anna parecia feliz, embora ela achasse que algo a incomodava. Por alguns minutos, Anna sorriu, conversou e fez caretas enquanto conversava com Caio. Mas, de repente, ficou pálida. Respirou fundo, tentando rir, mas Amanda notou que a amiga começou a suar e ficou em estado de alerta. Anna deu um jeito de desligar o celular, dizendo a Caio que tinha comida no forno, mas Amanda sabia que não estavam cozinhando nada e levantou preocupada quando Anna ficou tonta e quase caiu para trás. Não sabia se deveria perguntar alguma coisa, então só segurou seu braço e esperou que ela respirasse algumas vezes. Ficaram em silêncio, até Anna pedir licença e dirigir-se ao banheiro.

Segundos depois, estava debruçada no vaso sanitário, vomitando.

– Quer que eu chame uma ambulância? Acho que precisamos ir ao médico...

– Não, Amanda. Está tudo bem – Anna disse, prendendo os cabelos, se levantando do chão e lavando o rosto na pia. Amanda estava encostada na porta, com uma expressão chocada e preocupada. – Tem acontecido algumas vezes, mas já está melhorando. Não se preocupe!

– Anna, você não viu a sua cara lá no quarto. Como tem coragem de pedir para que eu não me preocupe? Caio sabe que você está assim? Está tomando algum remédio?

– Não quero que Caio saiba disso – a amiga olhou para Amanda, séria. – Fica entre nós duas. Deveria ficar só comigo, mas infelizmente você viu.

– Infelizmente? Anna, isso pode ser algo grave!

– Amanda, não se mete! – a garota gritou, entrando no quarto e esfregando a toalha no rosto. Respirou fundo, olhou para a amiga e saiu batendo a porta. Amanda ficou petrificada, olhando para a parede, sem entender nada. O que estava acontecendo? Anna estava doente e não queria contar para ninguém? Ou seria possível que fosse algo mais?

– Oh, meu Deus... – Amanda tampou a boca e, num impulso, saiu do quarto correndo atrás da amiga. – Anna!

A encontrou na cozinha, guardando alguns pratos secos no armário em cima da pia, visivelmente nervosa e chorando. Parou no batente da porta e esperou a garota terminar o que estava fazendo, sem saber como começar uma conversa tão íntima.

– Eu não posso ir ao médico. Não quero. Eu estou me sentindo mal há algum tempo... dois meses para ser exata. Tive febre, vomitei muito, meu humor anda uma droga – Anna se virou para Amanda com o rosto vermelho. – Se o médico disser que eu estou grávida, então, eu vou estragar a vida do Caio.

– Como você pode só pensar no Caio num momento como esse? – a garota andou até o meio da cozinha. – Isso é sobre você e, caramba... não pode ficar assim, sozinha!

– Eu estou com medo – Anna começou a chorar, sentando no chão. Amanda sentou ao lado dela, passando o braço em seu ombro. – Imagina o que minha mãe iria dizer? Iria jogar na minha cara que quem está estragando minha vida sou eu mesma e que minha falta de responsabilidade, de ter fugido de tudo para seguir um namoro de adolescência, só podia dar em merda!

– Sua mãe nunca falaria isso, Anna!

– Ela falou coisas piores – olhou para Amanda que, impressionada, se tocou que nunca tinha pensado nisso antes. Nunca tinha perguntado como a família de Anna tinha lidado com a sua mudança. – Disse coisas horríveis sobre como eu iria arruinar todos os meus sonhos por um impulso idiota.

– E você está arruinando seus sonhos?

– Está de brincadeira? Eu tenho tudo que eu sempre quis. Eu nunca fui tão feliz e eu não sei como fazer ela entender isso!

– Então, você está com medo da sua mãe? E Caio? Não pensou em contar pra ele e talvez conversar sobre isso? – Amanda sentiu o choque no rosto de Anna no momento que terminou sua frase. A amiga se levantou, limpando o rosto e respirando fundo.

– A última coisa que eu vou fazer é arruinar a vida dele. Está indo bem, a banda está famosa e ele não pode nem ao menos dizer que tem namorada. Imagina ter um filho? Vai estragar a carreira dele, que é tudo o que sempre sonhou – Anna sorriu, limpando as lágrimas. – Fique tranquila. Eu vou ficar bem, independente do que acontecer! – Tentou sorrir um pouco. Amanda retribuiu, também se levantando e abraçando a amiga.

– Vai ficar tudo bem. Você não está sozinha, ok?

– Obrigada por ter vindo – as duas se abraçaram por algum tempo, até ouvirem o barulho de carro lá fora. Sorriram uma para a outra, enquanto Anna corria para o banheiro e Amanda procurava correndo algo no congelador para colocar no forno e manter a mentira que a amiga inventou.

***

A mesa de centro da sala de Caio estava cheia de revistas e jornais, com uma caixa de pizza aberta e quase vazia por cima. Anna estava sentada no colo do namorado, trocando beijos ocasionais, enquanto Bruno e Daniel prestavam atenção em Amanda lendo uma das revistas adolescentes de fofocas, que tinha a foto da banda na capa e a ficha biográfica de cada um. Pelo menos era o que dizia.

– Qual é a música favorita do Daniel?

– Alguma do Bruce Springsteen? – Bruno sugeriu com uma fatia de pizza na mão. Amanda negou e Daniel fez uma careta.

– Tenho certeza que teria dito alguma do Bruce – disse pensativo.

– Aparentemente a revista não acha que seja sua música predileta – a garota riu. – Vamos, mais uma chance para cada um!

– Alguma dos Beatles? – Bruno chutou de boca cheia. Ela negou, novamente, fazendo Daniel rir alto.

– Já sei! Eu disse uma vez, e isso faz algum tempo, que minha música predileta era *Lies* do McFLY. Mas é que na época eu estava ouvindo o dia todo e era tão inspirador!

– *Lies* do McFLY, você tá correto! – Amanda apontou para ele, piscando o olho. Bruno tossiu, balançando as mãos.

– Verdade, você fica um saco quando gosta de uma música por tanto tempo.

– Essas perguntas são tão frequentes? Comida predileta, cor favorita e até... bom, roupas preferidas para compor músicas? – Amanda sentou no meio dos dois, dobrando a revista ao meio.

– São! E isso é parcialmente um saco! – Bruno pegou a revista das mãos dela e jogou longe. – Por que não querem saber sobre a linha de composição da minha bateria ou as marcas de baquetas mais famosas que tenho na minha coleção?

– Porque isso não é interessante – Daniel riu, passando o braço nos ombros de Amanda. A menina se aninhou a ele, sorrindo.

– E desde quando saber que você curte filmes pornôs enquanto compõe é super útil? – Anna perguntou, olhando para os amigos. Caio riu, tentando fazer a namorada ficar quieta.

– Quem te contou isso? – Daniel arregalou os olhos. Amanda e Bruno gargalharam, fazendo o garoto ficar vermelho. – Caio, seu desgraçado!

– As fãs não estão interessadas na marca da sua cueca. Mas se você está sem ela, passa a ser motivo para se comprar uma revista. Vai entender! – Caio disse, dando de ombros. Bruno puxou o celular do bolso.

– Vou escrever isso no meu Twitter!

– Dê créditos! – o garoto gritou, recebendo um dedo do meio do amigo.

– De jeito nenhum, você já tem mais seguidores do que todos nós. É uma competição, cara!

doze

O dia estava cinza em São Paulo. Fazia frio, para variar. Amanda levantou da cama para fechar as cortinas. Nem queria olhar o relógio. Era plena terça-feira, os horários de Daniel estavam livres durante o dia e ela não queria perder nenhum segundo. Gostava do fato do namorado não ter aquela rotina de trabalho comum, que todo mundo tem, de chegar em casa à noite, cansado, infeliz por ter feito algo que não gosta o dia todo. Ele sempre parecia radiante ao falar de música, da banda, dos shows e de tudo que aquele mundo envolvia. Era cedo para dizer, não fazia uma semana, mas ela estava gostando muito de viver por ali.

Voltou a deitar, entrando debaixo das cobertas e sentindo os braços quentes de Daniel a puxarem para perto. Ele estava sem blusa, somente de cueca, e com os cabelos bagunçados e enrolados. Apertou a garota contra seu peito, com força, beijando de leve sua orelha e seu rosto. Amanda sentiu os pelos arrepiarem e a cabeça girar de uma forma prazerosa.

– A gente tem o dia todo pra ficar junto hoje, fofa – ele disse baixinho, com a voz rouca, fazendo-a sorrir. Amanda concordou, agarrando seus cabelos e sentindo os lábios molhados do garoto nos dela. Era sempre um beijo mais gostoso que o outro. Queria que aquele dia não acabasse nunca.

***

Rafael e Bruno estavam dentro do carro, tentando estacionar perto o suficiente da loja de instrumentos e não trombar com muita gente na rua. Rafael cismara, desde o último show, que queria um baixo novo e Bruno era o único que tinha topado ir com ele procurar por algo diferente. Já era a terceira loja que entravam e ele ainda não tinha escolhido nada. Ele podia apostar que era pior do que sair para comprar roupa com mulheres.

– Já disse para pegar qualquer um e levar a um *luthier* bom – Bruno resmungou, batendo a porta do carro e apertando o alarme.

– Não é assim que funciona! – Rafael falou indignado, colocando os óculos escuros e apertando a touca vermelha em seus cabelos rebeldes. – Precisa ter o *feeling*, o baixo precisa falar comigo!

– Você está levando isso a sério demais...

A loja na rua Teodoro Sampaio era uma das muitas que Rafael pretendia entrar, para adquirir mais um "bebê" para sua coleção. Tinha quatro baixos diferentes e procurava por algo totalmente fora do comum. Bruno não sabia nada sobre baixos, então ficava parecendo um idiota fazendo perguntas e tentando entender para que servia todas aquelas luzes e purpurinas que Rafael curtia tanto.

– Vou para a sessão de peles de bateria, que é coisa de macho, e você me chama se algum baixo de repente falar com você. Tente não levantar muitas suspeitas de que você é completamente maluco – Bruno saiu de perto, deixando Rafael rindo ao lado de um atendente da loja.

***

Amanda estava sentada na cama, mudando os canais da enorme televisão que Daniel tinha na parede, quando o garoto entrou no quarto. Estava completamente nu, do jeito que passara o dia todo, com um saco de pipocas na mão e duas cervejas na outra. A garota riu, não iria se acostumar tão cedo com isso.

– Você não sente frio? Eu não deveria estar impressionada. Nenhuma periguete sente.

– Eu até sinto – o garoto falou, sorrindo marotamente, sentando ao lado dela e entregando uma garrafa em suas mãos. – Mas é a primeira vez que tenho uma casa só pra mim e que posso andar pelado quando quiser. Então, faço isso o dia todo!

– Quando vocês quatro moravam juntos era diferente?

– Não que eu tenha alguma vergonha de ficar pelado com os caras – ele entrou debaixo das cobertas, visivelmente com frio e gelado. – Mas Caio é meio recatado e Anna morava com a gente. Tentei algumas vezes, mas até de frigideira eu já apanhei. E fiquei sem café da manhã por alguns dias. Então decidi parar e procurar minha própria casa.

– Um bom motivo para querer morar sozinho – a garota continuou mudando os canais.

– Obrigado. – os dois riram. Ele olhou para a mão da garota e franziu a testa – Reparei que não usou o anel que te dei desde que chegou aqui. Tem alguma coisa que queira conversar?

Amanda olhou para a própria mão e sorriu.

– Eu só... pensei que a gente podia ir devagar com isso. Não vamos casar tão cedo, sabe? Entendi a metáfora. Você nem pode dizer que tem namorada, imagina se aparece de mãos dadas com alguém usando anel de noivado. Vai perder seu emprego!

– Você tem razão... – ele beijou sua bochecha – vamos aos poucos. Não tenho uma namorada há muitos anos, então preciso que seja paciente comigo. Nem sei mais as convenções e provavelmente vou pisar na bola algumas vezes. Juro que não é intencional!

***

– Warwick Streamer Stage 2 ou um Cheruti super simples, com captadores SeymorDuncan BassLine? Rickenbacker é muito *old school* pra mim. Talvez um Fender? Acho que prefiro um MusicMan de novo... – Rafael falava sozinho andando pela loja, até parar de repente. Bruno chegou ao seu lado e virou para o mesmo lado onde o olhar do amigo havia petrificado.

– Algum naquela sessão tá falando com você, Rafa? Temos um *Toy Story* versão instrumental? Podemos ligar para a Pixar?

– Ernie Ball Musicman de quatro cortas! E eu já posso me imaginar no palco com ele! – Rafael mordeu os lábios, parecendo completamente apaixonado. Chamou um vendedor e pediu para retirar o instrumento da exposição e trazer para ele. Bruno ainda não entendia.

– Acho que ele está pegando o errado, amigo. O que ele está trazendo é rosa e tem brilhos.

– Isso não é rosa. É fúcsia! – Rafael repreendeu, esperando ansioso perto da escada. O vendedor baixou o instrumento e entregou ao garoto, que parecia babar.

– Não. Isso é definitivamente rosa – Bruno chegou perto, analisando. Era comprido, tinha trastes enormes, captadores pretos e era, definitivamente, rosa. – O que diabos é fúcsia?

– É a cor do meu novo baixo! Moço, eu vou comprar esse. Quanto custa? – Rafael nem ao menos tinha plugado, tocado ou treinado em frente ao espelho, como normalmente fazia. Deveria estar apaixonado de verdade, pensou Bruno. Por um baixo rosa! Isso iria render piadas eternas. Ele que se preparasse.

***

Daniel tomava banho, enquanto Amanda recolhia alguns pratos sujos pela casa para levar à cozinha. Tentava não mexer muito nas coisas, afinal, a casa era dele e ela não queria atravessar essa linha novamente. Mas não poderia viver em um lugar que tinha pratos de macarrão dentro das pias do banheiro e pedaços de pizza até debaixo dos tapetes. Era questão de sobrevivência!

Enquanto equilibrava alguns copos de plástico do *Star Wars*, estranhamente rachados, ouviu o telefone tocar na sala. Não era o de casa, sabia que Daniel não tinha nenhum fixo, então deveria ser seu celular. Ficou encarando a pia, meio perdida, ouvindo a música da Scotty tocando e tocando, sem fim. Não era Bruno porque o toque, quando ele ligava, era outro. E a pessoa estava determinada a ser atendida. Sem perceber, andou lentamente até a sala e espiou o aparelho, jogado no sofá. A curiosidade e os ciúmes eram muito maiores, não tinha jeito. Por um lado, não queria saber quem era, porque, bem, era a privacidade de Daniel, e ela não tinha esse direito. Por outro, gostaria de saber se fosse alguma garota para não acabar se iludindo. Tristemente, o nome no visor era Juliana.

Ficou com o celular nas mãos até ele parar de tocar. Não iria atender, claro. Na verdade, não fazia ideia do que pensar ou de como agir. Ele tinha dito que existiam várias garotas, certo? Ela topou dessa forma. Ele estava mudando, ficaria só com ela. Então por que, automaticamente, abriu as mensagens enviadas assim que o ícone indicou ter chegado mais uma?

Sinal de alerta, Houston. Algo iria dar completamente errado.

***

Rafael e Bruno decidiram, de forma bem imatura, passar de carro na frente do local onde seria o show do dia seguinte. Tinham ouvido no jornal que já havia uma fila de fãs acampando na porta e dormindo lá desde o fim de semana! Isso era loucura! Faziam isso para o Justin Bieber, não para a Scotty! E quando rodaram na primeira rua, foi ainda mais impressionante e assustador. Barracas, cadeiras de praia, filas e muitos banners e camisetas coloridas enfeitavam o lugar. Havia muitas garotas e garotos, pais e mães, vendedores de correntinhas e bastões luminosos.

– Há uns cinco anos, a gente tava viajando para uma cidade vizinha só para tocar em um festival meia boca com outras várias bandas – Bruno disse, desacelerando o carro e prestando atenção nas pessoas. – Olha que loucura, Rafa...

– Eu sei! Tem uma garota com os peitos enormes e uma camiseta com a minha cara!

– Eu tô falando sério – Bruno riu, dando um tapa na cabeça do amigo. – Nem quando fomos ao show do Paul McCartney ficamos acampados assim. E era o Paul, cara! É pra gente, olha isso. Eu não sei se mereço.

– Qual é – Rafael bufou, puxando o celular do bolso. – Você é um dos caras que mais deu duro na vida pra chegar aonde está. E toca bateria como ninguém! Talvez, menos que Ringo Starr, mas ainda assim. Não merece a peituda ali fora, mas todas as outras definitivamente cabem no seu caminhãozinho!

– Rafael! Seu porco nojento! – os dois riram juntos, de forma infantil. Bruno observou o amigo abrir a câmera do celular, baixar um pouco o vidro e tirar uma foto de toda a bagunça lá fora. Franziu a testa, sem entender. – O que tá fazendo?

– Já assistiu *The Walking Dead*?

– Várias vezes, você sabe disso.

– Já leu meu manual de sobrevivência a um apocalipse zumbi que você sabe que mantenho escondido debaixo da minha cama?

– Eu tentei, mas sua letra é realmente horrorosa...

– Então, meu amigo, se prepara. Você trouxe alguma arma? – Rafael perguntou dramático enquanto apertava o botão de enviar a foto para a internet, avisando a todos os fãs onde eles estavam. Em menos de um minuto, muitos rostos se viraram para o carro e Bruno entendeu.

Deveria ter lido o manual.

***

Era algum tipo de tortura mental e física. E, por mais que Amanda soubesse que tinha apenas uma forma dessa tortura terminar, soltar o telefone de volta no sofá, algo nela parecia querer sofrer aquilo. Algo dentro dela dizia que ela precisava ler o que Daniel falava com outras garotas, precisava saber, entender e desvendar. De algum jeito, sua cabeça estava fazendo aquilo com si própria. E a cada mensagem aberta, a cada *emoticon*, elogio e troca de afagos, ela sentia seu estômago doer e os dedos tremerem. Parecia um choque e, por mais que soubesse que era evitável, não queria parar. O que faria com essa informação toda?

Você sabe onde me encontrar
Nunca vi alguém mais bonita que você ;)
Minha ex me abandonou e eu preciso de um colo :/
Só você pode me fazer bem!!

As datas pouco importavam. Amanda não percebeu que uma delas, por exemplo, era do dia anterior ao casamento do Kevin. E uma do dia depois. Elas não eram o fator principal daquilo tudo, pelo visto. Um simples "preciso de você" de um ano atrás era tão ruim quanto "te encontro hoje de noite, gata" do dia anterior. Doía tanto quanto. Fazia seus ossos gelarem da mesma forma.

E, Deus, como estava frio.

No fundo, ela não sentia vontade de chorar. Ela sabia daquilo tudo, de alguma forma, antes mesmo de ter lido. Daniel tinha dito, há menos de uma semana, que não seria fácil e que se fosse ela, teria desistido de ficar com ele. Ele tinha tido um passado e ela não podia viver dentro dele para sempre. Continuava a ler as mensagens quando o celular tocou em suas mãos, assustando-a e fazendo com que ela jogasse-o de volta no sofá. O coração estava disparado e ela sentia a adrenalina correr rápido pelo seu corpo. Sentiu uma ponta de dor de cabeça. Pegou o celular nas mãos na hora em que Daniel desceu as escadas com uma toalha amarrada na cintura. Ele sorria e sacudia os cabelos molhados.

– Quem é?

– Hmm... Caio – Amanda respondeu, conferindo a tela. Seus lábios estavam levemente trêmulos. – E me deu um susto enorme. Eu estava arrumando aqui e de repente tocou e...

Daniel apenas concordou, deu um beijo na ponta do nariz dela e atendeu o celular, sentando-se no sofá. Super natural, como Amanda deveria estar se sentindo naquele momento. Parecia uma idiota. Sorriu, vendo-o bater papo aleatório com o amigo, e voltou para a cozinha. Melhor beber água e se recuperar de tudo aquilo. Era algo mais a ser guardado na caixinha de Daniel Marques em sua cabeça. Ela sabia que era a culpada por se sentir assim.

Daniel achou estranho Amanda se assustar com o telefone tocando, mas não queria arrumar nenhuma briga. Ouviu Caio falar sobre Rafael ter enviado uma foto de várias fãs correndo atrás do carro deles na rua e desligou a ligação para esperar a imagem chegar. Foi quando percebeu a caixa de mensagens aberta. Exatamente em uma que ele dizia como tinha gostado da noite anterior, mas que não tinha mais dinheiro para pagar prostituta. Coisas idiotas que ele mandava para as garotas pararem de encher o saco depois de passarem a noite com ele. Coisas que garotas não queriam ouvir e outras que ele dizia só porque elas queriam que alguém dissesse. Tipo "como você é especial" ou "nunca me senti assim". Mentiras, claro.

Mas não era possível que Amanda tenha lido algo e ficado assustada, certo?

– Amanda? – chamou alto, checando o terreno. Segundos depois ouviu uma risada vinda da cozinha.

– Daniel? – ela o imitou. Ele riu. Era sua garota, as outras não importavam.

– Acho que tenho o filme perfeito para esse fim de tarde.

– Ah, não vai me dizer que vamos assistir *O Diário de uma paixão* de novo hoje? Eu chorei horrores ontem e minha cara não acordou inchada por muito pouco – a garota apareceu no batente da porta da sala, sorrindo, pensando consigo mesma que no fim do dia, ele era só dela. Como Anna dissera.

– Ah não, nada de Ryan Gosling hoje. Tenho algo melhor – ele disse, se abaixando em frente à TV da sala e puxando uma caixinha de DVD antiga. *Eurotrip*. Melhor rir do que chorar, definitivamente.

treze

O despertador tocou duas vezes seguidas, até Daniel levantar a cabeça do travesseiro. Olhou com dificuldade o relógio e notou que as probabilidades estavam contra ele e que era bem possível que chegasse atrasado à passagem de som do show de hoje. Já era quarta-feira. O primeiro show em quatro meses de folga e só Deus sabia como tinha gente dormindo na fila por conta de alguém como ele. Ficou sentado por um tempo, ainda desregulado, e olhou para Amanda, que dormia. Relações de verdade nunca eram como em filmes. A pessoa que você ama nunca acorda de maquiagem, completamente penteada e com a expressão de quem está sonhando com unicórnios e nuvens fofinhas. A realidade é que, talvez, para todas as outras pessoas do mundo, Amanda estivesse toda torta, babando, despenteada e de boca aberta, como se estivesse sonhando com Mordor, Sauron e coisas medonhas da Terra Média. Mas, para Daniel, ela estava linda. E ele tinha uma sorte enorme de ter alguém como ela dormindo naquela espelunca suja que ele chamava de casa.

De repente, o celular tocou alto, fazendo com que Amanda arregalasse os olhos e Daniel pulasse da cama de susto. Atendeu já sabendo quem era.

– A gente vai passar aí em vinte minutos. Não se atrasa! – Caio berrou do outro lado. Ouviu uma risada perto dele. – Ok, você vai se atrasar. Por favor? Vinte minutos dá tempo de tomar um banho e pegar suas guitarras. E a pedaleira. E aquele livro que esqueci na sua casa. O do código Jedi, lembra?

– Vou mudar o seu toque para a Marcha Imperial. Tá querendo demais pra essa hora da manhã – Daniel reclamou, coçando a cabeça. Amanda se sentou, bocejando. Ela vestia apenas uma camisa velha sua. Deus, como ela era bonita!

– São dez da manhã, Daniel. Metade da cidade está se preparando pra ir almoçar. Anda logo – e Caio desligou.

– Bom dia, Danny – Amanda disse prendendo o cabelo em um coque. O garoto sorriu dando um leve beijo nela.

– Bom dia, fofa. Temos um show pra curtir hoje! Vai me ver no palco depois de quatro anos. O que acha disso?

– Acho que estou preparada psicologicamente caso você tenha se tornado um músico muito ruim – a garota riu, vendo ele se espreguiçar. – Mas, fisicamente, estou com pena de você. Eu estou um caco, você deve estar se sentindo horrível!

– Tá brincando? Depois de passar o dia todo com você, sou um novo homem! Me sinto com dezesseis anos de novo! – ele fez poses enquanto tentava se manter de pé. – Ok, nem tanto. Me sinto com trinta anos, mas estou pronto pra ignorar isso tudo. Já fiz show de formas muito piores, fica tranquila.

– Se isso era pra me deixar feliz, você é um idiota – Amanda disse, enquanto Daniel andava até o banheiro. Ele riu e ela deu a língua, de forma infantil. – Você tem vinte e dois anos e me diz que fez shows como? Drogado? Prostituído?

– Algumas cervejas, talvez, mas nunca drogado! Isso não é permitido na casa dos Marques! – ele imitou o pai dele, entrando no chuveiro. Amanda riu da imitação idiota que ele fazia desde novinho.

– E seus pais, onde eles estão? Eles não moram em Alta Granada. Eu saberia.

– Canadá! – ele gritou lá de dentro, sendo abafado pelo barulho do chuveiro. Amanda se levantou e foi andando em direção ao banheiro. Sabia que não era a melhor hora para uma pergunta dessas, mas percebeu que ainda não tinham conversado sobre isso. E ela queria saber. – Eles não perderam a oportunidade de nunca mais voltar. A minha avó... bom, ela se foi. Faz um ano, mais ou menos. Enfarte.

– Ah, Daniel, sinto muito – Amanda entrou no banheiro e o garoto deu um gritinho feminino, cobrindo o corpo com as mãos, zombando dela. – Estou falando sério. Sinto muito.

– Está tudo bem, fofa. Ela me amou muito enquanto esteve comigo. Gosto de pensar assim. As pessoas vão embora por um motivo e enquanto meus pais foram porque quiseram, ela foi porque tinha que ir.

– Você tá certo – a garota sorriu. – Ela chegou a ir a um show da Scotty?

– Sim! E foi a maior *fangirl* de todas! Vovó só faltou pedir um autógrafo de Rafael nos seios, você sabe. Era a maior fã dele – Daniel riu, desligando o chuveiro.

– Rafael teria adorado colecionar mais esse fato curioso.

– Nem me fale – ele sorriu. Sorriu de verdade, Amanda percebeu. Ele parecia realmente feliz e ela, com os olhos cheios de lágrimas, não podia se sentir melhor com isso. – Vou recolhendo meus pertences pro show enquanto você se arruma. E não demora, Caio me deu pouco tempo e eu já estou atrasado, aposto!

– Você se arruma igual a uma garota, Daniel. Eu não – Amanda rolou os olhos, vendo ele sair correndo para o quarto e tropeçando nos móveis pelo caminho.

***

Trinta minutos depois, dois rapazes ajudavam a carregar os três *cases* de guitarra de Daniel e mais uma maleta enorme da pedaleira. Levavam para uma van estacionada no meio da rua, ao lado de outra que continha Rafael dormindo, Bruno entediado jogando *Candy Crush* no celular, Anna verificando mensagens de fãs num tablet com uma outra garota e Caio, do lado de fora, sacudindo os braços. Amanda chegou envergonhada perto do amigo, que deu um beijo em sua testa. Ela usava um vestido preto que era justo na parte de cima com uma saia rodada que batia no meio das coxas. Estava um pouco frio ainda e, por isso, tinha colocado um blazer amarelo por cima dos ombros. Nos pés seu All Star preto de cano alto. Caio mostrou o polegar, elogiando a amiga. Os dois se olharam e sorriram concordando que Daniel era a pior pessoa para ter um horário. Ainda bem que não tinha escolhido ser advogado ou médico. Muita gente poderia morrer se isso tivesse acontecido.

– Amanda, essa é a Patrícia Kaz, nossa produtora de shows – Caio apresentou. A mulher ao lado de Anna saiu da van e estendeu a mão para Amanda, parecendo simpática e cordial. Era muito bonita, nova, tinha os cabelos cor de palha, lisos e cortados retos com uma franjinha meio *nerd*. Usava uma roupa de bolinhas e não parecia ser fã de *rock'n roll*.

– Ouvi falar de você algumas vezes – Patrícia comentou. Amanda queria dizer que também tinha ouvido falar dela, mas seria mentira. Ninguém nunca lembrara de informar que tinham garotas na produção da banda? – Estamos verificando comentários da internet sobre o show de hoje. A expectativa é enorme. Embora, Caio, os fãs estarem super bravos com a demora do próximo álbum.

– Eles acham que eu sou uma máquina? O que mais eu posso fazer? – o garoto colocou as mãos na cabeça. Anna saiu da van, dando um empurrão nele.

– Nem começa. Você sabe como fãs são. Eles acham que você não precisa dormir, comer, pensar e que bloqueio existe. Perdoa a galera!

– E me perdoa! – Daniel apareceu correndo, fechando o casaco e segurando dois livros e uma mochila. Amanda viu que ele estava com um maço de cigarros na mão enquanto se aproximava dos amigos. Todos olharam quando Bruno gritou um palavrão de dentro da van, mas era só por causa do jogo. – Aqui está o livro do Jedi, muito bom por sinal, e um de culinária. Deve ser seu.

– Hmm... obrigado pelo do Jedi! Mas o outro não é meu – Caio respondeu, indicando ao amigo para entrar na van. Amanda entrou na frente, com Anna, a tempo de ouvir Patrícia rir.

– É meu! Obrigada, Danny, estava procurando faz algum tempo!

As amigas se entreolharam e Anna fez sinal para que Amanda ficasse calma.

E quem conseguiria ficar calma desse jeito? O dia seria longo demais.

***

A casa de shows era enorme e o palco era o maior que Amanda já tinha visto, com sua vasta experiência de cidade pequena. Era sensacional. Seguiu Anna e Patrícia através da área vip, passando por *roadies* e técnicos instalando equipamentos e ajustando pedestais e iluminação, até um corredor fechado e cheio de portas. No fim dele, subindo uma escada, era a porta do camarim da Scotty. O nome deles estava impresso em uma folha e tinha orelhas e rabinho de diabo desenhados a caneta. Ela riu baixinho, enquanto Patrícia abria a porta sem bater.

– O *coach* de voz está chegando. Caio e Daniel, fiquem preparados. Rafael, preciso que vá ao palco passar o som com o Bruno primeiro, para ajustar o grave – Ela dizia tudo isso com o tablet nas mãos. Amanda achou curioso e profissional e sentiu uma pontada de vontade de fazer algo parecido também. Anna se sentou ao lado de Caio no sofá, entregando um papel que parecia uma *setlist*. Os dois sorriram um para o outro e ficaram assim por algum tempo. Amanda, então, sentiu Daniel a abraçar por trás.

– O que achou do nosso quarto secreto?

– Acho que deve ser legal demais que outros cantores famosos tenham ficado aqui também! – a garota falou, vendo Rafael rir e sair do camarim seguido de Bruno, ainda no celular. Daniel fez careta.

– Ninguém é mais legal que a gente – deu um beijo nela e andou até Patrícia. – Fábio vem hoje?

– Não tenho certeza. Acho que não – Ela respondeu, terminando de instalar um aparelho em seu ouvido e no rádio que tinha em mãos. – João do som, tá me ouvindo? Preciso saber sobre os amplificadores! – e saiu do camarim.

Amanda andava pelo lugar, analisando o camarim. Daniel estava sentado em cima da mesa de comes e bebes e enfiava dois sanduíches, ao mesmo tempo, goela abaixo. Caio começou a cantar sozinho, ainda no sofá, treinando algumas músicas e fazendo barulhos estranhos com os lábios.

– Vem aqui comigo – Daniel chamou de boca cheia. Amanda andou devagar até ele, recebendo um abraço caloroso. Podia ficar daquele jeito pelo resto do dia, embora ela soubesse que quando a correria começasse, seria difícil sequer chegar perto do namorado. Nunca soube como essas coisas funcionavam. Como era por trás de um show, de uma banda, *backstage* e tudo mais. A única experiência que tivera foi no tal festival que a Scotty participou uns cinco anos atrás e que tinha sido totalmente fora do normal. Hoje era diferente. Tinham várias pessoas trabalhando, algumas entravam e saíam do camarim sem falar nada, apenas levando e trazendo equipamentos, caixas, instrumentos, roupas. Daniel parecia alheio a tudo, comendo e fazendo carinho nela, como se já estivesse acostumado com esse caos todo.

De repente, Caio se levantou do sofá sorrindo e abrindo os braços.

– *Fly me to the moon, let me play among the stars* – cantou como Frank Sinatra, impondo a voz e dançando sozinho. Anna estava rindo discretamente, ainda sentada, mas Daniel puxou Amanda para o lado, desceu da mesa e imitou o amigo.

– *Let me see what spring is like on... Jupiter and Mars! In other wooooords...*

– *Hold my hand*! – Caio dançou perto de Daniel e os dois fingiram levantar cartolas e brincar com bengalas. Frank Sinatra teria acho ridículo, com certeza. – *In other words...*

– *Baby*, *kiss me*! – Daniel passou por Amanda estalando um beijo em seus lábios e começaram a fazer sons de instrumentos, até que um rapaz barbudo entrou no camarim batendo palmas.

– Daniel, se continuar cantando com a garganta assim, já sabe o que vai acontecer. Caio, adorei o timbre, mas Frank Sinatra respira direito. Venham aqui – o *coach* havia chegado. Amanda sorriu e sentou no sofá com Anna para assistir aquilo tudo. E se eles estavam tomando bronca, era mais divertido ainda.

***

Faltando três horas para abrirem os portões, a Scotty se ajustava em cima do palco com os instrumentos, pedaleiras e amplificadores. Os pontos de retorno estavam ainda soltos na roupa, apenas como parte do teste. Amanda e Anna estavam sentadas no meio do espaço enorme da plateia, observando de longe a agitação deles.

– A Maya iria adorar estar aqui! E a Guiga! Temos que ir visitar a Guiga o quanto antes – Amanda falou puxando o celular. Anna concordou, animada.

– O neném é pra quando, mesmo? Dezembro?

– Acho que sim. Temos que ligar pro Fred pra saber! – a amiga disse tirando fotos do palco e enviando para Maya e Kevin. Olhou para Anna, lembrando da conversa que tiveram segunda-feira. – Como você está?

– Legal. Tô bem. Nada de novo – Anna sorriu, cansada, amarrando os cabelos em um coque. Estava muito bem maquiada e vestia uma regata branca, calça skinny e botas pretas de salto fino. A jaqueta de couro dava um ar de rebeldia nela. Amanda estava preocupada, mas não teve tempo de tocar no assunto.

– Hm, garotas – ouviram a voz de Caio de cima do palco. As duas olharam para ele, batendo palmas. Rafael estava com uma garrafa de cerveja nas mãos, Bruno ajustava os pratos da bateria com outro rapaz e Daniel tinha prendido um cigarro aceso nos lábios, enquanto dobrava as mangas da camisa quadriculada. Era sexy assistir a ele assim, no palco. Não parecia o Daniel que dormia com ela e arrotava o hino nacional apenas por esporte. – Boa tarde, São Paulo. Nós somos os Scotty, seus companheiros de aventuras!

– O Caio é uma biba – Rafael falou discretamente no microfone, fazendo Daniel rir e passar a palheta pelas cordas da guitarra.

– Uma biba linda, porém uma biba – Bruno falou no microfone ao lado da bateria. Amanda e Anna riram alto.

– Espero que estejam prontas para ouvir a banda mais legal da cidade, quiçá do universo, tocando suas músicas preferidas. De Gallifrey até o Planeta Terra. Essa se chama *Sábado à noite*! Por favor, batam palmas no ritmo, porque nosso baterista é meio surdo!

Amanda e Anna gritaram e bateram palmas. *Sábado à noite* era uma das músicas do segundo CD deles, que continha um dos hits que lançaram há três anos no single: *Quero Te Abraçar*. E eles estavam tocando de forma perfeita! O coração de Amanda batia forte, enquanto ela lembrava das aulas de Artes, dos bailes, das noites na praia com os meninos. Era como voltar no tempo dentro de um DeLorean e viver novamente os momentos mais felizes da sua adolescência, e os mais tristes também. E ela sentia uma felicidade inexplicável. Rafael dançava e rebolava junto com a música, enquanto Daniel cantava, deixando o cigarro preso às cordas do braço da guitarra. Mas parecia que Caio não estava gostando, pois balançou as mãos, parando de tocar.

– Podem ajustar meu retorno? Acho que minha guitarra tá baixa.

– E eu preciso das baquetas vermelhas. Onde colocaram? – Bruno perguntou no microfone. Em alguns minutos um rapaz subiu ao palco, enquanto Caio ajustava algo no pedal e Daniel e Rafael só riam e dividiam a garrafa de cerveja. Parecia que queriam se divertir mais do que resolver qualquer problema.

Voltaram a tocar a mesma música, passaram para outra e novamente pararam para cuidar de assuntos como som, iluminação ou o baixo do Rafael, que parecia não estar acendendo as trastes.

– Acendendo trastes? – Amanda perguntou, achando estranho. Anna riu, apontando para o instrumento rosa brilhante do garoto.

– Super gay! – gritou, vendo o amigo mostrar o dedo do meio para elas.

– O seu recalque bate no meu baixo fúcsia e volta pra você, querida! – ele disse ao microfone. Daniel chegou perto com o cigarro nos lábios.

– É totalmente roxo esse baixo – opinou. Rafael pareceu ofendido.

– É rosa! – Bruno disse no microfone lá atrás. Caio parou de afinar o violão e encarou os amigos. Ficou pensativo e se aproximou do microfone.

– É rosa.

– É fúcsia! Como vocês não sabem disso? Fúcsia!

– Isso não é uma cor, Rafa – Daniel saiu de perto, ouvindo o amigo reclamar de como todo mundo era ignorante e que deveriam voltar para a escola. Amanda tinha certeza que não ensinavam cores fúcsias na escola, mas deixou para lá ao ver a confusão que isso tinha causado no palco.

quatorze

Cinco mil pessoas encheram a casa de shows em questão de minutos, correndo, gritando, sacudindo cartazes, sutiãs e calcinhas. Amanda nunca tinha visto nada parecido. Por que diabos traziam peças íntimas para jogar no palco? Observava tudo ao lado de Anna, perto de um enorme segurança na entrada do corredor para o camarim. Decidiram subir e ver como os garotos estavam, aproveitando os últimos momentos com eles antes do show.

Daniel fazia gargarejo com alguma mistura esquisita, enquanto arrumava os cabelos quase cacheados. Usava uma camiseta branca, simples, com a camisa quadriculada azul por cima. Rafael tinha tomado banho e colocado uma blusa com o logo do Blink-182, enquanto a de Caio, fã de *Doctor Who*, tinha os dizeres *Whovians can do it better*! Bruno estava sentado, mastigando um sanduíche, vestindo uma regata vermelha, patrocinada por alguma marca de baquetas, e chamou as duas para sentarem-se junto a ele.

– Vocês podem assistir ao show de cima do palco. Vai ser sensacional!

– Que ótimo, obrigada! – Anna sorriu, feliz. Amanda achou que era comum a namorada de Caio ficar no palco, mas pelo visto isso não acontecia com frequência. Enquanto conversavam sobre as surpresas que aconteceriam para os fãs, papéis picados e pequenas explosões, um garoto entrou no camarim. Ele tinha os cabelos lisos e bem arrumados e Amanda lembrou-se de já tê-lo visto em algum lugar.

– Shimoda, meu rapaz! – Daniel sorriu, abraçando o garoto, com Rafael em seu encalço. Shimoda! Tinha lido sobre ele em uma das revistas que comprara. Uau, ele era mais bonito ao vivo. – O que faz por aqui? Veio assistir ao show?

– Claro! O Fábio nos deu ingressos, sabe como é – o garoto apertou a mão de Bruno. Olhou para Anna e Amanda. – Muito prazer, meninas. Sou da Mpire!

– Adoro suas músicas! – Anna confessou animada, se levantando para cumprimentá-lo. O garoto ficou feliz com o elogio e olhou para Amanda.

– Hmm... prazer. Nunca ouvi a sua banda, mas tem um nome interessante – falou, meio sem graça. Ele riu alto, piscando.

– Quem sabe pode vir no próximo show? Garanto lugares vips no nosso camarim também.

– Ok – ela concordou, inocente, olhando de rabo de olho para Daniel, que parecia furioso. – Ok, é só avisar. Vai ser um prazer!

– Que a força esteja com vocês, rapazes! Tem cinco mil garotas lá fora, estou indo aproveitar! Até mais tarde – e saiu do camarim. O clima tinha ficado estranho. Não para todos, claro, mas Daniel estava vermelho e mordia os lábios. Puxou o maço de cigarros e acendeu um, apontando o dedo para Amanda.

– Você podia ter dado menos em cima dele.

– Eu fiz o quê? – a garota riu, surpresa. Riu porque era engraçado, sem noção e estúpido ele falar isso. E parecia com tanta raiva! Não era possível que realmente pensasse que ela tinha dado em cima de um cara famoso que nem conhecia! – Você tá maluco?

– Maluco? Eu vi bem como você olhou pra ele e ficou de gracinha. Ele também não tinha que ter falado com você. Filho da puta...

– Você só pode estar de brincadeira! – ela chegou perto dele. – Pra que eu daria em cima de outro cara? Eu vim pra cá só pra ficar com você.

– Se eu encontrar com ele de novo, vai ficar com a cara arrebentada...

– Que horror, Daniel. Larga de ser babaca! – Anna disse, se levantando, na hora em que Patrícia entrou no camarim. Ela olhou para as meninas e entregou duas pulseiras de papel amarelas.

– Vocês podem ir para a área vip. Ordens do Fábio.

– O quê? – Bruno se levantou, indignado. – Elas podem ficar no palco, na coxia!

– Não podem. Não hoje. Vocês se veem depois do show.

– Tudo bem, Bruno, deixa pra depois – Anna sorriu, pegando as pulseiras da mão de Patrícia. Amanda sentiu raiva. Seu primeiro show e ela nem ao menos podia ficar perto deles. Olhou para Daniel, que estava tragando o cigarro, e ele deu de ombros, como se não pudesse fazer nada. A garota respirou fundo e estendeu o braço para Anna. Tudo bem, era só o primeiro de muitos. E para Amanda, essa Patrícia não cheirava muito bem. Não literalmente, claro.

***

A área vip estava cheia de garotos e garotas, alguns pais e mães encostados na grade ou sentados nos cantinhos e muitas luzes piscando. O palco estava todo escuro e informações de segurança eram passadas no telão lateral. Anna e Amanda mantiveram uma distância segura dos fãs, ainda de frente para o palco. Amanda sentia os braços arrepiados e uma emoção que não sabia explicar em palavras. A gritaria de todo mundo tornava aquele momento ainda mais emocionante. Ela não se lembrava de ter se sentido assim desde o dia em que Daniel descera do palco e tirara a máscara, no baile do colégio. Era inexplicável. Anna, ao seu lado, dava pulinhos junto com algumas pessoas em volta e ela se sentiu contagiada. Não importava se não estava no palco, ao lado deles. Faria parte do show de alguma forma.

De repente, todas as luzes se apagaram e uma música de fundo começou a tocar. Os fãs gritaram e sacudiram bastões luminosos. Era ensurdecedor! Abriram a cortina e os meninos apareceram, ajustando-se em frente aos instrumentos, ao som de mais e mais gritos. Caio levantou os braços e, cumprimentou a plateia.

– Vocês gostam do McFLY? – Rafael gritou no microfone. Muita gente respondeu aos berros, fazendo Daniel e Caio rirem, lado a lado. – Então estão no show errado! Somos os Scotty e viajamos no tempo pra trazer as melhores músicas que vocês já ouviram na vida!

– Estão preparados? – Caio perguntou, no centro do palco. Depois de muita gritaria, ele esticou o braço da guitarra, fazendo com que Bruno contasse até três com as baquetas e, de repente, com uma explosão de labaredas no fundo do palco, *Quero te Abraçar* começou a ser tocada.

Era a coisa mais linda que Amanda já tinha visto. Nem de perto parecia com os marotos da escola, os perdedores do *paintball* e os garotos que corriam de cueca pela casa. Era uma mágica que só músicos sabiam fazer. Ser outra pessoa no palco, transformar cada música e palavra em um espetáculo. Muito diferente de ouvir sozinha, em casa, no computador. Emocionante!

Durante a segunda música, três sutiãs foram lançados ao palco e Amanda viu duas garotas sem camisa em cima dos ombros de outras pessoas no meio do público. Surreal que isso acontecesse com outras pessoas que não fossem Robbie Williams e David Bowie. As garotas estavam realmente fazendo aquilo? Viu que Daniel e Rafael apanharam os sutiãs e penduraram nos pedestais dos microfones.

Ela definitivamente tinha escolhido o maroto errado para se apaixonar.

***

Quando vi
Você ali
E o sol brilhava tão pouco
Não te vi sorrir

Eu não esperei
Você chegar
Quando eu olhei pra trás
Você estava lá

Tão garoto,
Diferente
Quase eu
Não podia imaginar...

Não podia
Imaginar

Enquanto a música chamada *Não podia* rolava, Amanda sentiu vontade de chorar. Não pela letra ou por qualquer emoção que aquilo trazia. Ela nunca se imaginara como namorada de um cara famoso assim, que deixava as garotas enlouquecidas simplesmente por ser bonito e cantar bem. O que faria com toda essa responsabilidade? Ao mesmo tempo, sempre sonhava com a cena em que Daniel descia do palco e mostrava a todos que ele era só dela, dedicando músicas em sua homenagem. Achava aquilo meio banal e normal quando adolescente, mas agora sabia como foram momentos importantes. Sentiu saudades. No fundo, queria que Daniel olhasse para ela de cima do palco, que sorrisse para ela, dedicasse alguma música ou, pelo menos, parasse de fazer o papel de cafajeste. Ele era lindo e ela estava adorando vê-lo lá em cima, mas podia sorrir menos e parar de rebolar para garotas seminuas. Ou ela estava errada? Não fazia ideia do que pensar e não queria incomodar Anna com esses dramas. A amiga estava se divertindo muito.

O fim do show chegou rápido na cabeça de Amanda. Parecia que tudo tinha acontecido depressa demais e ela não queria ter que ir embora, ter que quebrar a magia e vê-los de chinelo e babando no sofá enquanto brigavam pelo controle do vídeo game.

Mentira. Era tudo que ela mais queria. Seus amigos, o tempo todo. Ela era uma das únicas que podia ver os Scotty como eram de verdade.

Eles se despediram do público e Amanda notou que Caio procurava as duas pela área vip. Olhou para Daniel e ele estava fazendo pose para fotos e apalpando o próprio corpo, enquanto as garotas gritavam. Respirou fundo. Ele sequer tinha olhado para onde elas estavam ou se importado em saber se estavam mesmo por ali. Ou era impressão e implicância de Amanda? Ela sacudiu a cabeça, tentando espantar esses pensamentos e vendo os meninos saírem do palco, as luzes se acenderem e várias pessoas debandarem para fora da casa de shows. Muitas garotas choravam, estavam com as roupas rasgadas e eram consoladas por amigos ou pelos pais. Algumas se amontoavam em frente à entrada do camarim, onde o segurança grande e mal encarado estava parado, ignorando todo mundo.

– Para onde vamos? – Amanda agarrou o braço de Anna, sem saber o que fazer. A amiga sorriu, mas parecia preocupada.

– A gente deveria poder passar por aquela porta, mas acho que precisamos deixar essa galera sair primeiro.

Observaram um grupo de garotas vestidas de forma vulgar, com decotes enormes e saias transparentes, passar pelo segurança a mando de um rapaz que estava do lado de dentro da porta dos bastidores. As fãs pareciam indignadas e continuavam gritando e tentando passar.

– Nunca vi isso acontecer antes. Não vou muito em shows, mas o grupo que entrou não parecia de fãs que pagam para tirar fotos no camarim – Anna falou em voz alta. Amanda sentiu as pernas tremerem e notou que estava com ciúmes. Pegou a mão da amiga e se embrenhou no meio das pessoas. Deu de cara com o segurança.

– Boa noite. Você lembra da gente, viemos daí de dentro mais cedo.

– Não lembro de ninguém – ele respondeu de forma grosseira. Estava tratando as duas como tratava as meninas lá fora. Uma fã deu uma cutucada em Anna, pedindo passagem.

– Sai da frente que a gente tá aqui primeiro! – reclamou, indignada.

– Eu preciso passar, minhas coisas estão lá dentro! – Anna falou. Se virou para o segurança, com as mãos na cintura. – Por favor, mande chamar a Patrícia Kaz ou alguém da produção? Eles sabem quem nós somos!

– Sinto muito, mina, não vai acontecer. Sugiro que espere aqui até um dos caras da banda aparecer, se você acha que os conhece. Firmeza?

– Isso é um absurdo! – Anna gritou.

– Absurdo são eles terem vinte namoradas e eu nenhuma. Todas essas aí me passaram a mesma mentira. Agora circulem, por favor.

Anna ficou parada na frente dele, tentando pensar em algo inteligente para falar. Ele não podia ser grosseiro assim! Nem com ela ou qualquer outra menina. Já Amanda, queria sair dali o quanto antes. Estavam enfurecendo as fãs e ela começava a levar cutucadas mais fortes. Uma menina estava chorando ao seu lado com o álbum da Scotty nas mãos e ela não sabia se sentia pena ou se dava um safanão para a garota parar com aquela bobeira. Eram só os caras da Scotty, não os Beatles. Do corredor, surgiu um rapaz de cabelos loiros, batendo no ombro do segurança. Ele usava um enorme crachá.

– Tem três garotas que precisam passar, Jamil. Aquela gata ruiva, aquela e a que tá com elas – apontou para um grupo atrás de Amanda. Anna se virou e viu as meninas passarem, rebolando, sorrindo satisfeitas. Uma delas tinha o cabelo loiro descolorido e usava uma calça de couro muito apertada. As outras duas estavam de shorts curtos, bolsas de franja e vários acessórios, nada preparadas para encarar um show. Não tinham ido ali para isso, na certa. As três passaram através delas e Jamil, aparentemente o nome do grandalhão, deu espaço para entrarem no corredor. Anna continuou na frente dele.

– Por que elas podem passar? Ei, você! – gritou para o garoto do crachá. Ele se aproximou delas. – Eu não sou fã. Minhas coisas estão lá dentro. Pode chamar a Patrícia pra mim?

– Claro, vou chamar sim – ele sorriu e voltou ao corredor. Jamil deu uma risadinha irônica, como se compactuasse com alguma mentira e voltou a encarar o resto das pessoas. Anna deu alguns passos para o lado e ficou perto de Amanda.

– Patrícia vai tirar a gente daqui. Você tá com sua bolsa aí? Eu não tenho nada, minha carteira ficou lá dentro. Se não, a gente já podia ter ido embora.

– Vou tentar ligar no celular do Daniel – Amanda disse, puxando seu aparelho do bolso. Discou e esperou. Tocou uma, duas, vinte vezes. Tentou o de Bruno, Caio e Rafael. Nenhum estava atendendo. O que poderia ter acontecido? Não queria pensar no pior, no motivo de tantas garotas estarem lá dentro naquele momento e ela não.

***

Quase duas horas depois, as fãs já tinham ido embora e Anna e Amanda estavam sentadas ao lado da grade. Jamil ainda permanecia em seu lugar, agora batendo papo com outro segurança. Pessoas passavam varrendo o salão e, vez ou outra, tentavam expulsá-las dali. O tal cara não tinha chamado Patrícia e, talvez, aquela tinha sido a piada engraçada que trocou com o grandalhão. E não era justo! Amanda não conseguia parar de pensar que Daniel podia ter procurado por elas, ligado para ela, se preocupado! Mas não... ele estava se divertindo tanto assim?

Quando Anna se levantou, cansada e com o rosto muito pálido, Patrícia apareceu segurando sua bolsa. Estava no telefone, então só parou ao lado de Jamil, chamou as meninas com o dedo, entregou o que era de Anna e Amanda, mandou um beijo estalado e se virou. Disse ao longe: – Eles já saíram. Se eu fosse vocês, iria pra casa – e sumiu ao longo do corredor. Anna e Amanda se entreolharam.

– Hoje o Caio vai dormir no sofá! – Anna esbravejou.

Verdade seja dita, Amanda estava se sentindo um lixo. Mal tinha completado uma semana que estava com Daniel, isso não era justo! Na sua cabeça passavam várias cenas diferentes e ela imaginava todas as *groupies* do mundo em cima do namorado, fazendo festa no camarim com muita bebida e pouca roupa. Por outro lado, tentava se controlar pensando que ele devia ter uma desculpa muito boa para ir embora e deixar elas ali.

Muito boa.

quinze

Amanda sentia o estômago se contorcer de nervoso, enquanto entrava em um táxi com Anna. A amiga não estava melhor do que ela, parecia que desmaiaria a qualquer momento. O taxista conduzia o carro lentamente, aumentando a irritação delas.

– Anna, você tá bem? Quer parar para comer algo? – Amanda perguntou, preocupada.

– Não, em casa eu... – o celular de Anna começou a tocar. Era Caio. – CARALHO, CAIO, VOCÊ SABE O QUE...

– Onde você está? A Patrícia disse que estariam aqui no bar, mas tá lotado e eu não consigo... peraí... RAFAEL? PEDE UM PRA MIM! Oi, amor?

– Eu vou desligar o telefone! – Anna disse, frustrada. Amanda estava ouvindo de pertinho para tentar entender. Ele tinha dito bar?

– Não! Vem pra cá. É aquele bar na Augusta, que tem aquele ponto de travesti na frente, lembra? A gente comentou uma vez.

– O que eu vou fazer no bar, Caio? – Anna passou a mão pelos cabelos, cansada. Respirou fundo e se virou para Amanda. – Os idiotas estão em um bar. Quer ir pra lá?

– Vamos – a amiga pareceu animada. Na verdade, animada de ver Daniel e manter as *groupies* longe. Não de passar a noite enchendo a cara.

Se bem que poderia ser divertido.

***

O lugar estava lotado, como Caio dissera. Não foi fácil achá-los de primeira, mas, depois de procurar onde tinha mais garotas por perto, viram uma mesa rodeada de rapazes. Fora os Scotty, outros garotos também estavam por lá. Talvez *roadies*, amigos ou interesseiros. Amanda não sabia distinguir com aquela luz ultravioleta. Acenou para todo mundo, vendo Caio se levantar e abraçar Anna, visivelmente bêbado. Procurou por Daniel e o encontrou entre duas garotas do lado oposto ao dela. Ele olhou para Amanda e pareceu ver um fantasma por alguns minutos. Depois, sorriu abobado, como um cachorro feliz da vida de ter achado um poste para as necessidades. Pediu licença para as mulheres, se levantou e, com um copo de uísque, foi até ela.

– Você demorou! Disseram que estava aqui e não estava.

– Visivelmente não estava, Daniel – ela falou sentindo o bafo de bebida. Precisava de algo para não se irritar com a cena toda. Amanhã se preocuparia com o que estava sentindo. Não ia adiantar nada começar uma discussão ali. Pegou o copo da mão dele e entornou alguns goles. Daniel parecia orgulhoso e os dois se entreolharam, sorrindo.

Amanda sentiu os dedos de Daniel pelo seu cabelo e as mãos dele pararem dos dois lados de seu rosto. Estavam quentes e eram tão grandes que cobriam suas bochechas. Ela sentiu as pernas bambearem. Ele tinha um poder enorme sobre ela e, naquele momento, isso bastava. Quando Daniel encostava nela, todas as porcarias da sua cabeça iam embora e ela se concentrava somente em uma coisa: seu namorado era uma delícia. Ele estava suado, ainda com a roupa do show e a encarava de uma forma apaixonada e meio bruta, como se dependesse dela para viver. As frustrações da tarde e da noite toda se esvaíram da cabeça da garota quando, lentamente, ele encostou seus lábios nos dela. Quentes e molhados pelo uísque, ela estava perdida em um emaranhado de sentimentos. Todos eles relacionados a levá-lo para casa. Sem roupa.

Lentamente ele transformou o beijo em algo mais violento e sensual. Ainda segurava o rosto de Amanda entre as mãos, mas pressionava seu corpo contra o dela. Amanda abraçou a cintura dele e fez questão de mantê-lo muito perto. Não se importou quando ouviu a voz de Rafael gritando para arrumarem um quarto ou quando algumas garotas passavam chamando-a de sortuda ou de *groupie*. No fim da noite ele era seu Daniel, certo?

Deram uma pausa no beijo e ele a arrastou para o bar. Sentou Amanda em um dos banquinhos giratórios e pediu uma garrafa de cerveja ao *barman*.

– Você já não bebeu muito? – ela perguntou, sentindo os lábios inchados e doloridos. Daniel se encaixou entre as pernas dela, abraçando seu corpo com uma mão e se servindo da cerveja com a outra. Ele sentia as pernas dormentes e a cabeça um pouco pesada. Os dedos estavam mais sensíveis, assim como metade de seu corpo.

– Eu sei beber, fofa, "ficatranquilaae" – falou enrolado. Depois de um enorme gole, aproximou o rosto do dela, pressionando as testas e encostando de leve a ponta dos narizes. Sorriu, mordendo os lábios e deixando Amanda completamente perdida. Ele era lindo e estava abusando disso! A garota envolveu Daniel entre as pernas e, brutalmente, o puxou mais para perto colando sua boca na dele e garantindo que aquele desejo todo passaria.

Ele enfiou a mão por baixo de seu vestido, acariciando suas coxas, e ela não se importou. E, por quase uma hora, eles não se desgrudaram nem para respirar direito.

Isso valia uma página inteira no livro de recordes da Scotty!

***

Rebel Rebel do David Bowie enchia o ambiente. No fundo do bar, muita gente dançava, aos berros, como se a noite estivesse apenas começando. Amanda, com a maquiagem já borrada e uma garrafa de cerveja nas mãos, se balançava grudada em um Daniel completamente suado e já sem a camisa quadriculada. Os cabelos, molhados, grudavam no rosto. Ao lado dele, Bruno parecia ter perdido a noção do local onde estava e se mexia com os braços para cima, compenetrado na música, com duas garotas abraçadas a ele. Anna tinha tirado os sapatos e estava agarrada com Caio no canto, enquanto Rafael cantava a letra da música, pulando junto com outras pessoas na pista de dança.

You like me and I like it all
(Você gosta de mim e eu gosto disso tudo)
We like dancing and we look divine
(Nós gostamos de dançar e nós parecemos divinos)
You love bands when they're playing hard
(Você ama bandas quando elas tocam muito)
You want more and you want it fast
(Você quer mais e quer mais rápido)

Naquele momento eles não eram eles mesmos. Não eram uma banda, namorados, pessoas que pagavam contas e precisavam manter a voz para o dia seguinte. Eram jovens e ninguém podia culpá-los por isso. David Bowie falava por uma geração que, talvez não fosse a deles, mas era tudo que eles queriam ser naquele momento. Apenas jovens. E eles não ligavam de quebrar algumas regras.

Afinal, *Goonies never say die.*

Um rapaz se aproximou de Daniel e falou algo em seu ouvido. Ele concordou e se virou para Amanda dizendo que voltaria em um minuto. A garota acenou e olhou para Rafael, que logo a abraçou e os dois desataram a rir, derrubando toda a cerveja no chão.

Daniel seguiu o rapaz até o banheiro masculino, sem olhar para trás. Estava parcialmente vazio, não contando com uns dois caras desmaiados pelos cantos.

– De hoje você não escapa, Danny! – o garoto falou, mexendo nos bolsos do casaco. Daniel apenas riu, sentindo a cabeça dar algumas voltas. Se apoiou na pia, olhando para o próprio reflexo. Estava um lixo!

– Eu nunca quis escapar de você. O que tem aí pra mim? – encarou o garoto, cruzando os braços. Tentava parecer mais forte do que estava se sentindo. Precisava ser assim, tinha uma imagem a zelar. A verdade era que suas pernas estavam bambas e ele estava nervoso. Sabia que esse dia iria chegar, mas não tinha certeza de como reagir. Viu o garoto tirar um pacote do bolso, despejar os comprimidos em cima do mármore da pia e respirou fundo.

Era isso. A rebeldia valia a pena?

***

Rebel, rebel, you've torn your dress
(Rebelde, rebelde, você rasgou seu vestido)
Rebel, rebel, your face is a mess
(Rebelde, rebelde, sua cara está uma bagunça)
Rebel, rebel, how could they know?
(Rebelde, rebelde, como eles podem saber?)
Hot tramp, I love you so
(Sua vagabunda, eu te amo muito)

Amanda e Rafael continuavam dançando e pulando, sentindo apenas a vibração da música. Bruno se juntou a eles e os três se sacudiram juntos, rindo e brincando, sem prestar atenção em ninguém em volta. Amanda sentia o coração pulsar mais forte do que nunca. Não queria ser racional naquele momento, iria deixar isso para depois. Mas onde estava seu namorado?

***

No banheiro, Daniel encarava o espelho sujo. Sentia a garganta arder e os olhos começarem a coçar, saindo de foco. Apoiou os dois braços e ficou piscando para sua imagem refletida. O rapaz já tinha ido embora e ele estava sozinho. Sua boca ficou dormente e ele a coçou incontrolavelmente, até sentir que os lábios começavam a tremer. Sentiu pânico quando percebeu que sua mão parecia maior do que o normal. Mas logo aquela sensação passou e ele só queria voltar para a pista de dança. Estava animado, agitado e sentia vontade de correr e pular. Do nada, tudo tinha ficado muito melhor. Onde estava Amanda?

***

You've torn your dress, your face is a mess
(Você rasgou seu vestido, sua cara está uma bagunça)
You can't get enough, but enough ain't the test
(Você não tem o suficiente, mas o suficiente não é um teste)
You've got your transmission and your live wire

(Você tem sua transmissão e seu canal ao vivo)
You got your cue line and a handful of ludes
(Você tem sua sugestão e um punhado de drogas)
You wanna be there when they count up the dudes
(Você quer estar lá quando eles contarem os caras)

Daniel se aproximou dos três amigos e voltou a dançar com eles como se nada tivesse acontecido. Pegou a cerveja das mãos de Bruno e tomou alguns goles. Enquanto a música tocava, segurou Amanda pela cintura e a beijou de forma apaixonada, quase desesperada, fazendo a garota perder o fôlego. Quando a soltou, segurou seu rosto e olhou em seus olhos, com a maquiagem borrada. Ela estava linda e sorria, arfante.

– Eu te amo, sua idiota.

– É porque idiotas se amam – ela riu fazendo um L com a mão e batendo na testa dele. – Você sempre vai ser um perdedor, Daniel. Mas eu tô aqui pra te ajudar a compartilhar esse fardo!

– Por favor, eu não aguento mais ficar sozinho – ele sussurrou, enfiando o rosto no pescoço da garota e dançando agarrado, como se o simples fato dos dois se fundirem não fosse o suficiente. Por um segundo Daniel quis chorar. Ele não sabia o que estava fazendo e nem como consertar todas as besteiras, uma atrás da outra.

Mas ele sentia que não tinha nada no mundo que ele amasse mais do que aquela garota bagunçada, sem rumo e com os cabelos emaranhados. Se isso não era ser jovem, ele não sabia bem o que era.

And I love your dress
(E eu amo o seu vestido)
You're a juvenile success
(Você é um sucesso juvenil)
Because your face is a mess
(Porque sua cara está uma bagunça)

dezesseis

Quando o bar estava para fechar, o sol já ameaçava surgir. Caio puxou Daniel pela gola da blusa. Anna estava ao seu lado, abraçada a Amanda.

– Nós já vamos? – Rafael perguntou, chegando perto, sem camisa e completamente suado. Seus lábios estavam brancos e tremiam, mas ele sabia que era efeito colateral da mistura de substâncias que usara. Não se importava muito desde que pudesse se divertir. Afinal, tinha direito.

– Paguei as comandas. Vamos terminar a festa lá em casa! Meu sistema de som é melhor do que esse. E calhou de eu ter um álbum sensacional da trilha sonora de *Star Wars*! – Caio falou, empurrando os amigos em direção à saída. Bruno concordou, gritando e puxando Anna para perto de si, saindo com ela ao seu lado. Amanda encaixou direito os sapatos e terminou de virar sua garrafa de cerveja. Daniel mal se mantinha em pé sozinho. Ela puxou sua camisa quadriculada, amarrou na própria cintura e abraçou o namorado para que os dois andassem juntos.

– Cara, eu amo essa última música que tocou! De quem era? – Rafael perguntou ao lado dela. Amanda riu.

– Do *One Direction*.

– Quê?! Aquela *boyband* sem graça? Ah, não, eu não quis dizer que eu reeealmente amava e tudo mais, eu...

Foram interrompidos por um clarão. Assim que colocaram os pés na calçada, se depararam com uma cena nada amigável. Vários fotógrafos aguardavam na rua e os cliques das máquinas fotográficas e os berros dominaram o local. Bruno abriu os braços, com Anna ao seu lado rindo, e gritou que era o rei do mundo.

Flashes e mais flashes.

Amanda se sentia cega e ela sabia que não era certo sair abraçada com Daniel, mas tinha perdido o equilíbrio. Rafael, ao seu lado, apenas mostrou o dedo do meio aos fotógrafos e voltou a conversar com ela, como se fosse super normal e legal que isso estivesse acontecendo. Caio, rindo exageradamente, puxava Bruno pelo braço, quase perdendo o tênis no meio da rua. Anna, um pouco à frente, ligava para o motorista da van.

Várias pessoas saíram do bar ao mesmo tempo que eles, mas nenhum fotógrafo estava interessado. Eles se concentraram em Amanda e Daniel. Não era novidade o músico sair abraçado com garotas dos bares, mas mesmo assim sempre rolava uma matéria que fazia vender revistas e jornais aos montes.

– Ei, Daniel, essa é sua nova namorada? – Gritou um fotógrafo de boné, chegando mais perto.

– Cara, dá o fora daqui! – Daniel respondeu, irritado.

– Daniel, essa aí é mais bonita do que a última, hein! – provocou outro *paparazzo*. – Vira pra cá, princesa! – E disparou a máquina.

– Se vocês não saírem daqui, vou chamar a polícia! – Daniel esbravejou, escorregando. Amanda o segurou pelos braços para que não caísse, ao mesmo tempo que olhava para as câmeras, confusa. Tentou tampar o rosto em vão. Daniel mostrou o dedo do meio aos fotógrafos e abraçou Amanda, dando a mão para ela.

Aquilo não estava certo, mas no momento era mais importante continuar a festa do que acabar com ela. Ao entrarem apressados na van, Bruno bateu a cabeça no teto, xingando alto, e Rafael abriu a janela, quando a porta fechou. Jogou uma nota de cem reais para o lado de fora, sendo ovacionado por flashes e mais flashes.

– Fiquem com o troco, seus animais!

***

O dia amanheceu na casa de Caio com todos dormindo jogados pelos cantos. Pássaros cantavam lá fora como num filme da Disney, o sol queimava as pessoas que iam trabalhar e o trânsito já estava caótico havia horas. E, nem por isso, os Scotty davam sinal que iriam acordar. Bruno e Rafael estavam deitados na cama de Caio e Anna, enquanto o casal dividia um colchão de solteiro no corredor. Amanda estava deitada em um dos sofás brancos da sala e Daniel dormia ao lado do vaso sanitário.

Ela só queria mais um pouco de silêncio e tranquilidade, mas seu celular começou a tocar, fazendo-a abrir os olhos e sentir um gosto horrível na boca. Sentia muita tontura enquanto tentava lembrar onde tinha deixado seu aparelho. O toque era incrivelmente irritante e incômodo.

– Que é? – ela atendeu, bocejando. Sentiu o pescoço doer e reclamou alto.

– O que foi isso, mocreia? É quase meio dia, você vai me dizer que estava dormindo? – Kevin falou, quase gritando, do outro lado. Amanda tirou o telefone do ouvido e o desligou. Voltou a se jogar no sofá, quando Kevin ligou novamente.

– Só quero dormir, me deixa em paz.

– Hm... eu até deixaria, sua vadia, mas acho que você deveria abrir a internet. Suas redes sociais. Seu e-mail. Tudo, menos suas pernas!

– Você tá me assustando – ela disse, sentando. Passou as mãos pelos cabelos, sentindo vários nós. Desistiu. Coçou os braços. – Quem morreu?

– Sua dignidade! – o amigo gritou. – Eu mal chego de viagem e já me deparo com isso? Se não estou enganado, você fez farra no estilo Debbie Harry e não me chamou! Eu fiquei tremendamente ofendido, embora Lucas tenha ficado mais chocado com o horror do seu cabelo nas fotos...

Amanda arregalou os olhos quando a realidade bateu. Desligou o telefone rapidamente, dizendo que ligava depois, e correu escada acima para o quarto de Caio. Passou por cima dele e de Anna, no corredor, abriu a porta e sentou na escrivaninha, ligando o laptop. Estava ansiosa, suas pernas tremiam de nervosismo e ela começou a roer as unhas. Olhou para a cama e viu que Rafael estava se sentando, acordado por causa do barulho.

– Eu dormi achando uma música de *boyband* super maneira e acordei com o Bruno. Virei gay? – O garoto perguntou com a voz esganiçada.

Amanda apenas sorriu, vendo a tela do computador pedir *login* e senha. Bateu com o punho na mesa, acordando Bruno.

– Qual a senha dessa bagaça?

– Hmm... *login* deve ser Caio Skywalker, tenta aí – Rafael opinou, jogando o travesseiro em cima de Bruno, para mantê-lo deitado.

– Deu certo! Quantos anos ele tem?

– E a senha deve ser... qual a senha do Caio, amor? – se virou para o amigo. Bruno o empurrou com os pés, fazendo Rafael cair no chão com um baque alto e provavelmente doloroso.

– Tenta aí uma combinação de... ah, claro! Tenta 314...159265... 3... e qual o final?

– 59! – Rafael disse se levantando. Mostrou o dedo do meio para Bruno, sentando na cama de novo.

Amanda obedeceu os amigos e o laptop milagrosamente ligou. Olhou para os dois.

– O que diabos foi isso?

– O valor de pi – Bruno disse rindo. Ele e Rafael bateram as mãos, se cumprimentando.

– Tá brincando que pi é a senha do Caio? Desde quando ele é inteligente assim?

– Eu sempre fui inteligente assim, gata – o garoto apareceu no batente da porta, somente de cueca e com os cabelos bagunçados. Bruno apontou para ele e gargalhou alto.

– Caio achou que se colocasse uma senha desse nível, a gente não seria bom o bastante para descobri-la. Acontece que na centésima tentativa, conseguimos! – contou, se espreguiçando.

– E a gente decorou – Rafael riu baixinho, voltando a se deitar.

– É a sequência numérica mais fácil da matemática, se liguem – Caio sentou na borda da cama, olhando para Amanda, que acessava furiosa algumas páginas na internet. Abriu os principais portais e, com um suspiro alto, clicou nas matérias do dia.

***

Um dos portais tinha quatro fotos de cada Scotty completamente bêbados, caindo, e em uma delas aparecia Anna ao lado de Bruno. Outro texto completamente sem sentido era de um blog adolescente que falava apenas como o show tinha sido, fazendo perguntas sobre quem eram as garotas ao lado deles, qual foi a sua música preferida do show e se a internauta também gostaria de ficar bêbada ao lado de Daniel Marques. Deixe seu comentário!

Outro site tinha uma enorme foto de Amanda tentando cobrir o rosto e Daniel mostrando o dedo do meio. A matéria dizia que ele tinha uma namorada, que estavam juntos há pouco tempo, mas que todo mundo tinha visto os dois dançando no bar, se agarrando. Tinha até uma citação de uma suposta fonte próxima ao grupo: "Ela sempre foi apaixonada por ele, mas nunca tinha tido uma chance. Daniel está apenas querendo se divertir e ela veio para tentar mudar isso".

As *fanpages* continham várias fotos e comentários de fãs enlouquecidas porque não estavam no bar naquele dia ou porque queriam tentar identificar as meninas fotografadas. Algumas delas comentavam de Anna, tentando comparar com fotos antigas já tiradas por *paparazzo*. Mas a maior parte delas detonava Amanda.

– Desde quando eu sou uma quenga? Biscate? – Amanda lia os comentários, revoltada. Anna, sentada no chão ao seu lado, estava descascando uma tangerina. Olhou para a amiga.

– Se acostuma. É daí para vagabunda que quer roubar a fama do meu ídolo...

– Cachorra? Vadia mal comida? – Amanda balançou a cabeça, aceitando o refrigerante que Caio trouxera para todo mundo no quarto na esperança de curar a ressaca. Daniel era o único que ainda estava no banheiro do andar de baixo, dormindo. Com a boca cheia, Amanda leu em voz alta um dos comentários:

– Odeio essa garota. Ela é muito feia para o meu Dannyzinho!

– Você é feia mesmo, pequena – Bruno comentou do banheiro da suíte, enquanto lavava o rosto. Amanda o mandou para aquele lugar não tão bonito assim.

– Elas me odeiam e eu nem sei quem são!

– Fala sério – Anna deu de ombros, respirando fundo. – Nem fica espantada. Isso é normal, elas estão expressando a vontade de estarem no seu lugar. Sinta como um elogio – A garota se levantou, entregou o prato de tangerina para Caio e foi até o banheiro. Parecia pálida e respirava fundo. Empurrou Bruno, que estava escovando os dentes, para fora e bateu a porta. O garoto ficou sem entender nada e saiu do quarto, indo para o banheiro de baixo. Caio pareceu preocupado. Encostou no batente e bateu com os nós dos dedos na porta.

– Você tá bem? Quer alguma coisa?

– Não, obrigada – Anna respondeu lá de dentro, ligando o chuveiro. Amanda sabia que era para encobrir o barulho dos vômitos e abaixou a cabeça, respirando fundo e voltando a olhar para o laptop. Milagrosamente, algumas fãs da Scotty tinham descoberto suas redes sociais e ela estava sendo bombardeada, nesse momento, de pedidos de amizades, xingamentos, elogios, memes, fotos modificadas com balões divertidos e ameaças de morte. Não necessariamente nesta ordem.

***

Algumas horas depois, Fred estava ao telefone com Caio. Os conselhos do amigo eram sempre os melhores e era bom saber algumas novidades. Uma delas é que em pouco mais de uma semana iria rolar um prêmio nacional da música e que, por conta do número um nas paradas, a Scotty era uma das revelações da noite. Iriam tocar uma das músicas do álbum e concorreriam a alguns prêmios. Fora isso, Fred estaria na cidade aquela tarde.

– Aparentemente está empresariando a Mpire – Bruno contou enquanto colocava uma lasanha congelada no micro-ondas. Ele usava calça jeans e estava descalço. Amanda, Rafael, Anna e Daniel estavam sentados na pequena mesa da cozinha de Caio. Nas paredes, vários armários decorados e um enorme pôster de *Dawson's Creek*. De acordo com Anna, era o único lugar que Caio permitira pendurá-lo.

– Minha cabeça ainda tá pesada. Se falar nessa banda de novo, vou vomitar – Daniel colocou a língua para fora, bagunçando os cabelos. Amanda, ao seu lado, deu um cutucão no garoto. Olhou para Anna.

– Acham que essas fotos de hoje vão dar problemas com o Fábio?

– Provavelmente – Bruno interrompeu antes de Anna responder. Se apoiou com as duas mãos na mesa, fazendo os amigos olharem para ele. – Mas já estamos no nosso segundo álbum, a Scotty já tem fãs suficientes para não passar fome e não existe problema nenhum em termos namoradas. Vamos ter que abolir essa injustiça.

– Bruno, acho que eu escolhi o Scotty errado! – Amanda piscou para ele, fazendo Daniel rir de forma irônica.

– Sempre te disse isso, pequena. Mas as portas do meu coração estarão sempre abertas!

– Querem parar com isso? Eu estou no recinto – Daniel cerrou os olhos, recebendo um beijo de Amanda.

– Gente – Rafael chamou baixinho. Anna se levantou para ver a lasanha e pegar os pratos no armário. Bruno continuava provocando Daniel com comentários maldosos. – Gente!

– Estamos do seu lado – Amanda olhou para ele. Bruno e Daniel pararam de discutir e viraram para o amigo, que parecia preocupado.

– Estou cantarolando a música de abertura do *Dawson's Creek*. Depois de ouvir One Direction e dormir com o Bruno... será que virei gay? Falem a verdade!

– O quê? – Anna perguntou do outro lado da cozinha, desatando a rir em seguida. Bruno deu um tapa na cabeça do amigo, enquanto Daniel sentia a barriga doer de tanto gargalhar.

– Rafa, você só está cantando a abertura da série porque a gente falou dela ainda há pouco – Amanda explicou, tentando ficar séria. – Não é nada que tenha nascido com você.

– Não, eu tenho certeza que algo mudou dentro de mim! – Rafael insistiu, realmente preocupado.

– Isso não existe! Ninguém vira gay, seu idiota! – Daniel falou, levando um chute de Amanda por baixo da mesa.

– Vou ligar para o Kevin. Já estou pensando em vestidos de noiva! Eu definitivamente acordei gay – Rafael se levantou, saindo da cozinha com o celular nas mãos e parando na porta, alarmado – De repente quero jogar *Fat Princess*! Socorro!

Caio, Bruno, Amanda, Daniel e Anna se entreolharam e ficaram pelo menos cinco minutos sem conseguir parar de rir.

***

Fábio havia ligado furioso exigindo uma reunião de emergência. Como líder da banda e a pessoa mais calma do grupo, Caio achou melhor ir sozinho para minimizar a discussão. Bruno fez questão de acompanhá-lo, para ele já era hora da banda tomar esse tipo de decisão por si só. E ele estava com vontade de discutir. Os outros dois Scotty, de ressaca e com dor de cabeça, tinham ficado e estavam na sala da casa de Daniel, jogando videogame e bebendo cerveja. Sabe o que diz o mestre, né? Nada melhor do que uma bebida para espantar a ressaca de outra!

Amanda remexia nos armários da cozinha em busca de algo para o jantar. Estava aflita, ser acordada no susto por causa de fotos embaraçosas dela por toda a internet não a fazia se sentir a melhor pessoa do mundo. Sem falar que ela não tinha esquecido a humilhação de ser barrada no *backstage* da banda de seu namorado! Anna tinha ido ao mercado e ela não sabia com quem conversar sobre isso, mas ela precisava desabafar.

– Daniel, posso conversar com você? – perguntou, entrando na sala e torcendo a barra da camiseta nas mãos, de forma nervosa. O garoto bebeu mais um gole da cerveja, sem tirar a outra mão do controle. Rafael gritava junto com o personagem de Mortal Kombat.

– Claro, fofa. Pode falar.

– Lá em cima. Agora – Amanda subiu as escadas, sem notar o garoto rolando os olhos e parando o jogo. Rafael reclamou, mas decidiu trocar para Zelda, deixando Daniel ainda mais bravo. Seguiu a namorada e viu que ela tinha sentado em sua cama.

– O que houve? Você interrompeu nossa luta.

– Você tá bêbado de novo – a garota mordeu os lábios, cruzando as pernas em cima da cama. Daniel deu de ombros, sem entender. Onde ela queria chegar com isso?

– E daí?

– Hoje é quinta-feira. Cheguei no sábado e você tem ficado bêbado todos os dias. Menos na terça, que a gente passou o dia juntos e na cama. E, mesmo assim, você bebeu bastante. Mas todos os outros...

– E daí? – o garoto repetiu, ainda sem entender. Balançou a cabeça e franziu a testa. – O que você tem com isso, cara?

– Cara? – ela arqueou as sobrancelhas. Respirou fundo, pegando o rosto do namorado nas mãos. – Por que você bebe tanto?

– Você não é minha mãe, Amanda – ele respondeu ainda com as mãos dela no rosto dele. – E não tente ser. Minha mãe me abandonou porque eu nunca fui como ela queria. Você vai fazer isso também? Só por que não faço o que você quer?

– Eu nunca disse isso. Não comece com algo que não tem a ver com a conversa! Não quero ser sua mãe, Deus me livre! – ela disse, soltando o rosto dele e se levantando. Passou as mãos nos cabelos, nervosa. – Mas não é saudável você fazer isso. Eu só queria entender o motivo, se eu posso ajudar, se podemos fazer algo...

– Você pode ajudar! Pode me deixar ficar de boa e não encher meu saco!

– Você não quer dizer isso de verdade, Daniel.

– Talvez não queira. Mas estou com raiva! – ele continuou balançando a cabeça. – E eu não quero conversar! Quero ir lá pra baixo, na minha casa, jogar videogame com o meu amigo e não ficar pensando no certo ou errado quando eu não preciso!

– Você é um adulto, Daniel. Para viver bem, precisa pelo menos conversar e...

– Talvez eu também não queira viver – o garoto disse levantando, saindo do quarto e batendo a porta. Amanda ficou parada, de pé, em frente ao armário de mogno. Por alguns minutos ficou tremendo, tentando entender o que tinha acontecido. E não parecia fazer sentido. Sentia-se frustrada, com raiva, mas também com pena. Ele não queria realmente dizer que não tinha vontade de viver, certo? Estava confusa. Tirou o pijama, entrou no banheiro e tomou um banho demorado. Quando saiu, abriu o pedaço do armário com suas roupas, escolheu algo confortável e desceu as escadas, batendo o pé. Rafael estava saindo da cozinha com uma garrafa de vodka nas mãos. Daniel estava no sofá, fumando um cigarro e segurando o controle, apenas de cueca. A garota nem olhou para os dois, passou pela sala e saiu de casa, batendo a porta atrás de si.

Os garotos se entreolharam quando Rafael entregou a garrafa a Daniel e se sentou. Daniel olhou para a vodka e, de repente, não sentiu mais vontade de beber. Colocou-a de lado, tragando o cigarro e jogando a cabeça para trás, fechando os olhos.

– O que você fez, jovem Padawan? – Rafael perguntou, pegando seu controle do chão e ameaçando apertar o start.

– Acho que eu estou tornando as coisas mais difíceis e eu nem percebo.

– Você tem a namorada mais legal do mundo, depois da Anna, cara. Se estiver tornando a vida dela difícil, te aconselho a melhorar. Ela veio pra ficar com você, não com o Pete Doherty, sabe? Ele perdeu até a Kate Moss...

– Desde quando você sabe quem é Kate Moss? – Daniel arregalou os olhos. Rafael deu de ombros, apertando o start.

– Uma parte dentro de mim acordou gay hoje, eu te disse.

– Certo – o amigo sorriu, olhando para o controle. Não estava compenetrado no jogo ou nas brincadeiras de Rafael. Ele tinha a melhor namorada do mundo. Por que estava tornando a vida dela um inferno?

dezessete

Amanda andou um pouco e resolveu ficar perto da casa de Caio, esperando Anna voltar do mercado. Sentou na calçada em frente ao prédio e ficou observando o condomínio, que não parecia ter sequer uma alma viva naquele horário. Estava escurecendo e começava a esfriar. Tentou ligar para Maya, mas o celular estava desligado. Guiga atendeu logo depois de uma tentativa, mas estava com algumas pessoas em um restaurante e não pôde conversar muito. Amanda não queria perturbar Kevin. Pensou algumas vezes sobre o que estava fazendo ali, em São Paulo, longe da família e do lugar que conhecia tão bem. Parecia surreal pensar que não tinha passado nem uma semana ainda desde que saiu de casa e ficou horas na chuva esperando Daniel chegar. E que tinha pouco mais de uma semana que estava deitada em seu quarto tentando decidir se valia ou não a pena mudar sua vida daquele jeito. Ela sabia que Daniel estava diferente e tinha topado, não é? E mesmo com tudo isso, ela gostava tanto dele que qualquer pensamento de ir embora, mesmo no momento mais intenso da raiva, fazia seu coração doer.

Se ela tinha que ficar, iria se estabilizar logo. Arrumar um emprego, ganhar seu dinheiro e tentar, de uma vez por todas, entender o que estava errado na vida de Daniel. Passou sua adolescência inteira sendo confusa e inconsistente, mas agora não era mais assim. Ela tinha se decidido.

***

Era quase meia noite quando Amanda saiu da casa de Anna, depois de conversar muito com a amiga e Caio. Bruno tinha ficado um pouco, mas decidira ir para a própria casa porque a banda tinha entrevistas cedo no outro dia e ele possuía um processo de embelezamento para tirar as fotos de divulgação. Enquanto a garota andava na rua, pegou seu celular do bolso. Tinha esquecido no silencioso de propósito. E tinham dez ligações de Daniel não atendidas. Mesmo com aquele tanto de álcool ele tinha ficado preocupado com ela não ter voltado? Sorriu achando, de alguma forma, uma atitude fofa. Isso é o que as pessoas chamam de mulher de malandro?

Abriu a porta da frente em silêncio, deixando o casaco emprestado de Caio no sofá e subiu as escadas. A casa, fedendo a cigarro, estava toda no escuro e, pelo visto, Rafael já tinha ido embora. Entrou no quarto de Daniel e viu o garoto deitado na cama, coberto pelos lençóis, aparentemente dormindo. A janela estava aberta e entrava um vento frio, mas gostoso, e ela decidiu tomar um banho e colocar logo o pijama.

Quando voltou ao quarto e foi se deitar ao lado do namorado, ele levantou o rosto, como se já estivesse acordado. Olhou para a garota e, subitamente, a abraçou muito forte.

– Achei que tivesse ido embora de vez – ele sussurrou, rouco, perto do ouvido dela. Amanda se aninhou em seus braços, sorrindo sem que ele visse.

– Não pense que isso não passou pela minha cabeça, Daniel – falou. Ele concordou com o rosto enfiado em seu pescoço. Respirou fundo o cheiro da garota e beijou, de leve, sua bochecha. – Mas eu não vou embora. Eu já disse. Eu não sei o que está acontecendo com você, mas eu vim para te ajudar e eu vou ficar até o dia em que a minha casa estiver cheia de crianças. E eu não estou dizendo só as minhas...

– Tipo uma orquestra da Scotty? – ele riu e ela concordou, lembrando de brincadeiras antigas que faziam durante o colégio. – Me desculpe, fofa. E obrigado por continuar aqui.

– Não tente me fazer desistir, Daniel. Não vai funcionar.

– Droga, estragou meu plano máster!

E os dois riram, cúmplices, antes de ficarem em silêncio e caírem no sono.

***

O dia seguinte tinha começado extremamente corrido. Apesar da dor de cabeça, Daniel levantou o mais cedo que pôde e entrou no banho. Amanda ainda ficou enrolando um pouco na cama, até ver pela janela o namorado sair correndo enfiando um pedaço de pão na boca, acenando para ela do jardim. O carro de Bruno buzinava histericamente e ela imaginou que eles já estavam atrasados para a entrevista e a sessão de fotos.

Então ela teria o dia livre para resolver suas coisas.

Ao sair do banho, recebeu a ligação de sua mãe. Queria saber como estava sua vida nova. Não era como se tivessem muito para conversar, mas Amanda estava de bom humor e foi o mais simpática possível. Curiosamente, a mãe não soube das fotos daquela noite no bar, o que a deixava imensamente aliviada. Seria uma briga bem feia. Ainda mais por sua mãe ligar muito para a aparência e para as fofocas. Imagina se descobrem que a filha única dela virou uma perdida na cidade grande? Então, o assunto principal ainda era a gravidez precoce de Guiga e como os pais dela deviam estar lidando com a situação.

– Oh, é tão embaraçoso, minha filha!

– Pois é, mãe – Foi o que ela respondeu, embora quisesse dizer "Se liga, mãe. Você tem problemas com sua própria família para cuidar", mas continuou concordando para não dar motivos para uma discussão sem sentido. Conseguiu desligar quando ouviu a campainha de casa tocar. Quem poderia ser àquela hora? Não eram nem dez da manhã! Será que Daniel tinha esquecido alguma coisa?

Ao abrir a porta de entrada, sentiu o coração confuso, mas animado. Maya estava parada no batente, com os cabelos ruivos presos em um rabo de cavalo, uma calça jeans escura apertada, suéter preto e quatro malas enormes. E eram realmente grandes. A garota sorriu, grunhiu e bufou, tudo quase ao mesmo tempo.

– O que está fazendo aqui? – Amanda perguntou, abraçando a amiga e deixando que ela entrasse. Tentou ajudar a puxar as malas para dentro, mas Maya era mais forte e fez tudo sozinha.

– A pergunta é: qual casa é essa? O endereço que eu tinha era a seis números daqui e estava na porta tocando há algumas horas!

– Oh meu Deus! – Amanda riu. Maya fez cara de quem não tinha achado graça. – Foi Rafael quem te deu o endereço? É o loft dele e ele nunca está por lá. Os garotos saíram cedo para uma entrevista e... mas como achou a do Daniel?

– Sério mesmo? – Maya disse tirando o casaco, ficando só com uma regata cinza, e saindo porta a fora. Amanda a seguiu, sem entender nada. A ruiva chegou até a lateral da entrada e apontou para uma estátua de pedra sabão que ficava perto da caixa de correio. – Quem mais teria um enorme Bruce Springsteen com a cara do Daniel na porta de casa?

– Ele tem a cara do Daniel? – Amanda andou até a estátua, analisando-a de perto. Alguns segundos depois, as duas se entreolharam, explodindo em uma crise de riso. Certamente isso não era algo normal. Daniel tinha sérios problemas com a realidade. – Então, tá com fome? Ou vai me explicar porque acha que estou com cara de Alfândega para ficar encarando suas malas?

***

Os quatro Scotty estavam sendo maquiados, arrumados e tendo os cabelos lavados e penteados por uma equipe profissional. Daniel dormia sentado na cadeira de lavagem do estúdio enquanto os outros três discutiam alto sobre os melhores álbuns do ano. Pearl Jam, David Bowie e até Arctic Monkeys estavam sendo citados. Quando a mordomia acabou, era hora de fingir que sabiam o que estavam fazendo ali e fazer poses para a câmera.

– É sempre muito sem sentido fazer caras e bocas de costas para um fundo branco – Caio reclamou, ajeitando a camiseta e ficando na ponta, ao lado de Daniel. O amigo riu, dando de ombros, bocejou e testou seu olhar sexy para o fotógrafo. Mas na verdade, era um olhar bem sonolento.

– Fundo branco significa que o conceito geral é fazer seu próprio conceito – Bruno filosofou, sorrindo galante. Olhou para os amigos e, de repente, os quatro posaram fazendo caretas, virando Rafael de cabeça para baixo, subindo uns nas costas dos outros e garantindo que, se estavam fazendo o trabalho que amavam, poderiam se divertir com isso.

***

– Você abandonou tudo? – Anna gritou com a panela de arroz na mão. Entregou a colher para Amanda, vendo Maya separar os pratos. Estavam na casa dela e de Caio.

– Eu odeio muito engenharia eletrônica! – Maya tentava explicar. – E morar no interior de novo? Eu não nasci pra isso, sabe? Eu nasci pro glamour, pras páginas das revistas de fofocas, colunas de psicopatas nos presídios e textos difamando jogadores de futebol! Eu achei que gostava de uma coisa, mas descobri que não. Parece confuso?

– Parece inconstante – Amanda opinou, vendo a amiga dar a língua. Anna se sentou, colocando uma travessa de estrogonofe em cima da mesa.

– Parece super normal. Poucas pessoas sabem o que querem fazer pro resto da vida desde cedo – Anna deu de ombros, enchendo seu prato de comida. – Mas é chocante.

– Sempre a mais sensata de todas – Amanda abriu a geladeira atrás de bebidas.

– Eu demorei para desistir, porque, cara, é desistir de uma faculdade! Eu estudei muito pra entrar lá...

– Mas não estava feliz – Anna falou normalmente. Maya concordou, servindo mate nos copos que Amanda havia trazido.

– Não. E quando vi que Amanda veio pra cá e estava com vocês... simplesmente me inspirou a jogar tudo pro alto e tentar de novo. Meu pai vai me matar! Mas é permitido tentar de novo, certo? Eu só tenho vinte e um anos!

– Se você ainda não tem filhos para criar, com certeza – Amanda comentou e deu uma olhada de canto para Anna.

– Mesmo com filhos, Mandy – Anna negou rindo. – Você sempre pode tentar de novo. E a gente está aqui pra isso! Temos quatro casas e espaço suficiente pra você!

– Isso porque você não viu as malas dela!

– Amanda! – Maya falou mais alto, fazendo as amigas rirem. Olhou para as duas e agradeceu mentalmente por ter mantido amizades tão boas para a vida toda. Amigos são como presentes que você dá a si mesmo. Até quando roubam todos os champignons do seu estrogonofe ou adoçam demais o seu mate.

***

Os quatro garotos estavam sentados em um sofá preto de couro, ainda vestidos com as roupas da sessão de fotos, encarando uma jornalista que parecia ter a idade deles. Bruno já tinha gritado dibs quando a viu, o que deixou Rafael morrendo de raiva. Era uma brincadeira deles para mostrar preferência em garotas. A repórter era bem bonita e tinha peitos enormes. E era da Argentina. A matéria para a qual estavam dando entrevista, era para uma revista jovem do país do tango e do River Plate.

E a garota não podia deixar de perguntar sobre a rivalidade entre fãs do Brasil e da Argentina, claro. Acontecia sempre, independente da banda ou de onde fossem.

– A gente nunca entendeu muito isso – Caio declarou, procurando as palavras certas. Discutir sobre fãs era sempre algo complicado e exigia maturidade para não falar porcarias – Pra nós, todos os fãs são uma enorme comunidade, independente de onde sejam!

– Fizemos somente um show na Argentina, ano passado, e foi sensacional! A gente adoraria visitar mais vezes! – Bruno sorriu e piscou. A garota ficou levemente vermelha.

– Achei que a gente só tinha rivalidades no futebol – Daniel disse, coçando a cabeça. Caio olhou discretamente para ele, sem saber o que o amigo iria falar – Digo... a gente pode não gostar do Maradona, mas a gente ama os fãs de lá da mesma forma que os daqui!

– Acho que ninguém falou de futebol ainda, seu idiota – Rafael riu – O que importa é que todos deveriam estar juntos, num braço só, cantando alegremente. É o que interessa.

– Mas a gente poderia falar de futebol!

A jornalista não queria saber a opinião deles sobre o Maradona, embora Daniel tenha tentado muito. No fim da entrevista, ela parecia estranhamente chateada com ele, pois cumprimentou todos com abraços e apenas apertou sua mão. Daniel não entendia o que tinha feito de errado, afinal, era só futebol.

– Futebol nunca é só futebol – Bruno acendeu um cigarro, quando saíram para o estacionamento.

– Eu espero que ela coloque uma pinta no meio da sua testa na foto de capa da matéria – Caio riu, fazendo um barulho esquisito com o nariz.

– Ela não faria isso! Ela não pode fazer... pode?

– Ela pode fazer como quiser. Você falou mal do ídolo do país dela! Sabe o que é isso? – Caio abriu a porta do carro de Bruno, seguido dos amigos – Você declarou que é seu inimigo mortal. E espero que ela tenha entendido e faça você sofrer.

– Ela não pode fazer isso! Ninguém gosta do Maradona, não é possível...

– Daniel, quantos anos você tem? – Rafael perguntou, fazendo os amigos rirem. Bruno acelerou o carro, apagando o cigarro na lixeira ao lado.

– Só tem um jeito de arrumar as coisas. E isso significa que a gente vai parar naquela enorme loja de esportes no centro e você vai tirar fotos com a camisa da Argentina para suas redes sociais!

– Não vou fazer isso! – Daniel negou, irritado. Porque tinha que ter aberto a boca?

***

Anna, Amanda e Maya tinham saído para tomar café, mas ainda estavam dentro do táxi depois de quase uma hora. Tinham escolhido um péssimo horário para andar por São Paulo, já que o trânsito, as obras e a má organização das ruas não ajudavam.

– O que esse prefeito está fazendo com a cidade? Eu não acredito que não pude votar na última eleição. Vou modificar meu local de votação pra resolver isso. É um absurdo! – Anna reclamou.

– Você vai mudar sua zona eleitoral para São Paulo? – Maya perguntou. Anna concordou, dando de ombros, como se fosse a coisa mais normal de todas. – Isso é um passo muito grande quando saímos de casa.

– Eu não pretendo voltar – a amiga foi categórica. Amanda sorriu.

– Amiga... – chamou ela baixinho. Anna rolou os olhos – Você sabe. A gente vai passar na farmácia. Não vai fugir de novo disso, não posso morrer de preocupação antes de EU ter meu primeiro filho! Facilita as coisas.

– Eu já disse que vou pensar no assunto. Não quero lidar com uma resposta que eu não quero saber, no momento.

– Do que estão falando? – Maya franziu a testa. Anna balançou a cabeça, negando.

– Amanda está só sendo Amanda e enchendo meu saco.

– Obrigada pelo elogio, mas a chata aqui tem razão. Anna vai comprar um teste de gravidez.

– Eu não disse que vou! – a amiga olhou horrorizada. Maya abriu a boca, em choque.

– Você está grávida?

– Não! Eu não sei, se não pra que compraria um teste?

– Faz sentido...

– Vamos resolver logo isso e continuar com as nossas vidas. – Amanda pegou o celular – Será que os meninos acabaram a entrevista?

– Deixa pra lá. Achei que a tarde era só nossa hoje! – Anna pegou o telefone da amiga e guardou na sua própria bolsa. Amanda sorriu.

– Certo. Só nossa. E o seu teste?

dezoito

Daniel abriu a porta de casa, segurando vários sacos de compras. Bruno vinha atrás dele, girando as chaves do carro nas mãos, ainda discutindo a diferença entre o Playstation e o Xbox, até perceberem que a casa estava vazia.

– Ela nem disse pra onde ia – Daniel parecia meio triste, enquanto trancava a porta atrás de si. Bruno andou até a cozinha e reparou que havia quatro malas enormes no meio do corredor. Parou diante delas, sem entender direito.

– Amanda vai se mudar para algum lugar?

– Amanda? – Daniel franziu a testa, largou as sacolas e andou até o amigo. Olhou as quatro malas e, antes que sua cabeça pudesse raciocinar, estava suando frio. Ela estava indo embora? Mas ontem mesmo ela tinha dito que ficaria. Por que estava fazendo isso? – O que eu fiz de errado? – acabou falando em voz alta, pegando o celular do bolso. Não tinha nenhuma ligação, nenhuma mensagem.

– Pode ser algum engano. Podem ser malas novas e... – Bruno viu que o amigo ficara pálido e puxou uma das malas, sentindo que estava muitíssimo pesada. Fez uma careta, reparando que Daniel estava nervoso com o celular na mão. Olhando mais de perto, notou que tinha o adesivo de uma companhia de ônibus famosa do interior. Sorriu. – Danny, sinto te informar, mas... a não ser que Amanda esteja chegando de alguma cidade do interior hoje, essa não é a mala dela.

De repente, antes que Daniel pudesse prestar atenção no que o amigo falava, ouviram um baque surdo na porta, seguido de um grito. Rafael estava, claramente, tentando arrombar a fechadura.

– Por que diabos vocês trancaram isso? – entrou agitado, quando Bruno foi até ele.

– Porque se chama porta e ela é feita para trancar – deu de ombros. – O que você quer?

– Maya ficou de chegar hoje, mas não vejo nada dela na minha casa! Caio está no banho, aquela garota fresca enrustida, então não pude vasculhar tudo por lá. Tem alguma coisa aí?

– Malas servem? – Bruno perguntou, fazendo Daniel soltar a respiração. Então eram de Maya e não de Amanda. Fazia mais sentido. Que idiota nervoso estava sendo! Quase tivera um ataque do coração por motivo nenhum.

Rafael estava comemorando, tirando fotos da mala e tentando ligar para a doce de coco. Daniel decidiu tirar a camiseta, depois de ter ficado subitamente com calor, e pegou uma cerveja na geladeira. Bruno sentou no sofá, também tirando a blusa e ligando o ar condicionado pelo controle remoto.

– Estou com o telefone do hotel da jornalista – disse rindo. Daniel mostrou o polegar, o cumprimentando – E estou inspirado para escrever uma música sobre isso. Onde está seu laptop?

– Você não pode usar um papel e uma caneta?

– Daniel, meu querido – Bruno disse mexendo nas gavetas da estante atrás do laptop. – Esses dedos só foram feitos para autografar e fazer coisas pornográficas. Fora usar minha bateria. Escrever em papel está fora de cogitação, antes mesmo de ter saído da escola.

– Seu doente... – o amigo riu, ajudando Bruno a ligar o computador e abrir um bloco de notas. – vou tomar um banho. Rafael, vai pra sua casa!

– Eu não saio daqui até a doce de coco chegar! – Rafael gritou vendo Daniel subir as escadas, rindo.

A verdade é que queria ficar sozinho. O susto de ter visto as malas na sala, tinha feito com que seu coração disparasse e ele estava se sentindo mal. Por um minuto seu mundo tinha criado um buraco negro de existência e ele ainda tentava colocar as coisas em ordem. No seu quarto, abriu as portas do armário para garantir que as coisas de Amanda ainda estavam ali. E tudo parecia perfeitamente normal. Seu pijama estava jogado na cama, o chinelo dela espalhado pelo quarto e sua escova de dentes ainda parecia casada com a dele, em cima da pia. Ele não precisava se preocupar, certo?

***

Anna chegou em casa e apertou a bolsa contra o corpo. Tinha cedido às amigas e comprado o teste de gravidez. E estava, até aquele momento, repetindo um mantra para si mesma. "Não estou grávida, não estou grávida". Precisava acreditar que estava tudo bem. O fato de ter que testar, fazia como se tudo fosse muito mais real do que tinha pensado até ali e Caio nunca poderia saber. Estava acostumada a contar tudo para o namorado e esconder aquilo, daquele jeito, a estava deixando muito mal. Precisava acabar logo com isso, resolver aquele problema. Mesmo que não soubesse o que fazer caso o problema fosse, enfim, positivo.

As amigas tinham perguntado, ela tinha pensado bastante, mas sua cabeça parecia uma bagunça quando se tratava da resposta: se estivesse grávida, teria o filho? Duas partes dela debatiam isso de uma forma sem limites. Não era nada sobre religião, mas o fato de poder ver uma mini figura de Caio a fazia querer, momentaneamente, que aquilo pudesse ser positivo. Mas logo o pensamento se esvaia para a parte de que faria o namorado sofrer e era a última coisa que Anna precisava. Fora as condições! Caio tinha dinheiro e tudo mais, mas Anna tinha um trabalho que ainda dependia de sua beleza, do seu corpo e juventude. Tudo poderia mudar.

Parada, ainda na sala, viu Caio descer as escadas usando um short e uma camiseta branca. Estava lindo. Os cabelos molhados e o rosto levemente rosado como sempre ficava quando ele fazia qualquer esforço físico. Anna amava todos os detalhes nele. Desde a barriguinha saliente até os dentes um pouco tortos. Ele sorriu para ela.

– Demoraram! O que foram fazer na rua?

– Starbucks! – a garota disse, dando um beijo nele. O garoto a segurou, querendo visivelmente algo mais, o que deixou Anna desnorteada. Separou os corpos dizendo que precisava tomar banho. De repente sua bolsa parecia mais pesada e ele não parecia notar nada diferente nela. Concordou.

– Tenho ensaio no Danny mais tarde. Vocês podem ficar por lá, mas acho que deve ser meio sacal, porque a gente vai ficar escolhendo músicas e tentando combinar as letras de várias delas. Temos uma apresentação na semana que vem! Sabe a premiação musical?

– Vocês vão tocar? E ainda ganharam primeiro lugar no fim de semana! É uma ótima combinação! Vai ser tão divertido. Estou muito orgulhosa! – Anna disse, genuinamente feliz, dando pulinhos e abraçando Caio. O Prêmio da Música Nacional, ou PMN, era a maior premiação do país e o que a Scotty queria desde o início, como todas as bandas e os músicos do Brasil, mas nunca tinha acontecido. Era uma ótima oportunidade. E isso só a pressionava mais, no momento, para que o teste desse negativo. Ouviu ainda o namorado falando mais sobre a cerimônia e as músicas que iriam ensaiar, incluindo algumas antigas para saber se poderia rolar um *medley* ou algo, mas sua cabeça estava na bolsa e no banheiro do seu quarto. Ele era tão distraído que não conseguia perceber que ela mal o estava ouvindo.

– Bom, vou esperar você voltar do banho. Onde fica aquele limpador sensacional de vidros? Vou dar uma faxina na casa, estou sentindo muita energia para sentar no sofá e ver televisão!

– Debaixo da pia, junto com os baldes! Você quem guardou lá da última vez, não seja tão esquecido – Anna sorriu, beijando sua bochecha e subindo as escadas. Caio saiu de perto assobiando uma música antiga.

Era isso. Hora da verdade. Anna sentia suas mãos tremendo e deixou a caixinha do teste cair várias vezes antes de conseguir ler todas as instruções. Abriu o chuveiro, sentou no vaso e ficou parada por mais alguns minutos até ter coragem de focar no que realmente precisava fazer. Sua mente ainda corria de um pensamento para o outro. Ele sempre usava camisinha. Ela tomava pílula. Nada disso fazia sentido.

***

Caio estava na cozinha, lavando um dos panos de chão, quando ouviu Anna gritar por ele na sala. Ela disse que iria à casa de Daniel e que voltava em alguns minutos. Parecia com pressa e falou algo sobre ter esquecido uma roupa com Amanda, mas isso não era importante. Depois de ouvir a porta de casa bater, continuou pensando que teria que conversar com a faxineira na segunda-feira, já que nunca tinha visto tanto pó nos móveis como agora. Ele costumava prestar atenção nisso, embora soubesse que sua ansiedade podia deixar alguns detalhes passarem. Sentiu o estômago doer de fome e lamentou não ter colocado nada para descongelar no forno depois que saiu do banho. Anna aparentemente tinha comido fora com as amigas, mas Caio sabia que ela não iria negar uma boa torta de maçã! Tinham deixado algumas semiprontas e eram perfeitas para o momento. Algo importante sobre Caio Andrade? Ele detestava bananas. E amava maçãs. E cozinhar. Ele amava cozinhar.

– Caio Andrade, praticamente perfeito em todas as formas! – ele disse ajustando o forno, cantarolando uma música de Mary Poppins e citando algumas falas do filme em voz alta. – Em qualquer trabalho que precise ser feito, existe um elemento de diversão!

Ele fechou o lixo da cozinha, trocando por um saco novo e, ainda fingindo estar em um musical, continuou tirando os lixos de toda a casa.

– Você encontra o momento divertido e *snap*! – ele estalou os dedos, subindo as escadas e rindo sozinho – O trabalho é um jogo!

Tirou o lixo do quarto e foi até o banheiro. Viu que o chuveiro estava devidamente desligado, mas a toalha de Anna não tinha sido usada. Franziu a testa, achando estranho. Espiou o quarto novamente e não tinha nenhuma roupa suja em cima da cama ou nos móveis. Ela não tinha tomado banho? Ele ouviu o barulho e tudo! Ainda com a testa enrugada, estranhando a situação, alcançou o lixo e tentou dar um nó no saco plástico. Como estava prestando atenção na toalha e no vidro embaçado, deixou o lixo cair no chão e metade do conteúdo se espalhar. Xingou alto, bravo pela desatenção e tentando deixar para lá suas desconfianças. Ele devia estar perdendo alguma peça do quebra-cabeças, não?

– Vamos lá, catar lixo do chão faz parte do jogo! Um ponto por cada lixo recolhido e... – ele parou de falar sozinho quando, enquanto agachado e com a mão na luva de borracha, puxou um papel higiênico forrando algo mais grosso. Seu coração disparou e ele sentou no chão com o pedaço de plástico nas mãos. Nunca tinha visto aquilo pessoalmente, mas assistira em alguns filmes e tinha certeza que estava segurando um teste de gravidez.

Sua cabeça parecia que iria explodir. Anna tinha escondido isso o tempo todo? O que significava a linha rosa solitária na haste e por que aquilo estava acontecendo com ele? Pensou em tudo que estavam vivendo. Por alguns minutos, muita coisa passou em sua mente e a ideia de ter um neném simplesmente parecia a coisa mais linda do mundo. Teria uma família! Uma de verdade, com a mulher que ele amava e na cidade que tinha aprendido a adorar. Poderia ser um problema no trabalho, sim, mas quem se importa? Era um neném! Ele não conseguia conter a emoção que aquele pensamento provocava nele e, sem entender o que via na sua frente, virou o lixo todo no chão procurando pela caixa que deveria ter as instruções. Por algum motivo, Anna tinha mantido aquilo em segredo. E explicava muita coisa. Ele confiava na namorada e sabia que, se ela não tinha dito nada, tinha suas razões. E não pretendia confrontá-la por nada no mundo.

Achou a caixinha e, ansioso para saber e entender o que estava acontecendo, leu rapidamente as instruções. Por alguns segundos seu mundo caiu e ele sentiu um buraco se abrir no chão, debaixo dele.

Anna não estava grávida. E ele sabia que era algo bom e que os dois provavelmente não estavam preparados para mais essa responsabilidade. Mas não podia deixar de se sentir decepcionado com isso. Por alguns minutos tinha se visualizado como pai, cuidando de uma criança, vendo o rosto de Anna em miniatura, fazendo tudo que pais fazem. E tinham sido bons minutos. Sorriu pra si mesmo, pensando que a namorada deveria ter passado por momentos ruins sozinha, imaginando que teria que enfrentar aquilo tudo. Anna era tudo para ele e era uma garota forte.

– O que eu te disse? – ele se levantou, recolhendo o lixo e ainda citando o filme da Mary Poppins em voz alta – Existe um mundo inteiro debaixo dos seus pés. E quem pode vê-lo? Se não os pássaros, as estrelas e os limpadores de chaminés?

dezenove

Anna tinha acabado de contar a Maya e Amanda, trancadas no banheiro do quarto de hóspedes de Daniel, que o resultado do teste tinha sido negativo. Ainda estava tremendo, mas agora sentia como se um peso tivesse saído de suas costas e ela pudesse ser ela novamente. As amigas ficaram animadas e as três passaram alguns minutos sentadas no chão, em círculo, sem dizer nada de importante.

Até que Maya tirou um maço de cigarros do bolso e ofereceu às duas.

– O que é isso? – Amanda perguntou, aceitando o cigarro, assim como Anna, sem entender o que estava acontecendo.

– Cigarros. Você sabe o que são. E de uma marca cara e provavelmente adocicada. – Maya disse, rindo, enquanto colocava um na boca e guardava o maço novamente no bolso da calça. Anna e Amanda ficaram esperando. Não faziam ideia de que Maya fumava! – Eu não fumo, eu não sou idiota, esse pacote é de Daniel.

– Hm... isso ainda não faz sentido. Não trouxe isqueiro? – Anna perguntou. Maya negou, colocando o cigarro no canto da boca, pendurado nos lábios.

– Não. Li em um livro, certa vez, que você pode combater o que te faz mal. Cigarro pode matar, então de alguma forma, estamos controlando algo que é incontrolável.

– E o sentido? – Amanda perguntou, pendurando o cigarro da mesma forma que a amiga tinha feito. Anna puxava o ar e colocava a língua para fora, sentindo o gosto esquisito na boca.

– Se a gente não acender o cigarro, ele é inofensivo. Temos controle sobre isso. Não sobre o resto da vida. Anna podia estar grávida e tudo que ela teme poderia acontecer. Temos controle somente com as nossas escolhas e decisões. Não com as consequências delas. E é bom estar no controle às vezes!

– Estou achando ótimo! – Anna disse, fazendo pose e fingindo estar realmente fumando. Amanda riu. Parecia uma boa ideia, ter controle.

– São nossas escolhas que mostram quem realmente somos. Já dizia o grande Dumbledore!

– Boa, Mandy – Maya bateu palmas.

– Você precisa emprestar esses livros que anda lendo – Amanda falou, tirando o cigarro da boca e batendo com ele no chão, como se deixasse as cinzas caírem. Maya levantou o polegar, concordando com a encenação –, estão te tornando mais inteligente. Devem funcionar comigo.

– Tenho desde John Green até toda a coleção de Bukowski. Só escolher.

– Estou lendo livros de princesas esse ano! Tô fissurada e, admito, um pouco obcecada! – Anna riu, olhando para as amigas. Ficou em silêncio. – Amo vocês, ok?

– Começou o drama, vamos apagar nossos cigarros! – Maya disse, colocando a língua para fora.

– Mas eu acabei de dizer que te amo! Estou esperando algo em retorno! – Anna gargalhou da amiga, que estava se levantando e ignorando a declaração de amor. Amanda ria, partindo o cigarro dela em pedacinhos na lixeira.

– Obrigada? – Maya abriu o maço de cigarros e colocou o seu, babado, de volta lá dentro. Imaginou que Daniel teria uma surpresinha, quando, em meio às risadas de Anna, ouviram alguém bater na porta.

– O que estão fazendo aí dentro que está demorando tanto? Sexo? Garotas vão ao banheiro juntas para sexo, certo?

– Claro, Rafa – Amanda disse, narrando coisas muito nojentas e sem sentido. Anna sentiu a bolsa tremer e puxou o celular lá de dentro. Era uma mensagem de Caio. Se sentiu mal por lembrar que o deixara em casa apressada, sem nenhuma explicação, e estava prestes a ter que pedir desculpas.

A torta de maçã tá pronta! Já tirei os lixos e guardei segredos. Te amo independente do que acontecer, vc sabe. Mas isso pode mudar, caso a torta esfrie e eu não tenha com quem dividir. Vou ter que chamar a vizinha e, vc sabe, com 60 anos ela é um pitel e é totalmente apaixonada por mim. Não demore. :)

Anna sorriu, respirando fundo. Ela definitivamente tinha o melhor namorado do mundo.

***

– Acho que *A menina* e *Eu quero te abraçar* podem combinar, se colocadas no mesmo tom – Daniel opinou, ajustando as cordas da guitarra.

O porão da casa de Daniel tinha sido transformado em um pequeno estúdio, onde ficava a bateria original de Bruno e vários amplificadores. Ao lado, também tinham mesas e equipamentos de gravação, não totalmente profissionais, que eles usavam para capturar demos e trabalhar nas horas vagas. Rafael estava sentado no chão com seu baixo novo fúcsia nos braços, ouvindo os amigos discutirem sobre as músicas para o *medley* do PNM.

– E se a gente tocar alguma música nova? – Bruno perguntou. Caio pensou um minuto, realmente curtindo a ideia. Daniel fez um barulho estranho com a guitarra, discordando – Esse barulho que você faz na cama quando é um babaca? Abaixa seu amplificador!

– Que mané música nova – o garoto disse, dando a língua para Bruno – é nossa primeira oportunidade de aparecer em cadeia nacional no prêmio mais importante pra música! As pessoas não querem ouvir o que não conhecem. Querem curtir o que já é famoso! Precisa ser inesquecível!

– Você tem certa razão – Caio pontuou. Daniel deu de ombros.

– Sei que não tenho razão muitas vezes, mas estou certo de que estou certo agora.

– Você continua meio burro, sabe – Rafael riu baixinho, vendo Daniel mandar o dedo pra ele – Vamos focar em *A menina* e, quem sabe, *Ela é incrível*? Saiu duas vezes naquela revista de adolescentes super fútil e famosa como a melhor música do ano e é a mais tocada nas rádios!

– *Ela é incrível* é uma boa! – Bruno gritou, batendo palmas.

– É incrível – Daniel deu risadinhas, recebendo olhares de desaprovação e uma baqueta passando próxima a seu rosto.

– Não foi engraçado – Rafael se levantou rindo e ligando o baixo no amplificador. Virou para Daniel e fizeram um *high five* discreto.

– Vamos começar por *A menina* e passamos adiante. Em 5... 4... 3... 2... – Caio ia contando, batendo os pés no chão.

Quando eu vi você do palco
Reparei que olhava pra mim
E quanto mais você dançava
Mais gente vinha assistir
A banda toda parou,
A meninada olhou
E quanta gente pirou
Só porque você dançou
Quando eu vi você do palco
Reparei que olhava pra mim...

***

Kevin estava esperando Lucas no hotel, ainda na Grécia, e resolveu vagar pela internet. Os canais de televisão de lá eram horríveis e tinha cansado de rir de alguns programas em grego que pareciam imitar o Silvio Santos. O marido tinha ido comprar comida e não iria demorar, mas Kevin queria enviar e-mails e checar a vida online de todos os seus amigos! Quem podia julgá-lo por isso? Afinal, não era todo mundo que tinha condições mortais de se gabar por ser amigo dos caras da Scotty, certo?

Um dos seus sites preferidos, Nação da Música, tinha feito uma matéria sobre o Prêmio Nacional da Música, que iria acontecer dali uma semana em São Paulo. Kevin já estaria de volta ao Brasil e tinha pensado em pedir um ingresso a Fred para assistir, quando deu de cara com a listagem das bandas que iriam se apresentar e... Scotty estava entre elas! Ele deu um pulo, ainda sentado na cama com o laptop no colo, gritando alto e batendo palmas sozinho. Resolveu descontar toda sua emoção nos comentários do post do site e, como *fanboy* que era, se desmanchou em elogios e pontos de exclamação.

Alguns minutos e respostas depois, Kevin estava envolvido em uma enorme discussão com *haters* e pessoas sem bom gosto para música que, parcialmente, queriam denegrir o evento por ter uma banda nacional "tão popular e para garotas" na listagem oficial. Se era para garotas, ele mesmo era o quê? Que gente imbecil e sem vida era capaz de usar a vida social e mulherenga de Daniel contra a banda? E quem era o idiota que disse que *A menina* era a pior música das paradas musicais do momento? Aquela tosca de axé era o quê? Kevin queria esganar todo mundo. Usando caixa alta e nem um pouco de senso do ridículo, quase fez com que o administrador do site cancelasse os comentários.

Mas não estava ligando. Amigos eram para esses momentos também. E fazia tempo que não rolava nenhum barraco na sua vida.

***

Sábado de manhã Amanda tinha levantado cedo para conferir alguns e-mails de empresas e enviar seu currículo. Daniel ainda dormia porque a Scotty tinha ensaiado a noite toda e ela o viu indo deitar quando o sol estava saindo. Essa coisa de namorar um cara que tem um estúdio dentro da própria casa era meio difícil. Significava horas a fio sem ele se tocar que tinha momento para dormir, comer e tomar banho. Inclusive tomar banho. Qual era essa dos garotos irem dormir completamente fedidos de suor, como se não dividissem a cama com ninguém?

Sentou no sofá da sala, depois de abrir as janelas, e ligou o laptop. A senha Daniel tinha dado a ela. Era uma combinação ridícula de nomes de músicas, como "LUCYINTHEHEYHOBORNTORUN". Tinha anotado com lápis de olho na parte inferior do laptop e sabia que ele não iria reparar. O barulho de iniciação dos programas quase acordou Maya, que estava dormindo no sofá maior ao lado. A amiga tinha ficado até tarde assistindo seriados e provavelmente não queria levantar tão cedo.

Abriu a internet e a página do e-mail.

Estava logado no de Daniel. Um que era usado para criar contas em redes sociais e receber mensagens de fãs.

Um que Amanda nem fazia ideia que existia. Mas até aí, tudo bem. Ela não precisava saber de tudo e só tinha uma semana que estava por lá.

Subiu lentamente o cursor do mouse para deslogar, quando uma mensagem abriu em *pop-up*, como um bate papo online do e-mail. Amanda ficou confusa, até ver o remetente. Era Patrícia, da produção de shows.

– Ah, não, por favor, não fale nada que eu não queira saber... – Amanda reclamou baixinho, tentada a esperar o resto da mensagem que começava com "oii". Aguardou alguns segundos.

Vc não me ligou mais :/

Ela sabia! Sabia que parecia que rolava algo entre Daniel e Patrícia e que tinha que ter algum motivo para a garota ter deixado Amanda e Anna, naquele dia do show, sozinhas. Anna tinha dito, isso não era normal. Era porque Amanda estava lá! Sentiu raiva. Queria deslogar e apertar um travesseiro na cara de Daniel, no quarto de cima. Mas respirou fundo, enquanto a outra digitava.

Achei que a gnt tinha algo especial!

– ESPECIAL NA SUA BUNDA! – Amanda gritou, fazendo Maya sentar de repente. Olhou confusa para a amiga, que estava clicando na tela do laptop de forma furiosa.

– O que diabos está fazendo, sua louca? Que horas são?

– É hora de acordar o Daniel – disse puxando seu celular e discando o número do namorado. Ouviu a música tocando do quarto lá de cima. E ele demorou, mas atendeu. E estava confuso – Bom dia, amor. Desculpe te acordar assim. Tô na sala com a Patrícia...

– Quem é Patrícia? – Maya perguntou, olhando para os lados.

– ... ela quer saber CADÊ AS SUAS BOLAS?

Segundos depois, Daniel apareceu na ponta da escada, assustado, apenas de cueca. Olhou de Maya para Amanda.

– Cadê a Patrícia? O que aconteceu?

– A Patrícia está numa vala, perto daqui – Amanda disse, desligando o celular e ficando de pé. Estava com raiva e não queria deixar passar em branco. Sabia que provavelmente estava exagerando, mas pouco importava no momento – Na verdade, eu acho que você e Patrícia tinham algo especial.

– Tá maluca? Eu nunca tive nada com ela.

– Daniel, nem mente porque a Amanda estava clicando furiosa no laptop – Maya bocejou, se levantando e dobrando seu cobertor. Amanda sorriu para ela.

– Então, nem adianta mentir.

– Você entrou no meu e-mail? – ele perguntou, andando depressa até o laptop. Amanda deu de ombros.

– Estava aberto. Eu fechei seu e-mail. Mas a Patrícia acorda cedo, ou O EXPEDIENTE NA ESQUINA DEVE SER DE MANHÃ!

– Larga de ser problemática – Daniel riu, achando graça na namorada dando ataque de ciúmes. Pegou o laptop, confuso – O que são essas letras aqui embaixo?

– Não interessa. Daniel, você fazia sexo com a Patrícia? Com a garota que me apresentou na maior cara de pau, dizendo que era apenas a produtora dos shows?

– Ih.... – Maya disse, indo até a cozinha. Era melhor deixar os dois se entenderem, em briga de marido e mulher não se mete a colher, certo?

– Foi uma vez só. Ela tinha vindo aqui fazer jantar pra gente, porque a Anna tinha viajado para uma campanha lá, não sei. Daí ela dormiu aqui.

– Não tinha táxi para ela voltar pra casa?

– Devia ter, mas eu não fiz nada de errado! Eu tava sozinho e ela me deu o maior mole.

– Meu Deus, você enfia esse pinto em qualquer lugar! Não é possível! – Amanda sentou no sofá, respirando fundo. Daniel sentou, um pouco distante.

– Isso não é bem verdade... – e ficaram em silêncio. Daniel queria pedir desculpas, mas estava com tanto sono que seu cérebro não conseguia pensar direito. Amanda estava tentando se acalmar. Os dois se olharam por algum tempo e ele deu um sorriso – Você sabe que eu te amo.

– Sei que essa vida de namorada de Daniel Marques é realmente acima do normal. Vou pegar uma bebida. Pode voltar a dormir – Amanda se levantou. Daniel segurou o braço da garota, a puxando para um abraço. Ela se derreteu, instantaneamente. A pele dele era macia e cheia de sardas, os cabelos estavam bagunçados e ele cheirava a suor com cerveja. Parecia horrível, mas a combinação era intoxicante.

– Vamos lá pra cima antes que a Maya perceba que a gente saiu daqui...

– Vai... – Amanda sussurrou no ouvido dele, de forma sexy e provocante – sonhando! – E saiu andando até a cozinha, deixando Daniel na sala fazendo careta sozinho.

vinte

Bruno abriu a porta da casa de Daniel com o celular pendurado no ouvido. Usava uma bermuda preta, tênis da Vans, uma regata e óculos escuros. Viu Maya de pé, na frente do espelho do corredor, ajeitando a maquiagem. A garota usava uma saia rodada branca e camiseta azul. Os cabelos ruivos estavam amarrados em um rabo de cavalo alto.

– Se o Rafa não tivesse dado dibs, eu diria que tá uma gata! Mas *bros before hoes*, sabe como é... – ele apontou o dedo para ela, num gesto de aprovação. Maya riu, dando a língua. Bruno voltou a falar com quem estava no celular, saindo de perto.

– Mandy! Não esqueça os casacos! – Maya gritou da ponta da escada, vendo Rafael entrar porta adentro. Ele usava quase o mesmo uniforme de Bruno, aparentemente como todos os roqueiros do mundo, mas a meia branca era alta na canela e ele usava um boné. A camiseta também não era totalmente preta porque tinha a logo da banda AFI bem no centro – É dia do preto e ninguém me avisou?

– Você tá totalmente gata, doce de coco! – ele falou, boquiaberto. Maya ficou com as bochechas coradas, mas mostrou o dedo do meio – E é dia do preto todos os dias. É uma festa na casa do guitarrista da DeLorean, queria o quê? Só vai ter a nata do rock nacional!

– E vocês foram convidados? – ela riu. Rafael deu de ombros – O NxZero vai?

– Eles não são tão *rock'n' roll* assim...

– Eles devem ir – Daniel apareceu na escada, jogando um casaco nas mãos de Maya. A garota agradeceu, reparando que ele também usava preto, mas estava de calça jeans justa e a camiseta era dos Beatles. Os cabelos pareciam bagunçados com o vento, mas ela sabia que ele estava havia meia hora na frente do espelho para conseguir esse visual. Amanda vinha logo atrás na escada. Usava um short jeans de cintura alta, uma bota baixinha e camiseta branca. Maya suspirou.

– Não sou a única que acha que isso não é um enterro!

– Mas também não é um Lollapalooza ou Coachella – Bruno disse, olhando de Amanda para Maya – vocês não tem onde gastar as roupas maneiras, tem?

– Vocês não levam a gente para lugares legais, esqueceu? – Amanda respondeu. O garoto deu de ombros, cumprimentando Daniel.

– E qual a graça de ser *groupie* e não ir super linda para uma *pool party* na casa de um guitarrista famoso? – Maya pegou a bolsa, deu o braço para Amanda e foram em direção ao carro de Caio, que estava buzinando na rua de frente.

– Agora vocês são *groupies*? – Daniel riu alto, seguindo-a depois de trancar a porta. Amanda mandou um beijo de longe para o namorado e entrou no carro.

Anna estava com um vestido preto, simples, o que fez Maya ficar muito brava com a falta de avisos sobre ter amigos roqueiros. Ela ainda não estava habituada com o clube do enterro. Caio usava uma camiseta de Star Wars, preta, com uma bermuda e suspensórios. Amanda tirou fotos e iria guardar para a eternidade. Nunca se sabe quando se precisará desse tipo de registro.

***

Como a casa do tal guitarrista ficava do outro lado da cidade, decidiram colocar a *playlist* completa do celular de Caio acoplado ao som. Daniel, Rafael e Bruno estavam no carro de trás e vez ou outra os viam fazendo sinais mal educados pelo retrovisor.

– Vamos ver o que o vocalista da famosa Scotty tem nessa lista com duzentas e oitenta e quatro músicas! – Amanda disse, colocando no modo aleatório e esperando pelas pérolas.

– Oh meu Deus, Offspring! – Anna berrou ao lado de Caio – Há quanto tempo eu não escuto essa música?

– *Give it to me baby! Uh-huh, uh-huh* – Maya aumentou o som, enquanto os quatro cantavam animados a *Pretty Fly (For A White Guy)*. Era tão antiga e, mesmo assim, parecia sempre deixar todo mundo feliz. Maya gostava de músicas assim – Chuto que a próxima será mela-cueca!

– Metade da *playlist* é mela-cueca – Caio riu, pedindo desculpas pelo retrovisor porque deu seta para um lugar que não iria entrar e tinha deixado Bruno meio perdido no carro de trás. Amanda continuava mexendo no celular até Charlie Brown Jr começar a tocar.

– Acha que, quando a gente ficar mais velho, vamos achar chato ficar dentro de um carro cantando músicas? – ela perguntou.

– Eu vou ser uma velha totalmente divertida. Então não. – Maya deu de ombros. Anna passou a mão nos cabelos de Caio, rindo.

– Acho que ainda fazemos algumas coisas de quando éramos adolescentes por algum motivo.

– A gente não cresceu? – Caio deu seta, colocando o braço para fora e informando que agora era para valer. Anna riu.

– Não. Quero dizer, sim. A gente cresceu – ela balançou a cabeça. – A questão é que, se continuamos fazendo, é porque elas nunca ficarão velhas. Assistir a filmes juntos não envelhece nunca. Ouvir músicas no carro e cantar todas elas, não envelhece.

– Talvez o *paintball* não seja permitido com quarenta anos, mas nada que armaduras de plástico bolha não possam ajudar! – Maya disse e todos riram com ela.

– É normal sentir como se a gente tivesse pouco tempo pra fazer tudo, né? – Amanda mudou a música novamente, deixando uma versão acústica de *Love is Easy*, do McFLY, tocar. Caio assobiou e cantou junto, fazendo Maya e Anna logo acompanharem.

If this is love then love is easy
(Se isso é amor, então amar é fácil)
It's the easiest thing to do
(É a coisa mais fácil de se fazer)
If this is love, then love completes me
(Se isso é amor, então amor me completa)
Cause it feels like I've been missing you
(Porque parece que eu estou sentindo sua falta)
A simple equation
(Uma equação simples)
With no complications to leave you confused
(Sem nenhuma complicação para te deixar confuso)
If this is love, love, love
(Se isso é amor, amor, amor)
Oh, it's the easiest thing to do
(Oh, é a coisa mais fácil de se fazer)

– Do, do, do do doo...

– A gente tem sempre pouco tempo – Caio disse com voz de quem estava filosofando – porque o carro pode bater e a gente simplesmente morrer agora. É uma possibilidade.

– Cadê meus cigarros terapêuticos? – Maya perguntou, fazendo as amigas rirem e o garoto não entender do que se tratava.

– Desde quando você fuma?

– Falar de morte é meio psicótico, amor – Anna continuou cantarolando a música baixinho.

– Ele totalmente pensa em todas as formas que ele vai morrer, né? – Maya perguntou.

– Desde quando você fuma?

– Só vamos bater o carro se você não parar de falar bobagens! – Amanda se apoiou no banco da frente – Ter pouco tempo pra fazer tudo que se quer não significa que a gente pode morrer a qualquer momento. Significa que a gente pode viver cem anos e, mesmo assim, ainda ter mil coisas que quer realizar!

– O Caio sempre pensa em morte e tudo mais? – Maya perguntou para Anna, que negou.

– Quando ele escreve alguma música melancólica, fica falando de como vai morrer por dias. Ele disse que provavelmente vai ter um ataque do coração e que, por isso, andar de carro com ele é super seguro. Já que, sabem, ele não vai morrer dessa forma. Então não liguem.

– Alô, eu estou do seu lado e dentro desse carro! – o garoto parou no sinal e olhou para Maya – Desde quando você fuma?

– Eu não fumo, foi uma forma de expressão.

– Você tem problemas...

– Vamos discutir como vamos morrer – Amanda disse de forma irônica – Oh, não, espera aí. Nós é que temos problemas!

– Vou largar vocês aqui em... – ele olhou a placa do lado de fora – onde a gente tá?

– O GPS mandou seguir, continua – Anna disse, clicando em alguns botões do aparelho que estava em seu colo. Amanda virou para trás, encarando o carro que os seguia. Bruno e Daniel estavam na frente e dava para ver que os três fumavam e conversavam de janela aberta. Daniel olhou para a direção dela e sorriu. Ela imitou. Sentiu um calor dentro do peito, como sempre sentia quando ele sorria para ela. O mesmo calor de quatro anos atrás e de algumas semanas, quando o viu de novo depois de tanto tempo. Será que depois de muitos anos, com quarenta ou setenta, ela seria capaz de continuar se sentindo dessa forma? No som da *playlist* de Caio, Beatles começou a tocar. Maya reclamou que era muito mela-cueca, enquanto Anna tentava convencê-la a deixar até o refrão. Amanda só escutava, sorrindo sozinha.

When I get older losing my hair
(Quando eu estiver mais velho e perdendo os cabelos)
Many years from now
(Daqui a muitos anos)
Will you still be sending me a Valentine
(Você ainda me enviará presentes de namorados)
Birthday greetings bottle of wine
(Cartões de aniversário, garrafas de vinho)

If I'd been out till quarter to three
(Se eu ficar fora até quinze para as três)
Would you lock the door
(Você trancaria a porta?)
Will you still need me, will you still feed me
(Você ainda vai precisar de mim, ainda vai me alimentar)
When I'm sixty-four
(Quando eu tiver 64 anos)
You'll be older too
(Você também estará mais velho)
And if you say the word
(E se você disser a palavra certa)
I could stay with you
(Eu poderia ficar com você)

***

A casa do tal guitarrista ficava em um condomínio de mansões que Amanda nunca tinha sonhado em entrar. Na porta, vários carros, motos e vans estacionados. Aparentemente a festa na piscina era para muita gente rica. Ao descerem na entrada de veículos e esperarem juntos, Daniel colocou o cigarro no canto da boca e deu a mão para Amanda. A garota sorriu, como se não esperasse por essa atitude. Mas, afinal, era uma festa de famosos. Não devia ter imprensa nenhuma por ali.

– A casa é de um cara chamado Arthur Panda e vocês podem não reconhecer o nome dele, mas a foto está em todas as revistas de música, inclusive na capa da *Rolling Stones* desse mês. – Caio explicou, enquanto Anna arrumava o cabelo, devolvendo o espelho à Amanda. Bruno riu, apagando o cigarro.

– Ele nem é tudo isso...

– O cara é gato! – Rafael disse, fazendo Daniel gargalhar. Maya balançou a cabeça.

– Aposto que ele está falando sobre a fama musical do cara, doce de coco.

– Tanto faz...

– Ele tem amigos muito influentes, inclusive o próprio Fred. Que deveria vir hoje, mas não sei se vai poder aparecer – Caio continuou – Tem uns rappers e produtores que andam com ele e não são brincadeira. Produziram o último álbum do Racionais MC's e foi sensacional! A namorada dele é uma escritora famosa, não lembro o nome dela.

– Caio é melhor que uma revista de fofocas! – Amanda disse, enquanto seguiam até a porta. Daniel concordou.

– Já que você é tão fã e *expert* sobre o cara, Andrade, diz aí o que a gente precisa fazer para agradar! – falou, irônico, já na porta. Caio parou um minuto para pensar.

– Elogiem a barba dele. E as tatuagens. Mas principalmente a barba. Ele sempre fala disso nas entrevistas! – contou, fazendo Maya rir e Bruno começar com as piadinhas, enquanto a porta da mansão se abria e uma figura alta, barbuda e totalmente tatuada, vestida de preto estendia os braços.

– Queridos! Agora o topo das paradas chegou à minha humilde residência! Estão habituados a São Paulo? Eu estou odiando essa cidade. A poluição é horrível! – ele sorriu, parecendo extremamente simpático. Bruno, logo à frente com Maya ao lado, ficou meio sem saber o que fazer.

– Bela... barba. – disse, fazendo Daniel e Amanda engolirem o riso e o tal Arthur Panda puxar Bruno para um abraço.

***

– Eu já contei sete NxZero na festa, acho que estou começando a ficar meio doida com a quantidade de fumaça desse lugar – Amanda cochichou no ouvido de Anna, enquanto iam ao banheiro algumas horas depois. A amiga riu, procurando Caio com o olhar e se perdendo na decoração naturalista e meio *folk* que a casa tinha.

Maya estava sentada na borda da piscina com Bruno e outro rapaz, que também pertencia à tal banda DeLorean. Conversavam sobre lugares legais no mundo para viajar e, de vez em quando, ouviam uma mulher se aproximar e contar como tinha sido incrível sua viagem ao Camboja e como eles deveriam conhecer o Vietnã. Maya tinha certeza que ela estava chapada e Bruno só conseguia olhar para o decote da blusa dela. De Camboja e Vietnã ele não queria nem saber.

Daniel e Rafael estavam sentados debaixo de uma tenda, estrategicamente ao lado da piscina, e passavam um baseado. Junto com eles, o vocalista da banda DeLorean contava algumas vantagens de shows.

– A gente tocou no Royal Albert Hall, em Londres, há dois anos e foi o melhor show que aquele lugar já viu – ele dizia virando metade de uma garrafa de cerveja. O cara tinha uma barriga avantajada e usava uma camiseta do Imagine Dragons. Mas parecia ter a idade deles, talvez um pouco mais velho. Rafael e Daniel apenas concordavam, tendo certeza de que ele era meio louco e totalmente pirado, mas escutavam tudo com a maior educação. E porque o baseado continuava sendo passado de mão em mão, claro.

– Acho que o melhor show da minha vida foi no Rock in Rio que tocou o Metallica! Sabe? Aquele que a gente foi quando o DeLorean ainda era super *hipster*? – outro rapaz disse, ao lado de Rafael. O garoto concordou com ele, até perceber que estava se dirigindo ao vocalista da banda e não ao baixista da Scotty. Disfarçou como pôde.

– Quero estar vivo pra ver o melhor show da minha vida – Daniel disse, puxando a fumaça e sorrindo –, o Bruce Springsteen ao vivo na Inglaterra.

– Então é melhor parar com essa maconha aí – o tal vocalista disse, fazendo algumas pessoas rirem.

– O melhor show da minha vida foi do Rouge – Rafael falou, arrancando risadas da galera. Um começou até a chorar de tanto que não conseguia parar de rir. Daniel achava que era alguém da Fresno, mas não tinha certeza.

– Você é engraçado, garoto! Entendo o fanatismo das menininhas pela Scotty! – uma moça, sentada de frente para eles, disse. Rafael agradeceu, sorrindo, mas não entendeu as risadas já que ele estava falando a verdade.

***

Na sala de estar da casa, Caio discutia com um pessoal sobre a cena musical e assuntos que variavam entre a entrega dos prêmios do PNM e a situação caótica que estavam vivendo por ter duas músicas de axé entre as dez mais tocadas do país. Em uma rádio jovem. Era um absurdo. Ao lado dele, Arthur Panda dedilhava um violão enquanto defendia que todo mundo tinha direito de ouvir o que quisesse, mas que os pais precisavam incentivar músicas que falassem de coisas mais construtivas, fora bundas e sexo, a seus filhos. Que não deixavam de ser construtivas de alguma forma, claro. Caio concordava, sempre, fervorosamente.

– Acho só que, com essa massificação de música de vários estilos, as bandas iniciantes de rock ficam sem espaço na mídia. Ninguém tá preocupado se os shows em casas pequenas estão lotados e muitos jovens frequentam para se divertir. Noticiar a última música lançada de axé parece bem mais vantajoso, não importa se estão ganhando pra dizer isso ou se realmente acham maneiro – uma garota de cabelos coloridos opinou. O rapaz ao lado dela, que aparentemente era baterista de uma banda chamada Venice, concordou.

– Algumas bandas, tipo a Scotty, só tiveram sucesso e espaço porque vieram de um lugar onde já estavam famosos, certo? – ele olhou para Caio que, de repente, se tornou o centro da roda. O garoto ficou vermelho e sentia a palma das mãos suadas.

– Lá na minha cidade a gente levava os *playboys*, as patricinhas e a galera *nerd* da escola pra dançar – disse. Arthur, ao seu lado, parecia orgulhoso –, acho também que é uma questão de preconceito. Do público em geral com a gente e da gente com o público em geral.

– Faz sentido – algumas pessoas murmuraram, como se pensassem no assunto. Caio bebericou sua cerveja, sorrindo. Se sentia inteligente e parte de um movimento. Então, os famosos de verdade se sentiam assim? Era legal.

***

Perto da piscina, Amanda e Anna andavam lado a lado, falando sobre as roupas das pessoas e discutindo a mesa enorme de comida, quase toda vegetariana. Sem perceber por onde andavam, Amanda acabou esbarrando no copo de alguém sentado no chão e espalhou tudo pela grama. Se abaixou para ajudar, sentindo-se desastrada.

– Não precisa se preocupar e – ela ouviu um garoto dizer, quando deu de cara com Shimoda, da Mpire, que conhecera no camarim do show da Scotty, dias atrás. Os dois sorriram – Olha só, nos encontramos de novo!

– Mil desculpas pela sua bebida! A gente pode ir pegar outra – Amanda disse, depois de cumprimentá-lo. Anna concordou.

– Só se vocês forem dividir uma comigo! Estava procurando pessoas sensatas para conversar. Esbarrei em três caras completamente drogados e eles me perguntaram se estamos em Tóquio.

– Acho que estavam sacaneando você – Anna comentou, sorrindo. Ele negou.

– Eles estavam cantando *É o Tchan no Japão, Arigatchan*, acreditem. E não me perguntem como eu sei disso – o garoto apoiou a mão no ombro de Amanda, ao se levantar. Ela se sentiu meio incomodada, mas achou inofensivo. Os três riram e ele se apoiou um pouco mais – Vamos pegar algo pra beber?

Antes que pudessem começar a andar, Amanda sentiu um puxão no seu outro braço e Daniel aparecer entre ela e Anna. Ele vinha rápido e nervoso e, em um movimento, empurrou Shimoda espalmando as mãos no peito do garoto. Shimoda quase tropeçou em alguém sentado no chão, causando uma atenção indesejada.

– Eu disse pra ficar longe dela – Daniel falou alto, quase gritando. Amanda demorou para entender o que estava acontecendo e ficou furiosa.

– Para com isso, Daniel – disse, dando um tapa em seu ombro. O garoto pareceu não sentir nada e continuou encarando Shimoda.

– Você não escutou quando eu te falei que podia ter qualquer garota, menos ela?

– Tá maluco, cara? Estamos conversando!

Daniel sentia uma raiva incontrolável. Fosse pelo nível de cerveja, de maconha ou da mistura dos dois. Era uma raiva que não sentia havia muito tempo, desde que fora abandonado pelos seus pais quando largara a escola e se mudara para São Paulo. E não aguentava olhar para Shimoda. O garoto tinha uma expressão de bonzinho, que só o irritava ainda mais. Por que estava fazendo isso? Por que Amanda tinha que se meter com ele? Logo com ele! Sem esperar resposta do garoto, esticou o braço e acertou sua cabeça. Shimoda pareceu confuso, sem entender o motivo de toda a briga. Mas Daniel queria brigar. Queria bater, chutar e fazer alguém sair bem machucado.

Amanda saiu de perto e correu para a sala, procurando por Caio ou Bruno. Viu que a briga na piscina já estava atraindo a atenção de Arthur, que corria em direção a eles. Caio vinha logo atrás.

– O que houve? Quem está caindo na porrada?

– Daniel! E o garoto da Mpire! – Amanda contou, prestes a chorar quando viu a cena do lado de fora da sala. Os dois tinham se engalfinhado e Daniel dava contínuos socos e pontapés no outro. Era surreal como ele parecia diferente. Shimoda tinha cara de quem não queria reagir, mas estava ficando todo machucado e vermelho. Alguma coisa iria dar totalmente errado.

– Logo aqui, logo hoje! – Caio reclamou, chateado. Viram Bruno correr para perto da rodinha, que tinha se formado ao lado da piscina, e ajudar Arthur a separar os dois. Uma garota loira, namorada do dono da casa, chegou perto.

– É da sua banda? – perguntou. Caio concordou, sentindo vergonha, enquanto Amanda tentava se lembrar o que deveria fazer em seguida. – A galera vai postar isso na internet. Não é a primeira vez que brigas acontecem nas festas. Se eu fosse você, já ligava pro seu agente – e saiu de perto. Amanda sentiu os olhos cheios de água e foi até onde Daniel estava, vendo Caio puxar o celular.

O dono da casa segurava Shimoda, enquanto Bruno apertava o pescoço de Daniel. Ele estava vermelho e totalmente descabelado, com a boca sangrando em um dos cantos. A roupa, suja, estava esticada e quase rasgada. Amanda não sabia o que sentir. Não era a primeira briga que presenciava, mas esse novo Daniel parecia imprevisível e ela tinha certeza que estava fora de si. Não era realmente ele.

Esperaram os dois se acalmarem e Amanda e Bruno acompanharam Daniel até o banheiro do andar de cima da casa. Fecharam a porta e deixaram ele sentado no vaso, com as mãos no rosto. Se entreolharam.

– Se você puder esperar no corredor por um minuto – Bruno disse para a garota, respirando fundo e visivelmente irritado –, tenho que conversar com o seu namorado.

– E não pode falar comigo aqui dentro?

– Preferia não fazer isso, pequena.

Amanda concordou e saiu do banheiro, fechando a porta atrás de si. Ouviu um baque surdo e Daniel soltando um palavrão. Bruno tinha batido nele, de alguma forma, ela tinha certeza. O diálogo que se seguiu era interrompido por gritos de palavrões e xingamentos, enquanto ela sabia que Daniel tentava se defender dos tapas do amigo.

– ... VERGONHA. Não é por mim não, mas pela sua namorada que estava COM A ANNA. Ela não estava fazendo NADA demais.

– Vai enfiar a sua mão em outro lugar, idiota!

– Vou enfiar você nesse vaso pra ver se lembra de onde veio! Do que você era quando a gente começou a ser amigo!

– ... odiava quem eu era! Todo mundo! Não vem com esse papinho não!

– Se você tem baixa autoestima, procura um psicólogo – ela ouviu mais algumas palavras entrecortadas. Ficou encostada na porta, esperando caso fosse necessário intervir.

– Eu não fiz de propósito! – Daniel gritou. – Eu não sou um idiota de propósito! Eu não sei por que isso acontece!

– Eu sei! – Bruno deu outro tapa na cabeça do amigo, pelo que Amanda pôde deduzir – Porque você enche a cara e não sabe quando parar. Porque tá que nem idiota na rodinha de maconha, quando essa merda só faz você se tornar esse imbecil que vai perder a namorada. Se não for para alguém legal e sóbrio como o tal do Shimoda, vai ser pra mim! Porque vou levar ela pra longe de você!

– BRUNO! – Daniel gritou e Amanda ouviu alguns barulhos abafados.

– Tô cansado de ser seu pai! CANSADO!

– Tô me lixando pra isso, você tá querendo fazer que nem o cara que era pra ser meu pai e nunca mais me ligou!

– Talvez eu nunca mais te ligue também! Talvez eu nunca mais queira olhar na sua cara, porque você não merece! É um ótimo cantor e guitarrista, mas eu odeio quem você tá querendo ser porque é modinha. Acorda, Daniel! – Bruno esbravejou e abriu a porta do banheiro, fazendo Amanda quase cair. Olhou para a garota, sorrindo tranquilamente.

– Onde você vai? – ela perguntou, ainda assustada. Ele, parecendo normal, apontou para a escada.

– Vou fingir que vou embora – sussurrou – Ele só funciona assim. Vai se arrepender, vai ficar triste e dizer que nunca mais vai fazer isso. E ele realmente quer cumprir a promessa. Tenha paciência. Ele tá bem melhor do que antes, juro. Há quase dois anos ele desacordou um cara em uma boate e só não foi fichado porque o Fábio é bem conectado. Um dia ele fica bem.

Bruno foi embora, deixando Amanda na porta do banheiro. Ela olhou lá para dentro e viu todas as toalhas jogadas no chão. Daniel continuava sentado no vaso, com a mão no rosto. Dali, ele parecia mais magro e pálido, totalmente desnorteado e sem vida. Amanda queria entender como isso funcionava. Não eram só as drogas, eram? Ele estava meio iludido com tudo aquilo.

Ajoelhou em frente a ele e tirou suas mãos do rosto. Sua pele estava meio manchada de sangue e alguns roxos começavam a se formar. Ele mantinha a boca fechada, sem dizer nada e tampouco ela queria conversar. Puxou uma toalha, molhou na pia e começou a limpar seu rosto, aos poucos, devagar. Se lembrou de quando ele foi à sua casa, quando eram mais novos, depois de brigar com o amigo de Albert. A situação era parecida, mas ele parecia bem mais feliz por algo que tinha realizado. Agora estava desolado.

A cada vez que ela voltava da pia e ajeitava o namorado, via que os olhos dele pareciam mais brilhantes. Aos poucos, ele sorriu. Ela retribuiu, sem saber que papel deveria ter. Se o abraçava, como queria, se começava a chorar, se continuava a bronca de Bruno, ou simplesmente se ficava em silêncio. Decidiu pela última opção, esperando aos poucos que a adrenalina fosse embora e ela pudesse pensar em algo para falar.

Mais tarde, no meio da madrugada, quando estavam no carro indo embora, Daniel agradeceu a eles. Bruno e Maya estavam nos bancos da frente, enquanto Amanda e o namorado seguiam atrás, um de cada lado, olhando para a janela. Daniel pediu desculpas com a voz rouca e agradeceu. Bruno apenas bufou, enquanto Amanda esticou a mão e apertou a perna de Daniel. Maya puxou o celular, digitando algo fervorosamente.

– Isso tudo me deu uma ideia para um livro. Prepare-se, Daniel. Se a Amanda vai ser descrita como uma adolescente insuportável, eu desafio o seu personagem a ter alguma fã depois desse acontecimento – alertou, fazendo os três amigos rirem e começarem a dar várias ideias sobre como eles gostariam de ser registrados.

vinte e um

Na terça-feira, já era como se nada daquilo tivesse acontecido. Talvez só Caio ainda se remoesse da vergonha que tinha passado em frente ao seu ídolo. Na verdade ele estava bem bravo e jogava indiretas de tempos em tempos, mas todo mundo ignorava. Graças aos contatos de Fábio, nada foi parar na internet e o garoto da Mpire seria hospitalizado com "virose", para ficar longe do público por alguns dias. Ele também conseguiu persuadir o músico a não prestar queixa, informando que ficaria ruim para a imagem das duas bandas. Fãs irritados podem causar baixa nas vendas.

Já Daniel não tinha esse problema de imagem. Era comum que aparecesse em fotos com a cara amassada, vermelha e com roxos. Os fãs simplesmente não se preocupavam mais e normalmente já especulavam que ele entrava em brigas. Fazia parte da alma de rebelde dele, e os fãs adoravam isso. Mais motivos para fofocas e trocas de acusações em fóruns e *fansites*.

Era quase meio-dia e Amanda estava sentada no sofá, conversando com Kevin pelo celular. Ele estava de volta a Alta Granada. Amanda zapeava os canais da televisão, olhando vez ou outra para as escadas, esperando que Daniel ficasse pronto. Iriam para a casa de Caio, que tinha pedido comida chinesa como normalmente fazia uma ou duas vezes ao mês. Maya tinha saído para o shopping, enquanto Rafael estava dormindo por causa da ressaca da noite anterior. Os meninos tinham ficado até tarde ensaiando e bebendo. Amanda não sabia como o fígado deles ainda funcionava!

– Estou marcando com o Fred de irmos lá antes da prenha dar a luz. Você sabe. Temos que dar opções de nomes pro bebê, antes que se chame Marty McFly ou Freddy Krueger. – Kevin comentou. Amanda riu.

– Se o filho do Fred chamar Freddy, vai ser extremamente brega.

– Diga isso a ele! Já entramos em brigas seríssimas por conta disso – Kevin contava do outro lado. Amanda não conseguia imaginar alguém menos indicado para nomes de bebês do que Kevin, de qualquer forma. O sonho dele era ter uma filha chamada Britney Spears ou um garoto Nick Carter. Nomes de famosos eram, tipo, a primeira opção. E ninguém queria crescer com o carma de seus pais terem sido apaixonados por Backstreet Boys durante a adolescência!

– Por falar nisso, Maya está escrevendo um livro. Acho que vai fazer disso uma carreira.

– Isso é sério? – o amigo perguntou – Ela postou na internet, mas eu não acreditei. Maya tem a sensibilidade de um elefante, você sabe. Como vai escrever um livro?

– Ela está desde domingo grudada no laptop e diz que terminou o quinto capítulo. E que a minha personagem vai fazer jus à minha vida. Ou seja, estou morrendo de medo do que ela está fazendo comigo!

– Espero que me transforme na diva daquele colégio! Vou desligar e conversar com ela sobre meu futuro. Te ligo mais tarde, mocreia – e Kevin desligou sem esperar resposta. Amanda deu de ombros, jogando a cabeça para trás no sofá. Mirou, entediada, a bota que estava usando e se preparou para gritar por Daniel. Mas não foi preciso, porque ele estava descendo de forma barulhenta.

O garoto sempre tinha aquele jeito de que nunca penteava o cabelo, o que era uma total mentira. E Amanda amava isso. Ele usava uma camisa quadriculada, abotoada quase até o último botão. Sorriu quando olhou para a namorada, puxando um maço de cigarros.

– Quer passar rapidamente em algum lugar para comer algo antes de ir pro Caio?

– O objetivo não é ir pro Caio comer alguma coisa? – Amanda sorriu, abraçando Daniel e vendo ele pegar a chave do carro. O garoto riu, checando se sua carteira estava no bolso.

– Você nunca comeu comida chinesa na casa dele, certo? – Amanda negou. – A minha dica é que o yakisoba não tem tanta carne e todo o resto que ele pede é intragável. Não tem como comer! Cada dia ele pede algo que nunca provou e sempre chegam sopas esquisitas. É tipo roleta russa. Todo mundo passa em algum lugar pra comer antes. Até a Anna, acredite. Eu, se fosse você, ligava para a Maya.

– E o Caio sabe disso?

– Claro que não. Imagina o drama que ele faria?

***

Maya estava sentada em um café, no shopping. Verificava alguns emails e bebericava sua xícara, pensando sobre o que estava prestes a fazer. Iria mesmo escrever um livro? Valeria a pena ou seria coisa de criança? Se seus pais soubessem que largou a faculdade por isso, seria abandonada. Literalmente, expulsa da família. Onde já se viu? Eles queriam uma engenheira e não uma escritora. Queriam alguém que pudessem se gabar em rodas de amigos. Alguém ganhava dinheiro hoje em dia escrevendo? Eram tantas perguntas e dúvidas na cabeça. O que fazer, por onde começar? Sabia que queria contar a história dos seus amigos. Queria dizer para o mundo como eles eram legais e como tinham vivido sua adolescência em uma cidade pequena, sem quase nenhuma diversão – mas que se divertiam da mesma forma. As pessoas iriam se interessar por isso? Seria legal saber que Rafael tinha um camaleão quando pequeno, que Caio era super *nerd* (mais do que você pensa), que Bruno tinha sido abandonado pela família e Daniel era um cafajeste charmoso?

Será que alguém queria ler sobre isso?

***

– Parece que um canal do YouTube quer gravar um documentário sobre a gente, seguindo a banda por um dia – Caio anunciou, enquanto tirava o avental, com a temática sanguinária do seriado Dexter, e servia uma sopa vermelha para os amigos. Amanda olhou para Daniel, que piscou satisfeito por terem passado no Subway antes. A garota sorriu.

– Isso tem pimenta? – Rafael perguntou e Caio concordou.

– Esse canal é famoso? – Bruno fez careta quando cheirou a sopa. – Caraca, cara, que droga é essa?

– Não sei falar chinês, mas estava no menu.

– Nem o dono do restaurante sabe como chama – Anna disse, fazendo todos rirem. Caio colocou a língua para fora, ofendido. – Mas deve estar uma delícia, amor, claro!

– Meu colesterol vai me matar depois disso, não é? – Maya perguntou. Amanda concordou, vendo Caio negar fervorosamente.

– Aproveitem o gosto de algo novo! Testem o paladar de vocês!

– Minhas papilas gustativas foram mortas com o cheiro disso – Daniel resmungou. Os amigos pararam de reclamar e se entreolharam, um pouco espantados. Amanda queria rir. Tinha explicado poucos minutos atrás o que eram papilas gustativas para o namorado e ele já estava se gabando aos outros.

– Desde quando você sabe como isso se chama? – Rafael perguntou.

– Papilas fungiformes, filiformes ou foliáceas? – Caio sentou ao lado de Anna na mesinha de centro da sala. Daniel torceu o nariz.

– Qualquer uma delas.

– Tem que escolher uma – Bruno disse. O amigo pareceu confuso e não estava entendendo que era provocação.

– Como chamam mesmo?

– Papilas fungiformes, filiformes ou foliáceas – Caio repetiu. Daniel pareceu pensativo.

– Filiformes?

– E onde elas ficam? – Bruno perguntou. O garoto deu de ombros.

– Sei lá, na Filadélfia?

Maya cuspiu sua sopa, atingindo a camiseta de Amanda. As duas começaram a rir, enquanto Anna tentava se conter, pois sua cabeça começava a doer. Rafael explodiu em gargalhadas, pegando o celular e postando algo na internet. Bruno, que estava ao lado de Daniel e Amanda, abraçou o amigo.

– Eu entendo por que você bebe, cara. Ser burro deve ser difícil!

– Engraçadinho – Daniel colocou a língua para fora, empurrando uma colher da sopa para a garganta. Se arrependeu segundos depois, quando sentiu tudo ser queimado pelo gosto mais estranho e apimentado que já tinha sentido na vida. Era horrível. Minutos foram gastos na cozinha, procurando leite e ouvindo explicações de Caio sobre como iogurte e derivados eram a melhor opção, já que quebravam a ardência e poderiam ser ingeridos durante o almoço, juntamente com a sopa. Bruno decidiu, então, ligar para a pizzaria.

***

Durante a tarde, teriam um encontro em uma rádio da cidade. Era um dos primeiros eventos antes do Prêmio da Música Nacional e, mesmo explodindo por conta da pimenta, tiveram que tomar banho e entrar na van. Amanda e Maya seguiram os quatro, com mais uma senhora, que trabalhava no marketing da gravadora, fora Fábio. Não era normal levar namoradas e amigos aos eventos, mas, como a maquiadora e outras pessoas da equipe não iriam, acharam que não tinha problema. As fãs não sabiam quem elas eram mesmo. Certo?

A van estava silenciosa, porque cada um passou boa parte do tempo entretido com seus celulares e tablets. Amanda e Daniel dividiam o fone de ouvido, conferindo alguns álbuns clássicos que ele tinha no aparelho. Maya digitava furiosamente em algum programa que a obrigava a escrever um certo número de palavras por dia, enquanto Bruno jogava *Candy Crush* ou qualquer outro jogo da moda.

– Tem algum remédio pra dor de cabeça aí? – Rafael se apoiou no banco da frente para falar com Caio.

– Acho que sim – o amigo mexeu na mochila. Entregou um comprimido para Rafael. – Anna costuma usar esses quando passa mal. Tá tudo bem?

– Meio enjoado. Acho que bebi muito ontem.

– Você anda bebendo pra caramba, Rafa. Está tudo bem?

– Claro, cara – o garoto riu alto, fazendo os outros se mexerem em seus lugares. Fez careta e sussurrou para Caio. – Estou me divertindo, só. Nenhum problema psicológico, juro por Deus.

– Sabe que é parte da minha família e pode falar comigo, né?

– Vai me fazer chorar na van? Isso é baixo, até pra você!

– Cale a boca – os dois riram. Caio viu o amigo tomando o remédio, em silêncio.

– A Anna foi trabalhar? – Rafael perguntou e o amigo concordou. – Ela precisa me apresentar aquelas amigas modelos gostosas...

– Fica quieto, Rafael. Preciso me concentrar – Maya reclamou ao seu lado. O garoto deu de ombros, vendo Caio sorrir, e voltou à posição normal no banco. Estava entediado e inquieto, seu corpo precisava de algo para relaxar. Um calmante seria ideal, mas suas pílulas tinham ficado em casa.

A van parou em frente ao prédio da rádio vinte minutos depois. O grito de vários fãs reverberava e graças aos vidros escuros, eles não podiam ver que a metade deles estava dormindo babando e a outra metade beijando a namorada, ou cheirando as axilas. Se ajeitaram um pouco antes do produtor sair do carro, dar a volta e chamar os seguranças do lugar. Momentos depois, saíam em fila indiana. Primeiro Bruno, depois Caio, Daniel e Rafael logo atrás. Maya e Amanda seguiriam a moça do marketing, por último.

As fãs estavam realmente desesperadas. Não eram em tão grande número assim, pelo menos umas cinquenta estavam de plantão lá na frente. Mas os gritos eram tão altos que pareciam milhões. Caio saiu com o fone de ouvido plugado, ouvindo McFLY. Por isso o barulho não o incomodou. Rafael parou ao lado de duas garotas para tirar fotos e levou uma bronca dos seguranças, que tentavam salvá-lo dos puxões. Daniel estava preocupado com Amanda. Andava de cabeça baixa e olhava para trás o tempo todo. Mas ela estava segura, certo?

Chegaram no hall de entrada do edifício, onde a barulheira parecia diminuir por causa da parede de vidro. Daniel apoiou no ombro de Bruno para olhar a van e ver que Amanda seguia Maya pelo resto de espaço que sobrara até o prédio, quando algo inesperado aconteceu.

Em poucos segundos tudo parecia um caos. Num momento Amanda estava de cabeça baixa, discreta, atrás da sua amiga. Em outro, tinha sido puxada pelo braço e estava, agora, coberta de ovos. Pelo menos quatro fãs atiravam, com casca e tudo, em sua cabeça e pernas. Foi tão rápido que Amanda nem conseguiu se proteger o suficiente. Maya demorou para entender o que tinha acontecido e, até os seguranças saírem do prédio, o tumulto já estava acontecendo. Amanda ainda levou um puxão de cabelo e Maya teve que bater em uma menina para que ela soltasse o braço da amiga. Por que estavam fazendo isso? Quem tinha dado o direito de a agredirem dessa forma?

***

– Todas as namoradas de famosos passam por isso? – Maya gritou no banheiro, alguns minutos depois. Foram tiradas do meio das fãs e levadas para dentro, sob o olhar preocupado de Daniel, Bruno, Caio e Rafael. Fábio não pareceu tão chocado.

– Eu não sei – Amanda repetia, sentada no chão, coberta de toalhas com o logo da rádio e tentando se limpar na pia. O cabelo estava nojento, coberto de cascas e com um cheiro forte de ovo podre.

– Vou voltar lá e caçar as bruacas que fizeram isso! Caio não deixou, mas o Bruno concordou comigo que elas precisavam apanhar para aprender! Quem faz esse tipo de coisa?

– Fãs que odeiam as namoradas dos ídolos, talvez?

– Sou fã de muita banda e nunca faria nada parecido!

– Você é sensata – Amanda sorriu, vendo Maya dar o dedo. A amiga estava realmente furiosa.

– Um absurdo. Estou indignada. Como você pode achar isso normal? Não está triste?

– Estou! Muito! – Amanda disse, sentindo vontade de chorar. – Eu não pedi por isso. Só queria ficar com o cara que eu amo, não receber esse ódio gratuito. Eu nem estava perto dele, nada disso. Se ainda esnobasse, sabe...

– Isso é falta de educação. Não importa se são fãs ou não. É gente mal-educada.

– Tanto faz. Preciso passar num pronto-socorro quando sairmos daqui. Acho que torceram meu braço e eu nem sinto mais meu couro cabeludo – Amanda se levantou, prendendo o cabelo, ainda melado, em um coque. Olhou para o espelho e lavou o rosto. – Você escolheu essa vida, Mandy. Agora aguenta! – disse para si mesma. Maya balançou a cabeça.

– Vou chamar um táxi e a gente vai logo pro hospital. E isso vai pro meu livro. Quem sabe alguma fã sem miolos se toca do que está fazendo? Não chora, amiga. Juro que não conto como seu cabelo ficou horrível e como você está fedendo no momento. Vamos, deve ter alguma saída de emergência.

vinte e dois

– Eu NUNCA mais vou em rádio nenhuma! – Amanda dizia andando pela casa de Daniel, com uma pilha de roupas nos braços. O garoto, apenas de calça jeans e uma garrafa de refrigerante nas mãos, ria e insistia que ela deveria esquecer tudo que aconteceu. – Daniel! Foi antes de ontem! Eu ainda sinto meu braço doendo e perdi metade do cabelo do lado esquerdo da minha cabeça. Eu mereço descanso!

– Como eu vou tocar direito sem você por perto? É ao vivo! Você tem que ir!

– Por quatro anos você tocou direito sem que eu estivesse perto – Amanda sorriu, debochada.

– Mas hoje eu não vou conseguir – ele se aproximou dela, a abraçando por trás. A garota sentiu seus braços quentes e o perfume do banho recém-tomado. Era irresistível. Queria dizer para ele desistir da rádio e passar o dia com ela na cama, mas sabia que os dois tinham coisas a fazer. São Paulo era uma nova vida, mas não férias.

– Definitivamente não. A Maya deve ir. Está coletando informações pro livro dela. Eu fico e vou ligar para algumas empresas que responderam meus e-mails!

– Hm – Daniel fez um barulho estranho com a boca, bebendo alguns goles do refrigerante. – Empresas de quê?

– Jornalismo. Algumas editoras e revistas. Estou tentando algo na área.

– Posso dar fofocas sobre alguns artistas, se precisar – ele comentou. Amanda riu, beijando o namorado e agradecendo.

– Espero conseguir algo maior que fofoca! Mas, se nada der certo, eu te procuro!

– Anota aí a primeira notícia. Daniel Marques, da banda Scotty, tem ataque do coração em sua residência, numa quinta-feira, depois de ver a mulher mais linda do mundo colocando roupa pra lavar!

***

Os quatro saíram do elevador e entraram em um corredor vazio e silencioso, gelado por conta do ar condicionado. Bruno apertou o casaco de moletom no corpo, enquanto Caio tirou a touca do bolso e enfiou nos cabelos. Estavam sozinhos dessa vez, sem Fábio, produtora ou amigos. Maya não tinha atendido o telefone e resolveram ir sem ela. Rafael saiu na frente, abrindo portas e olhando por algumas janelas de vidro. Em uma delas, uma equipe enorme digitava e pesquisava em computadores de última geração. Na outra, aparentemente vazia, estava uma mesa redonda grande com várias cadeiras. No fim do corredor tinha, enfim, uma porta preta com uma plaquinha em cima escrito "no ar". Eles visitavam bastante rádios para saber que o fato dela estar vermelha avisava que estavam gravando algo ao vivo e que não podiam ser interrompidos. Resolveram, então, aguardar.

Daniel tirou o celular do bolso e fotografou as botas que calçava. Tinha ganhado de um patrocinador e, por isso, precisava postar na internet e convencer alguns fãs a irem às lojas pedir pelo modelo. Quanto mais os fãs faziam isso, mais dinheiro ele ganhava. Era bem legal.

– Se perguntarem sobre o novo álbum, o que a gente diz? – Bruno encostou na parede, olhando para Caio. O garoto deu de ombros.

– A verdade. Nada de novo álbum ainda, estamos trabalhando na divulgação do último.

– E sobre o Prêmio da Música? – Rafael perguntou, nervoso.

– A verdade. Que a gente não sabe de nada, fora que temos que ir e que vamos tocar uma música ao vivo. Eu nem sei onde vai ser, vocês viram o convite? – Caio puxou o celular, procurando em seu e-mail.

– Fábio disse que no dia anterior tem a passagem de som, fica tranquilo – Bruno se virou para a porta mais próxima e ficou ajeitando o cabelo no reflexo do vidro da janela.

O telefone de Daniel tocou e ele fez uma careta. Bruno olhou para o amigo discretamente e o viu desligando o som e colocando o celular de volta no bolso. Era alguém que ele não queria atender. Seria Amanda?

– Seu celular está tocando – disse.

– Eu sei, não sou surdo.

– Não vai atender?

– Se quisesse, teria atendido.

– Precisa ser educado assim? – Bruno franziu a testa, percebendo que Caio estava de olho neles. Daniel respirou fundo e rolou os olhos.

– É porque não te interessa. Você não conhece.

– Não é a Amanda?

– Por que eu não atenderia minha namorada? Claro que não é ela – Daniel sacudiu a cabeça e puxou o celular de novo, vendo que a pessoa tinha deixado um recado de voz. – Ai, que droga. Quem deixa mensagem de voz hoje em dia? Caio, como deleta isso sem ouvir?

– Eu não vou me meter nas suas porcarias, Daniel – Caio respondeu, ajudando Rafael a ajeitar o colarinho da camisa social. Daniel parecia bravo.

– Não tem porcaria nenhuma. Tão achando que é uma garota?

– Não é óbvio? – Bruno riu, irônico.

– Quem dera – Daniel mostrou o visor para o amigo. Bruno fez uma careta vendo o nome da mãe do amigo como última ligação não atendida.

– Você não quer falar com ela?

– Até tinha esquecido que ela existia – Daniel entregou o celular a Caio, que prontamente o ajudou a deletar a mensagem sem ouvir.

– E se for algo importante? – Bruno perguntou. Viram o sinal luminoso na porta apagar. Era hora de entrar no estúdio da rádio.

– Eu não quero saber de nada que aconteça com eles – Daniel seguiu os amigos pelo corredor. – Eles não me merecem.

– Eu entendo você, sabe disso – Bruno deixou que ele passasse na frente, vendo Caio e Rafael cumprimentando os DJs e o pessoal que estava na sala – Mas se minha mãe me ligasse, eu nunca deixaria de atender. Felizmente ela só me manda e-mails. De fotos. E spams de gatinhos e budismo.

– E-mails são mais fáceis de deletar – Daniel riu, tentando deixar os problemas lá fora. Ali dentro eram a Scotty e tudo que interessava era a música. O resto podia ficar para depois.

***

Daniel tinha uma relação ruim com seus pais e isso, obviamente, afetava a sua vida profissional e pessoal. Ele não queria admitir, muito menos fazer qualquer tratamento para se ajudar, pois não queria demonstrar fraqueza. Não queria sentir falta de quem nunca apoiara seus sonhos, como a família deveria fazer. Não era justo com ele. Daniel não tinha sido o melhor filho do mundo, mas de longe fora o pior. Seus pais priorizavam o trabalho e raramente prestavam atenção ao o que ele precisava e sentia. Quando pediu uma bicicleta de natal aos sete anos, ganhara uma bola de futebol. No seu décimo primeiro aniversário, queria desesperadamente uma guitarra, mas apenas recebeu roupas. Sua avó, dois anos depois, comprara sua primeira Gibson. A velha podia ter sido meio pirada, mas era apaixonada pelo único neto.

Não era fácil esquecer da infância solitária, mudando de cidades inúmeras vezes por conta do emprego do pai. Criar laços e fazer amizades duradouras era impossível. Na adolescência, ele se sentiu em casa pela primeira vez ao chegar em Alta Granada e conhecer Bruno, Caio e Rafael. Passara dias e dias na casa do amigo baterista sem ter a mínima vontade de voltar para a sua própria. Sabia que os pais estariam discutindo ou ocupados demais e, pelo menos na casa de Bruno, ele podia ter sua liberdade. A situação do amigo era bem pior, ele admitia, mas Bruno era mais maduro e, de alguma forma, se acostumara à família que tinha e não os julgava. Enquanto Daniel insistia em chamar a atenção de seus pais e esperar uma resposta deles.

Isso não aconteceu.

Quando Daniel assinou o contrato com a gravadora e precisou se mudar para São Paulo, foi a briga do século. Morar com a avó depois de voltar do Canadá já não tinha sido fácil. Daniel não entendia como eles poderiam não se importar com o que sentia, mas precisavam controlá-lo. No fundo, eles deveriam ter suas razões e provavelmente estavam certos em suas visões do mundo, mas o garoto se sentia injustiçado. Ele só queria morar com quem o fazia feliz, e seus pais não eram essas pessoas.

Tudo bem que largar o colégio no final do terceiro ano tinha sido uma escolha ruim, mas ele não poderia desperdiçar a chance da sua vida de ser uma estrela do rock. Quantos desejavam o mesmo e não conseguiam? Recusar a proposta para a fama da Scotty era surreal. Então, Daniel decidira não falar mais com seus pais depois de ouvir que não tinha talento e que quebraria a cara quando a gravadora percebesse. Sua mãe ainda enfatizara que filho dela não seria vagabundo e que seria melhor desistir antes de dar tudo errado e ele precisar do dinheiro deles para sobreviver. Ele prometeu a si mesmo nunca mais pedir um tostão dos pais. E nunca precisou. Mas se sentia triste por isso.

No fundo, ele queria visitar o pai, que ficara com dificuldade na parte motora das pernas devido o acidente sofrido anos atrás. Sabia que ele havia piorado e queria poder dar suporte tanto a ele quanto à sua mãe. Mesmo evitando as ligações do Canadá, às vezes lia as mensagens antes de apagar. E sua mãe não desistia de tentar chamar a atenção para todos os problemas pelos quais passavam porque Daniel abandonara a família. Eles que haviam ido embora, desistido dele, sem nenhum apoio! Eles tinham virado as costas, vivendo longe da vergonha que o filho era.

Sua avó, sim, o acolheu e deu todo o amor que nunca recebera dos pais. Mas, agora, ela tinha ido. Daniel gostava de pensar que sua velha vivia feliz em um céu cheio de cerveja e festas. Ela fora inigualável.

Tudo isso deixava um buraco em seu peito de um tamanho que ele não sabia medir. Tentava ser forte, mas, na verdade, não conseguia compreender por que não era o suficiente para seus pais. Por que, apesar de ter conseguido realizar seu sonho e ser bom no seu trabalho, eles nunca tinham admitido isso. Se sentir assim era normal?

Ele realmente não seria capaz de perdoar o passado, por tudo que sentia no presente. Mas queria muito seguir em frente.

***

– Ô, mané, acorda! – Caio chamou Daniel, dando um tapa em seu ombro. O garoto piscou os olhos, despertando de seus pensamentos, e reparou na mesa redonda de madeira com vários microfones e papéis espalhados em cima.

De um lado, um DJ famoso que tinha o programa mais escutado do momento. Do outro, a DJ convidada do dia, que era fã da Scotty e tinha requisitado-os ao vivo. Dois violões estavam fora das capas e Caio e Daniel logo se puseram a afiná-los. Bruno sentou perto da garota, cumprimentou-a e pediu seu telefone. Rafael apenas se sentou, em silêncio, sentindo suas mãos tremerem. Ultimamente ele se sentia inquieto e não sabia muito o que fazer nessas horas. Quase todo mundo esquecia o quanto o baixo era importante nas músicas.

Após as apresentações, o DJ disse que começaria o programa assim que a próxima música acabasse. Era alguma do Coldplay, mas Daniel não sabia bem qual. Para ele, todas eram bem parecidas. Cruzou as pernas calmamente, colocando o fone de ouvido requisitado e ainda afinando as cordas do violão. Não era como o seu, um Eagle Folk maravilhoso e avermelhado, mas dava para o gasto. Viu Caio fazer careta com o que tinha recebido e sorriu, sabendo que ele iria reclamar depois.

Quando a luz da placa "no ar" acendeu, eles sabiam que estavam ao vivo. Bruno ainda deu uma tossidinha, brincando, porque normalmente não falava nada nessas entrevistas em grupo. Os amigos riram, deixando os DJs sem entender. Mas continuaram o programa, respondendo uma rodada de perguntas.

"Como surgiu a ideia de montar um grupo?"

"Qual foi a inspiração para escrever *A menina*, single da banda?"

"Como foi abandonar a escola para se dedicar à música? Vocês recomendam isso a todos que tem os mesmos sonhos?"

– De jeito nenhum! – Caio disse prontamente. Essa, Bruno até tinha tido vontade de responder, mas sabia que Caio era politicamente correto e faria isso muito bem. – A gente precisou largar a escola porque foi uma oportunidade única. E se não estivéssemos trabalhando tanto, por tantos anos, teríamos voltado e terminado os estudos. Ainda pretendo fazer isso.

– Mas vocês não acham que estão dando mau exemplo para os fãs? – O DJ comentou. Bruno quis jogar o microfone em cima dele.

– Nós não somos perfeitos – Daniel falou, parecendo se divertir. – E nossos fãs sabem disso.

– Bom, o senhor dá mau exemplo para os nossos fãs quando coloca uma pergunta dessas em rede nacional ou quando chama um grupo jovem para a rádio no horário que a maior parte dos ouvintes e público-alvo do programa está na escola. Ou deveria. Porque sei que vários estão no banheiro com o celular ouvindo a gente ao vivo – Rafael opinou, sério, fazendo Caio arregalar os olhos e Daniel rir. – Olá, gente! Voltem pra sala de aula, isso vai estar na internet mais tarde!

– Independente disso, a Scotty está aqui hoje, alguns dias antes de tocarem ao vivo no Prêmio Nacional da Música, e vão nos mostrar o que os fazem ser o topo da cadeia musical atual no Brasil! Certo, meninos? – a DJ disse, rapidamente, sem esperar o outro parceiro responder. Ele parecia furioso com Rafael.

– Certo! Obrigado pelo convite e esperamos todo mundo no próximo domingo, torcendo por *A menina* na premiação! – Caio falou, rindo e fingindo que nada tinha acontecido. A DJ deu mais algumas informações sobre a premiação e começaram a tocar. No início, ainda meio desafinados, chocados com Rafael e tentando entrar em sintonia. Mas logo a música fluiu e, mesmo acústico, foi sensacional.

Quando eu vi você do palco
Reparei que olhava pra mim
E quanto mais você dançava
Mais gente vinha assistir
A banda toda parou,
A meninada olhou
E quanta gente pirou
Só porque você dançou
Quando eu vi você do palco
Reparei que olhava pra mim

Foi um lance de um relance
Que do nada me surpreendeu

Mas quanta gente aqui
Por que raios você me escolheu?
A banda toda parou,
A meninada virou
E quanta gente pirou
Só porque ela me olhou
Quando eu vi você do palco
Reparei que sorria pra mim

Ela chegou devagar
Segurou minha mão
Perguntou o meu nome
Me chamou atenção

Porque antes até
D'eu perguntar o seu
O meu beijo era dela
E o dela era meu

Quando eu vi você do palco
Reparei que olhava pra mim
O seu sorriso era doce
Tão doce que me fez sorrir
A banda toda parou
Meu coração disparou
Meu corpo todo gelou,
Será que você gostou?
Certo dia eu desço lá
E carrego você só pra mim

***

Amanda estava tomando banho quando ouviu o celular tocando, no quarto. Esperava ansiosa algumas ligações de empresas que tinha entrado em contato e, mesmo molhada e pingando, saiu correndo do banheiro. Atendeu, esbaforida.

– Me disseram que devido à minha pouca experiência, não poderiam me dar uma vaga efetiva na revista. Mas que eu tenho posts no blog à disposição – ela contou um pouco mais tarde a Guiga pelo Skype. A amiga pareceu animada. Seu rosto estava mais redondo e suas bochechas, coradas. Estava uma grávida linda!

– Isso é ótimo! Porque você tem por onde começar.

– Não é muito animador... – Amanda, com os cabelos molhados, sentou na frente do laptop.

– Deveria ser! Muita gente não tem nenhuma opção e nem por onde começar. Se você tem pouca experiência, mesmo o blog da revista é algo a mais no currículo. Vão te pagar?

– Vão, mas inicialmente é pouco mais de um salário mínimo.

– Você tem a casa de Daniel e o apoio dele. Começa pelo início e sobe os degraus aos poucos – Guiga sugeriu, fazendo Amanda pensar na proposta. – O blog é sobre o quê?

– Fofocas! De artistas! – Amanda confessou, fazendo a outra rir alto.

– Perfeito. Você tá dentro, tira umas fotos exclusivas do Bruno sem roupa e publica. Vai conseguir emprego na revista NA HORA – e as duas riram.

– Ai o que seria de mim sem você? Você é uma ótima confidente, vai ser uma mãe maravilhosa! – Amanda sorriu, saudosa.

– Ah tá, só se for boa mãe pra você. Quando esse guri estiver na adolescência vai nem querer me ver pintada de ouro – Guiga zombou, mas sorria mais feliz do que nunca. – Amiga, preciso ir. Estou tendo dores no estômago e meus pais vão me levar ao hospital para fazer exames de rotina. Fred deve passar lá depois, ele sempre chora quando vê o ultrassom. É tão fofo! Te mando mensagem mais tarde, tudo bem?

– Claro! Melhoras! Mande beijos pro papai babão – Amanda disse, se despedindo e desligando a videoconferência. Encarou o laptop na sua frente, o navegador aberto e a página do blog da revista logando. No dia seguinte iria até a sede da empresa para assinar o contrato. Por enquanto iria espiar o que pudesse e aproveitar todas as oportunidades. Começar por baixo era um início e ela tinha que fazer o possível para ser a melhor. Mesmo que isso significasse fofocar sobre a vida alheia. Quem não gostava disso?

vinte e três

Daniel abriu uma garrafa de cerveja e viu Amanda entrar pela cozinha. Ela tinha passado as últimas horas mexendo no blog de fofocas enquanto esperava o namorado chegar. Enviara uma mensagem para ele sobre a proposta de emprego e recebera mais suporte do que imaginava. E estava feliz de vê-lo de volta, embora ficasse um pouco decepcionada que ele fosse correndo direto para a geladeira se encher de álcool.

Na verdade, estava muito decepcionada por causa disso. Mas não queria parecer chata e resolveu não dizer nada. Às vezes os caras precisavam se tocar que faziam coisas erradas, certo? Ela não tinha que ficar ensinando como ser melhor ou como ser um namorado mais legal. Ou tinha?

– Como foi isso do Rafael? – ela seguiu Daniel, perguntando sobre o que ele tinha dito assim que entrara em casa. O garoto pareceu divertido, beijou a namorada nos lábios e sorriu.

– Ele de repente virou o Bruno e pirou. Ao vivo!

– E o que vocês fizeram? Eu não ouvi, estava entretida...

– Nada, o que a gente iria fazer? Ele deu um fora fenomenal porque o DJ tinha sido um babaca. Foi com razão. Mas ninguém esperava e o Caio só faltou enfartar. Não abriu a boca na van durante a volta. Deve estar batendo em algum ursinho de pelúcia em casa para descarregar a raiva – Daniel bebeu mais da sua cerveja, sob o olhar atento de Amanda. Queria que ela tivesse ouvido a rádio ao vivo, significaria bastante. Como explicar isso a ela?

A garota riu e comentou estar impressionada, porque Rafael não costumava ser assim, e Daniel apenas concordou. Passou a mão livre em seu rosto e em seu cabelo e beijou de leve seu pescoço. Amanda sentiu o corpo enrijecer e os pelos arrepiarem. Iniciaram um beijo tímido e tranquilo e, aos poucos, foram transformando em algo mais sensual e desesperado. Daniel largou a cerveja na mesinha da sala, enquanto andavam para o sofá, ainda abraçados e tirando partes da roupa. Estava ficando mais quente. Amanda deitou-se em cima de Daniel, que segurou seu rosto de forma firme e fitou em seus olhos. Ela era linda. Ainda a mesma garota que conhecera há tanto tempo. E, como naquela época, uma das poucas pessoas que ainda tinha na vida.

– Te amo, fofa.

– Te amo, seu idiota – ela riu, sentindo o olhar profundo dele no dela. Na sua cabeça, cantou *All my Loving* dos Beatles, a música que eles tanto ouviam quando mais novos e que dançaram, certa vez, debaixo do céu estrelado. Ela se lembrava de tudo. De como mesmo ali, na meia luz da sua casa ou iluminado apenas pelo farol do carro, Daniel era o cara mais bonito do mundo. Apesar de todos os problemas, ela não trocaria isso por nada.

Voltou a beijá-lo e tentar tirar, aos poucos, o cinto da calça jeans dele. O garoto respirava alto e começou a sentir os cabelos grudarem de suor na testa.

Infelizmente, foram interrompidos por Maya, que abriu a porta e acendeu a luz da sala. A garota olhou para os dois no sofá e abriu um sorriso, fazendo Amanda cair no chão e Daniel dar um berro.

– Achei que você estivesse na farra, Marques, me desculpe. Não nessa farra, se me entende. Rafael me ligou porque foi para um bar na Augusta e eu achei que estivesse com ele!

– Claramente eu não estou! – Daniel ajeitou os cabelos, se sentando. Amanda se levantou, colocando a camiseta.

– Podem continuar, não se importem comigo. Vim pegar uma lata de leite condensado e vou voltar pra casa do Caio. Ele me prometeu fazer brigadeiro e assistir *De volta para o futuro* até a Anna chegar da sessão de fotos. Não é estranho pensar nela fotografando de biquíni? A gente mal pega sol! – Maya caminhou para a cozinha.

Amanda, de pé, olhou para Daniel, sentado no sofá, desnorteado. Os dois se olharam e, de repente, começaram a rir. Pequenas risadas que se transformaram em gargalhadas e, minutos depois, estavam seguindo Maya pela rua, com casacos e gorros, indo em direção a uma noite repleta de comida e Marty McFly.

***

Bruno desceu do táxi e acendeu um cigarro. Olhou para o endereço enviado por mensagem pela DJ da rádio e viu que estava mesmo em um hotel nada discreto, na zona oeste da cidade. Mais cedo tinha pego seu telefone e combinado de se encontrarem à noite. Bruno conseguia todas as fãs da Scotty que ele queria, embora gostasse das mais velhas. A DJ, toda tatuada e com um pedaço da cabeça raspada, não era exatamente o seu tipo. Mas era bonita e tinha dado mole. E, bom, deveria ter um *piercing* no mamilo e ele sempre quis ver algo assim.

Apagou o cigarro e entrou pela grande escadaria, iluminada demais para o seu gosto. Olhou para os lados e viu que algumas pessoas passavam por ali, embora ninguém parecesse notá-lo. Na recepção, deu o número do quarto e, com as mãos nos bolsos, subiu pelo elevador. Não ficava mais nervoso com isso, porque era como uma dança. Não que soubesse dançar, mas sabia bem como eram os passos nesse caso. Iria subir e a garota abriria a porta sorrindo. Talvez usasse a mesma roupa, talvez estivesse de sutiã e calcinha. Ela iria convidá-lo para entrar, ele sentaria na cama e a garota ofereceria alguma bebida, caso não fosse atirada e se jogasse logo em cima. Os dois tirariam as roupas, fariam sexo e, logo depois, Bruno iria levantar e fumar um cigarro na varanda, enquanto ela tomaria banho. Se ele estivesse com vontade, dormiria um pouco nessa hora. Mas normalmente colocava sua roupa, terminava sua bebida e se despedia, saindo pela porta para nunca mais ver a garota novamente.

E tudo parecia correr como ele estava esperando. Ela estava de toalha (algo a acrescentar na sua lista) e logo o encostou na parede. Nem oi ela deu. Bruno não lembrava o seu nome, no celular tinha registrado como "DJ Rafael Escândalo". Um pouco mais de três horas depois (outra coisa a acrescentar, ele tinha mandado bem demais!), desceu novamente pelo mesmo elevador e saiu do hotel sentindo mais fome que o normal. Ligou para Rafael e descobriu que ele estava em um barzinho na Augusta. Chamou um táxi na rua e resolveu encontrar o amigo, já que a noite ainda não tinha acabado.

***

Anna chegou em casa, cansada e com os cabelos presos de forma desconfortável, e se deparou com uma cena que fez seu coração bater mais rápido. Parada na porta, olhando para a sala, teve vontade de chorar de felicidade. Momentos que às vezes vinham na memória e traziam boas lembranças e bons sentimentos. Viu Amanda, Daniel, Maya e Caio sentados no chão, em frente à televisão, assistindo *De volta para o futuro*. Caio repetia todas as falas do filme, enquanto Daniel ria e sacaneava o cabelo de todo mundo. Maya mandava os dois calarem a boca, alegando que estavam atrapalhando sua concentração e Amanda estava apenas encurvada, de forma confortável, comendo brigadeiro. Os quatro, embora adultos de vinte e poucos anos, pareciam os adolescentes de antigamente. Anna se sentiu sortuda por ainda ter aquilo na sua vida. Sentiu que todo o trabalho que tivera o dia todo, o estresse e as puxadas de cabelo, valiam a pena por chegar em casa e ter seu mundo de volta.

Amanda foi a primeira que notou a amiga na porta, sorrindo. Acenou, fazendo com que os outros olhassem para ela. Caio logo deu *pause* no filme e levantou-se, fazendo Maya reclamar e correr para o banheiro, como se estivesse se segurando até então para não perder nenhum pedacinho do filme.

– A gente começou sem você porque estávamos te esperando – Caio riu. – Se isso faz sentido.

– Faz muito sentido – a garota beijou o namorado e apertou o corpo dele por alguns segundos junto ao seu. Daniel gritou algumas ofensas de brincadeira e mandou os dois irem para o quarto, recebendo em troca um dedo do meio de Anna. – Não irrite uma garota com os cabelos presos em tranças dessa forma. Vou subir, me libertar disso e volto pra fazer *cupcakes*!

– A gente te ama! – Amanda gritou, fazendo corações com Daniel. Anna apenas riu, dando um beijo em Caio e subindo as escadas. O garoto aproveitou o filme pausado e foi até a cozinha pegar bebidas.

Daniel, um pouco hiperativo, foi até o canto da sala e pegou um dos violões de Caio que sempre ficava encostado por lá. Sentou no sofá, perto de Amanda, ajustando as cordas. Ele jogou uma mecha rebelde para o lado, fazendo a garota suspirar admirando o namorado. Mordeu a boca, pensativo, tentando lembrar a melodia de uma música que estava ouvindo bastante nos últimos dias e que achava que Amanda iria adorar.

– A banda chama Shinedown e a música *I'll Follow You*. É maravilhosa, tem uma emoção diferente, quase que desesperadora. E eu gosto disso em músicas, sabe? – ele perguntou e a garota concordou. – Colocar pra fora o que se sente e não ser julgado por isso. Mesmo que seja um grito pedindo por ajuda.

Ele dedilhou algo lento, romântico e começou meio devagar, quase tímido.

I'll follow you down, through the eye of the storm
(Eu vou seguir você através do olho do furacão)
Don't worry I'll keep you warm
(Não se preocupe, eu vou mantê-la aquecida)
I'll follow you down, while we're passing through space
(Eu vou seguir você, enquanto estamos passando pelo espaço)
I don't care if we fall from grace
(Eu não ligo que a gente caia em desgraça)
I'll follow you down...
(Eu vou seguir você)
...to where forever lies
(Para onde o "para sempre" vive)
Without a doubt I'm on your side
(Sem dúvida estou do seu lado)
There's nowhere else that I would rather be
(Não existe outro lugar que eu queira estar)
I'm not about to compromise,

(Eu não estou a ponto de comprometer)
Give you up to say goodbye
(Desistir de você e dizer adeus)
I'll guide you through the deep
(Eu vou guiá-la através do abismo)
I'll keep you close to me!
(Vou manter você perto de mim!)

Caio havia parado na porta da cozinha, sorrindo, lembrando de quando tinha ouvido Daniel cantar pela primeira vez aquela canção. Uma das vozes mais bonitas e mais sinceras que conhecia. Ele mesmo não tinha ideia do seu potencial, de tudo que sabia fazer e conquistar. De como era bom! E Daniel era tão bom que Maya ficou sentada na ponta da escada, também apenas ouvindo, e querendo colocar tudo que estava sentindo nos personagens do seu futuro livro. Daniel seria sim representado de forma irritante, imatura, meio besta, charmoso e mulherengo. Mas também levaria, sem dúvida alguma, a bandeira de que talento natural era difícil de ser encoberto. Mesmo com todo aquele álcool no sistema dele.

E que aquela música, seja lá qual fosse, parecia ter sido criada para Daniel Marques.

– É linda, Danny! – Amanda falou quando ele errou uma nota e decidiu parar. O garoto sorriu, coçando a cabeça de leve e concordando. Colocou o violão de lado, vendo Caio e Maya se aproximarem.

– Pra você ver como música é linguagem universal – Caio disse. – Mesmo não conhecendo a música, te ouvir nos deixou inspirados.

– A minha voz fenomenal é universal, você sabe – Daniel falou, pegando o refrigerante da mão do amigo e fazendo Amanda rir.

– Não pode elogiar, Caio!

– Eu nem elogiei a voz das galáxias dele! Vocês ouviram!

– Eu posso ouvir pensamentos – Daniel rebateu, dando de ombros. – Sou tipo telecinético.

Maya parou, com o controle nas mãos, e virou para trás. Encarou Daniel, ouvindo Amanda rir e Caio respirar fundo preparando um discurso.

– Você, por acaso, foi diagnosticado com algum problema na infância?

– Vai se ferrar – ele respondeu. Caio mordeu os lábios.

– Sabe bem que telecinesia é um fenômeno cientificamente inexplicável onde você movimenta um objeto com o poder da mente, certo?

– Não, mas eu sei que... "Estradas? Para onde vamos não precisamos de estradas" – Daniel citou uma fala de *De volta para o futuro*, fazendo Caio sorrir e ignorar o fato de que o amigo não queria saber de explicações científicas para nenhuma palavra errada que ele usava no dia a dia. Marty

McFly e Doc Brown eram muito mais importantes. Sentaram juntos novamente e voltaram a assistir ao filme.

***

Meia hora depois, Anna estava na cozinha com Maya e Amanda quando o telefone de Caio tocou. O toque era uma música das Spice Girls e eles deduziram que Bruno estava ligando. Animado, esperando que o amigo estivesse por perto para ajudar no preparo dos *cupcakes*, atendeu rindo e já fazendo o convite, sem esperar saber o que tinha acontecido. Quando terminou, percebeu que Bruno estava em silêncio e que tossiu um pouco antes de falar.

Algo estava errado.

– Cara... desculpa perturbar, mas preciso de ajuda. E não dá escândalo, por favor. Não preciso de sermão.

– O que houve? – Caio perguntou, preocupado, fazendo Daniel parar o filme e prestar atenção.

– Aconteceu uma merda e... não foi culpa minha, mas você sabe. Tô na delegacia e estão querendo me fichar. Rafael tá desmaiado, bêbado, no carro da polícia. Tem uma porção de fotógrafos lá fora e eles não vão deixar de publicar que eu tô aqui dentro.

– O que aconteceu? – Caio repetiu, dessa vez nervoso, já pegando um casaco e a chave do seu carro. Daniel não perguntou, mas acompanhou e chamou as meninas na cozinha.

– Eu estava no bar com o Rafa e um pessoal, daí um *paparazzo* maldito filho das trevas chegou perto e eu falei na maior que...

– Corta a conversa, seja direto.

– Eu bati no cara. E quebrei a câmera dele. E pode ser que ele meio que... esteja no hospital. Com traumatismo...

– PORRA! BRUNO, SEU FILHO DE UMA... – Caio gritou na porta de casa, assustando os outros três que estavam logo atrás. Parou, respirou e fechou os olhos. – Eu tô indo praí. Vou ligar pro Fábio – e desligou o telefone. Olhou para Daniel, Amanda, Maya e Anna e estendeu a mão, pedindo um minuto. – Encrenca com o Bruno na delegacia. Bateu num fotógrafo. Rafael tá desmaiado de bêbado com ele. Vou tentar resolver discretamente, mas isso vai parar nos jornais. Daniel, se prepare. A gente tem dois dias pro Prêmio Nacional da Música e exatamente um dia e meio pra consertar isso.

vinte e quatro

Caio, Bruno e Rafael saíram da delegacia já de manhã, com alguns fotógrafos ainda lá fora. Tiraram fotos e registraram o momento, sem problemas, enquanto os três caminhavam lentamente, de óculos escuros e encasacados, até o carro do líder da banda. O advogado, dois seguranças e Fábio iam logo atrás, parecendo bastante cansados.

– Bruno, isso foi um absurdo! Espero que você seja preso! – gritou um rapaz com uma das câmeras. Bruno estava com tanto sono e fome que resolveu ignorar e não dar confiança. E, também, claro, estava com medo de Caio. O amigo parecia sempre muito calmo, mas colocava um ponto final quando queria e resolvia todas as situações que apareciam. Por isso era sempre o primeiro número que discava, seu contato de emergência.

– Estou impressionado do Daniel não estar no meio! O que aconteceu com ele? Está doente? – outro homem gritou, fazendo Rafael rir um pouco antes de bater a porta do carro e deitar no banco de trás, voltando ao seu sono interrompido.

– Você vê que eles ainda esperam que o Daniel cometa todos os erros na banda – Caio comentou, ligando o carro, fazendo Bruno concordar balançando a cabeça.

– E o cara tá lá, fazendo *cupcake*. Será que isso vale alguma nota no jornal?

– Eu esqueci que não quero ouvir a sua voz hoje – Caio falou, ligando o som do carro em um volume alto. Bruno deu de ombros, cansado, encostando a cabeça no vidro enquanto saíam do estacionamento, ainda cercado de fotógrafos.

O caminho para casa fora silencioso, a não ser pelo último álbum do Fall Out Boy tocando. Caio deixou Bruno e Rafael em suas casas e, antes de entrar na sua própria, desligou o carro e, com apenas a música alta tocando, recostou a cabeça no banco e respirou fundo. Quando era adolescente e sonhava em ter uma banda, ainda em Alta Granada, não imaginava que esse tipo de coisa aconteceria. Sabia, claro, que nada mais seria segredo e que problemas aconteceriam. Convivia há muitos anos com seus amigos e tinha noção de que eram pessoas muito diferentes, apesar de terem muitos gostos parecidos, e que isso poderia gerar conflitos. Mas nunca, como naquela manhã, ele tinha pensado se deveria desistir de tudo.

O simples pensamento de nunca mais cantar, tocar, se apresentar em uma casa de shows, abraçar os fãs e passar horas em um estúdio de gravação, fazia sua mente entrar em um buraco muito profundo. O sentimento era mais do que de desespero, era uma dor inexplicável. Ele sabia que não poderia desistir ou simplesmente ignorar o fato de que sua vida era "tudo sobre a Scotty". Era quem ele era, sua verdadeira identidade, o Bruce Wayne do Batman e as Docas Goon dos Goonies.

Sei lá, o lago do Dawson e da Joey.

Bruno tinha cometido um erro e não era o primeiro nem seria o último. Caio só teria que aprender a lidar com isso. Entrar na delegacia tinha sido horrível, um de seus pesadelos. Nunca tinha pisado em uma, porque nunca precisara antes. Apesar de ter chegado imponente, sério e profissional, estava tremendo e rezando mentalmente. Graças à sua mãe, religiosa fervorosa, Caio era ateu. Mas rezava quando sentia que precisava ficar calmo. As rezas eram como mantras de tranquilidade em sua cabeça. Não exatamente uma defesa. E foi assim que sobreviveu à conversa de horas com homens fardados, pessoas que queriam entender porque um rapaz rico e famoso podia ser liberado e pessoas normais seriam, normalmente, presas.

– Não estou pedindo para liberá-lo – Caio disse ao delegado, com o advogado da gravadora ao seu lado. Bruno arregalou os olhos, assim como alguns policiais que estavam na sala. – Você pode fichá-lo, repreendê-lo e eu realmente agradeceria se o fizesse.

– Mas... – Bruno parecia não entender o que estava acontecendo. Fábio colocou a mão sobre o ombro de Bruno, a fim de fazê-lo se calar. O advogado concordou com a cabeça.

– Ele errou e merece pagar. É um cara normal, da sociedade. Vota, fala mal da política na internet e paga seus impostos. Como eu e você – Caio continuou, vendo que o delegado prestava atenção. Estava impressionado. – Quero que marque a audiência e que avise à família da vítima que vamos custear o tratamento que ele precisar.

Caio estava decidido que era a melhor forma de contornar tudo isso. Fazer o certo, mostrar que estavam fazendo o certo e torcer para que as pessoas não crucificassem tanto o idiota do Bruno por isso. E ele realmente merecia um choque desses. Bruno era o tipo do cara que nunca imaginava que as coisas poderiam acontecer com ele.

"Pois bem", Caio pensava ainda sentado em seu carro, com a cabeça apoiada no volante. "Iremos esperar o advogado ligar para avisar a data da audiência e essa confusão toda sairá nos jornais de hoje. Temos 24 horas para saber se o resultado será tão negativo quanto parece".

Ele era o líder da banda. Tinha que pensar fora da caixa, por todos os ângulos. Era dele a responsabilidade de unir os outros três e garantir que, seja lá o que acontecesse, eles seriam um grupo. Tudo que se faz em união, em harmonia, é melhor executado.

Será que a mídia pensava dessa forma?

***

Bruno ainda estava dormindo quando ouviu barulho no andar de baixo de sua casa. A cabeça doía e ele puxou o celular para ver que horas eram. Quase duas da tarde! Tinha apagado! Sentou, esfregou os olhos e então se lembrou do que tinha acontecido na noite anterior. Droga. Sabia que tinha feito algo errado, mas não tinha sido na pior das intenções. Estava com raiva, o cara tinha invadido sua privacidade e ele detestava aparecer como um *playboy* ou qualquer coisa que a fama fazia com que ele se parecesse. Odiava esse mundo fofoqueiro e a adoração sem sentido que as pessoas criavam em volta dele. Era só o Bruno Torres, o cara que cresceu com os amigos dentro de casa e que sentia mais falta da sua ex-namorada do que dos seus próprios pais. Era ridículo colocar alguém assim em um pedestal.

Mas tinha perdido a cabeça e Caio estava completamente certo. Teria que sofrer as consequências e aguentar tudo calado, sozinho e quieto. Talvez tivesse chamado a atenção que não queria. Era um idiota.

Ouviu de novo barulhos lá embaixo e uma risada alta, desgovernada. Se lembrou daquela risada. Levantou lentamente, colocou uma camiseta e desceu as escadas, sentindo um cheiro maravilhoso de carne e queijo. Não estava realmente entendendo aquilo tudo. Ainda estava dormindo e sonhava com cheiro de comida porque estava com fome?

A cozinha da casa estava aberta, de onde via pilhas de louça se amontoavam na pia. Ficou parado perto da porta por um minuto, até ver Maya entrar correndo, usando um moletom cinza e de trancinhas. A garota foi até o forno, desligou e olhou para Bruno.

– Me ajuda a levar isso lá pra fora, meliante!

– O que diabos está fazendo? – ele perguntou, se aproximando. Maya deu de ombros.

– Arroz. Não tá vendo? – e saiu andando pela porta que levava aos fundos, onde um pequeno espaço vazio se estendia. Não cabia mais de dez pessoas e, quando Bruno chegou lá, viu todo mundo sentado em cadeiras e bancos, em volta de uma churrasqueira pequena elétrica, que tinha vários pedaços de carne e queijo. Era dali que vinha aquele cheiro sensacional. Alguns estavam com cervejas nas mãos, rindo e conversando. Outros tentavam mexer na carne e discutiam a melhor forma de fazer o churrasco. Mas todo mundo estava junto, quase que apertado, num clima que Bruno só lembrava ter visto na época do casamento de Kevin. E, por falar nele, foi a primeira pessoa que enxergou lá no meio.

– Você tá tremendamente gato na foto do jornal, seu vândalo! – o amigo berrou, fazendo as atenções se virarem para Bruno, que ainda estava segurando a panela de arroz de forma esquisita.

Caio, Rafael e Anna estavam em volta da churrasqueira, virando a carne e tentando recolher o que estava bom o suficiente para ser comido. Daniel segurava um violão sentado ao lado de Amanda, Maya, Kevin, Fred e Guiga. Todos sorrindo, conversando alto e em um clima extremamente diferente do que Bruno pensava que fosse encontrar depois da noite que teve. Olhou para Caio e viu que o amigo piscou para ele, encorajando-o a deixar as perguntas para depois.

– Que horas vocês chegaram? – Bruno entregou a panela à Amanda, que correu para ajudá-lo. Fred e Guiga foram abraçar o amigo.

– Faz duas horas – Fred disse, parecendo um bocado mais velho e mais cansado. Ainda mantinha os cabelos compridos e loiros e usava o mesmo gorro de lã vermelha que tinha desde o colégio. Guiga estava com a barriga enorme, mas parecia da mesma forma como Bruno tinha visto há muito tempo atrás.

– Estamos tão animados para o Prêmio Nacional da Música! – a garota disse. Kevin foi até eles e tirou o jornal dobrado do bolso. Como sempre, o fã de carteirinha da Scotty. Bruno pegou o papel, desdobrou e viu que sua foto estava na capa, junto com Caio e Rafael, saindo de manhã da delegacia, ao lado do advogado e do produtor da gravadora. Estavam bem bonitos, na verdade, com cara de pessoas sérias e ricas.

Completamente bêbado, baterista da Scotty agride fotógrafo na noite anterior

Na noite da última quinta-feira, Bruno Torres, mais conhecido como o membro menos simpático da famosa banda de rock nacional Scotty, se envolveu em uma briga com um fotógrafo ao sair de um badalado bar da rua Augusta, região nobre de São Paulo. Fontes no local afirmaram que o rapaz só fazia o seu trabalho quando o músico apareceu incontrolável e deferiu golpes contra a câmera e o rosto do paparazzo. "Ele já estava bem alterado, tinha tomado várias doses de tequila com seu companheiro de banda", confessou a atendente do bar.

A equipe de comunicação da gravadora comunicou que o fato foi isolado e o baterista não estava sob efeito de álcool ou drogas ilícitas. Uma audiência para analisar o caso será agendada, e o músico se responsabilizará caso seja julgado culpado.

"Peço desculpas aos fãs, tentei proteger a minha intimidade de forma errada. Espero que isso sirva de lição para mim, pois nem as celebridades fogem à justiça. Domingo estaremos no Prêmio Nacional de Música e queremos que todos torçam conosco pelo crescimento e pela proteção da música brasileira e dos seus artistas favoritos", declarou Bruno ao sair da delegacia pela manhã de hoje, acompanhado dos colegas de banda Caio Andrade e Rafael Martins. Daniel Marques, a quem todos esperam esse tipo de atitude, misteriosamente não estava presente.

Bruno leu rapidamente o que a matéria dizia e não era o circo de horrores que tinha pensado ser. Ele não se lembrava de ter dado aquela declaração, mas sabia que era coisa do Fábio e da assessoria de imprensa da gravadora. Eles agiam bem rápido. Tudo para evitar qualquer escândalo que prejudicasse as vendas e a imagem de seus artistas. Não que ele não pretendesse se desculpar, na verdade estava bastante arrependido.

– Caio? – Bruno perguntou. – Quando foi que eu falei essas coisas de mulherzinha?

– Eu disse por você a pedido do Fábio – o amigo respondeu, colocando carne no prato de Maya. – Não íamos te acordar por isso.

– Eu percebi. Você poderia ter sido menos... você. Eu nunca diria algo como "tentei proteger minha intimidade" e jamais me chamaria de celebridade!

– É por isso que eu falei por você – Caio chegou perto, como se não se importasse com a reclamação dele. – Quer comer? Você parece com fome.

– Caio tem razão, cara – Fred bateu no ombro do amigo, que pegou um pedaço de carne do prato. – A mídia aceitou melhor do que a gente pensava. Eles odeiam mais o Daniel e, se fosse com ele, o circo estaria armado. Você é mais tranquilo, foi um erro com consequências que vai enfrentar. Isso já diz muito.

– A mídia me ama – Daniel falou, fazendo até Bruno rir. – Ela só não me compreende direito!

***

A noite caiu e eles ainda estavam sentados no jardim de trás da casa de Bruno. Era quase sete da noite e o tempo tinha esfriado gradativamente. Os amigos estavam sentados quase em círculo, próximos um do outro, em volta de uma pequena fogueira improvisada com a churrasqueira elétrica. Não era a mesma coisa, nem tinha fogo de verdade, mas esquentava o suficiente para deixá-los confortáveis. Alguns cobertores estavam espalhados e Daniel e Caio tocavam músicas no violão, fazendo todo mundo cantar junto e relembrar bons momentos. Ao mesmo tempo que pareciam muito novos, muita coisa já tinha passado e acontecido.

No final de uma das músicas, Bruno tossiu ligeiramente, fazendo os amigos rirem. Era quando queria falar ou quando fingia que iria falar alguma coisa. Eles se entreolharam.

– Obrigado por terem vindo aqui hoje – ele começou. – A gente às vezes faz algumas coisas que nos deixam pensando sobre o que diabos estamos fazendo com a nossa vida. E dá vontade de desistir, sabe? De colocar numa balança o que é certo e errado. Eu sei que o que eu fiz ontem não foi certo, como o que o Daniel fez no começo da semana também não foi. Mesmo o que Rafael fez na rádio ou o Caio... o Caio não faz nada de errado, mas eu sei que o que estamos fazendo agora é o certo. Se eu preciso viver todas as burrices e problemas, é pra também viver algumas boas horas com vocês que parecem anos inteiros. Obrigado, na real. Vocês são minha única família.

Eles se entreolharam sorrindo. Amanda sentia as lágrimas descerem e Rafael abraçou Bruno, ao seu lado. O garoto riu, empurrando ele de volta e dizendo que tinha tido seu momento gay do dia e não precisava de mais nenhum.

– Eu chamei todo mundo aqui porque queria mostrar que somos mais fortes quando estamos juntos – Caio falou, apertando a mão de Anna e de Guiga, que estavam ao seu lado. – A gente nunca pode esquecer de onde veio, das nossas raízes e do que aprendemos naquela época. Esconder quem somos e o que fazemos não é a verdadeira solução. Eu não seria ninguém sem vocês.

– A gente também te ama! – Daniel gritou fino, fazendo os amigos rirem. Caio mandou um beijo no ar.

– Não importa quantos erros vamos cometer, precisamos ficar unidos. Eu não saberia mais viver sem vocês, então, se cuidem. Por favor.

– Eu passo cremes todos os dias – Maya falou e deu de ombros. Todo mundo riu, comentando como também se cuidavam e como estavam felizes por estarem ali, juntos, de forma tão jovem e confortável.

– Vou aproveitar e agradecer o apoio de vocês em me receber aqui em São Paulo e cuidarem tão bem de mim – Amanda falou, ainda chorando. – Acho que eu não agradeço o suficiente. Quero ser capaz de retribuir tudo isso um dia, sem falta.

– Você já retribui, fofa – Daniel disse beijando de leve a namorada. Rafael fez barulho de nojo.

– Eu também – Anna disse. Os meninos, em particular, olharam confusos para ela. A garota estava sorrindo e olhando para as mãos, de onde pendia um anel de coração vermelho, infantil, que tinha recebido de Caio anos atrás. – Eu mudei minha vida pela Scotty e eu não me arrependo por nenhum momento. Nos dias bons e ruins, eu tenho orgulho de vocês e de fazer parte disso tudo. Obrigada.

– Momento grupo de ajuda! – Rafael gritou.

– Eu não queria desencadear toda essa chatice – Bruno disse, ao seu lado. Os amigos riram.

– Eu vou matar você por isso, tá insuportável – Maya colocou a língua para fora.

– Socorro – Rafael gargalhou. – Ahhm... boa noite, pessoal. Meu nome é Rafael e eu tenho os melhores amigos do mundo. Anota no seu livro aí, doce de coco. Rafael é um cara generoso e carinhoso para com seus semelhantes!

– E fedido, você tomou banho hoje? – Bruno torceu o nariz vendo o garoto negar.

– E o amor todo se vai com o casal esquisito do grupo – Guiga comentou, vendo os dois amigos iniciarem uma discussão sobre a necessidade da higiene diária.

– Vocês são todos tão afetados que eu estou ficando com alergia – Kevin falou meio que aos berros. – E olha que sou o único gay da roda! Não parece, super dica! Inclusive se voltarmos a cantar Damien Rice ou Demi Lovato!

– Ah, cala a boca! – Amanda chutou-o de lado, fazendo Daniel pegar o violão e começar a tocar Justin Bieber. Bruno se levantou, revoltado.

– Se não parar, a fogueira vai se tornar realidade com esse violão infernal!

– Toca Rouge! – Rafael gritou e começou uma sucessão de músicas a serem pedidas e discutidas, enquanto Daniel dedilhava o que ele queria.

vinte e cinco

Amanda se olhou no espelho pelo menos três vezes antes de decidir que estava tudo bem, que o vestido preto e simples estava perfeito em seu corpo pequeno e magro. Era um modelo de grife de alças finas com a saia rendada até os joelhos e um laço marcando a cintura. Escolha de Anna. A amiga tinha um senso incrível para moda, ainda mais trabalhando como modelo fotográfica de algumas campanhas. Sem falar nada para Amanda, Anna encomendara o vestido usando o cartão de crédito de Daniel. Amanda não se sentia muito confortável com aquilo, não queria abusar ou gastar o dinheiro do namorado, mas ele estava imensamente feliz na noite anterior quando entregou o embrulho. E como recusar um Valentino autêntico?

Amanda respirou fundo ainda encarando o seu reflexo. Tinha feito uma maquiagem leve, apenas marcando os olhos verdes com delineador preto. Ela se sentia nervosa, não queria pagar nenhum mico no Prêmio Nacional da Música. Ninguém saberia que ela conhecia os Scotty ou que namorava com o guitarrista. Recebera seu convite por causa de Fred e nada a ligava diretamente à banda dos amigos, mas mesmo assim se sentia parte daquilo. Qualquer descuido, deslize ou suspeita poderia vir à tona e eles já estavam pisando em ovos com a mídia por causa dos últimos escândalos.

Enquanto terminava de arrumar os cabelos loiros, deixando-os soltos, se sentiu trêmula e com dor de barriga. Era seu primeiro grande evento! Ainda respirando com dificuldade, desceu as escadas e encontrou Maya na porta de casa, sorrindo, passando as mãos pelo próprio vestido azul rodado. Era bonito e fazia a amiga ruiva parecer uma bailarina russa. As duas se entreolharam, ambas nervosas, e saíram de mãos dadas para encontrar o carro de Fred na rua. Lembranças de sábados à noite antes de bailes inundaram a cabeça delas e, por alguma razão, se sentiram mais confiantes só de estarem juntas novamente.

Guiga estava parada na calçada esperando por elas, vestia um conjunto escuro de calça e terninho social, elegante e discreta, mas sua enorme barriga de grávida ainda se destacava. Fred usava os cabelos soltos e uma roupa que o fazia parecer uma celebridade, com um paletó preto de corte reto e sapatos pratas brilhantes.

– Anna e Kevin foram na frente – ele informou, fechando o carro. Se sentia um pouco babá das meninas, que pareciam animadas e excitadas com todo mundo que poderiam encontrar por lá. – Temos lugares marcados e bem próximos aos meninos. Próximos e não exatamente ao lado, porque eles ficam nas primeiras fileiras.

– E a gente pode gritar e bater palmas? – Maya perguntou, confusa. Era a primeira vez que participava de um evento como esse, que estava acostumada a ver pela televisão. Tudo parecia tão chique e organizado, não sabia bem o protocolo a seguir.

– Claro! – Fred falou rindo, apertando a perna de Guiga de leve, sempre garantindo se ela estava bem. – Vocês são convidados, não robôs. É permitido respirar, cantar, bater palmas e participar dos shows. Evitem só perseguir caras famosos e correr pro palco por qualquer motivo. Não seria legal.

– Ah – Guiga choramingou, fingindo indignação. – Meu plano de ser o Kanye West foi por água abaixo!

– Seria uma boa! – Amanda gargalhou com as amigas. – Se outra banda ganhasse o prêmio de música do ano, você poderia subir no palco e "vou deixá-lo terminar, mas quem merecia era a Scotty" e tudo mais!

– Sem chances – Fred falou, balançando a cabeça. – Mas admito que seria divertido. Não mencionem a ideia pro Kevin, certo?

***

De dentro da van, os quatro garotos recebiam as últimas informações de Fábio. Caio ainda estava sendo maquiado, no fundo, mas prestava atenção. Era a primeira premiação de grande importância que participariam, então nada poderia sair errado. Precisavam ser discretos, claro, mas memoráveis. Tinham ensaiado na casa de shows no dia anterior e passado o som um pouco mais cedo, então sabiam exatamente como era tudo lá dentro. O que, talvez, tornasse as coisas menos assustadoras.

– Acho que vou vomitar – Rafael falou, recebendo um tapa de Bruno.

– Sua roupa é patrocinada, nem inventa de sujar!

– Vocês estão concorrendo em Melhor Música, com *A menina*, e Melhor Grupo. Dificilmente vamos ganhar a de grupo, existem alguns novatos na parada – Fábio comentou e Daniel cerrou os dentes pensando na Mpire. – Mas como *A menina* é a música mais tocada das rádios nesse ano, temos chances. Cuidado com a cara de decepção em frente às câmeras!

– Treinei meu olhar *blasé* o dia todo – Daniel falou, fazendo os amigos rirem. Fábio ignorou e continuou pontuando o que podiam ou não fazer durante a premiação. Confiava nos garotos, claro. Cometiam erros, mas algumas bandas eram ainda piores e estavam na mídia até hoje. Porém, preferia não correr riscos e manter sua cabeça no lugar dentro da gravadora. Isso é, no seu próprio pescoço.

Com um "boa sorte", abriu a van na entrada de artistas do evento e deixou que os quatro saíssem juntos para o tapete vermelho. Os flashes pipocaram assim que eles começaram a atravessar o corredor. Daniel usava uma camiseta branca por baixo de uma jaqueta de couro vermelha e uma calça jeans escura justa. Seguia bem o estilo que usava nos shows, como ordenara a figurinista da produção. Caio vestia uma blusa de Star Wars com calça e blazer sociais pretos, além do chapéu estilo Fedora. Rafael usava camisa e tênis patrocinados pela Vans, com suspensórios e uma bermuda preta. As meias brancas puxadas até as canelas já tinham virado sua marca registrada. Apesar dos amigos sacanearem a sua força de vontade de parecer um integrante do Blink-182, Rafa nem ligava. E a figurinista tinha adorado a ideia da referência musical! Bruno, discreto como sempre e mantendo sua aversão a chamar atenção, estava todo de preto. Ainda desejava que pudessem usar máscaras, como nos bailes do colégio, e ninguém conheceria sua verdadeira identidade. A figurinista havia empurrado alguns acessórios para ele, como pulseiras coloridas, mas era ridículo e ele não passaria vergonha na frente de todo mundo. Não era como o Rafael, que tinha vergonha zero de não ser original. Acompanhados por um rapaz com uma prancheta, os fotógrafos gritavam e jornalistas faziam perguntas. Eram muitos e os garotos sorriam e faziam caretas. Vez ou outra paravam para algumas poses juntos e continuavam andando. Alguns repórteres pediam exclusividades e entrevistas, mas nenhum deles estava autorizado a falar com ninguém. Era uma das coisas que Fábio tinha pedido: que ficassem calados. Uma frase fora de contexto e a imagem deles poderia piorar.

Continuaram assim, sorrindo e acenando, até o final do tapete vermelho. Ouviram gritos de fãs o caminho inteiro, porque estavam por todos os lados, com cartazes e celulares, tentando furar o bloqueio dos seguranças. Tinham visto pelo menos duas serem recolhidas e tiradas do meio de todo mundo.

Quando chegaram à entrada, o rapaz da prancheta os liberou e pediu para que encontrassem outra pessoa da organização dentro do salão, que indicaria os lugares para se sentarem.

– Mas antes disso nós vamos para o bar – Daniel disse, sorrindo, virando para o lado oposto da entrada do salão. Rafael o seguiu.

– Vocês vão beber agora?

– Caio, você tá maluco se acha que vou enfrentar horas de tédio sentado lá dentro sem pelo menos beber alguma coisa – Daniel parou olhando para os amigos. Bruno deu de ombros e o seguiu, vendo que Caio desistira de ir contra e apenas os acompanhou. Era permitido, certo? Era uma noite de celebração.

Antes de chegarem à área do bar, pelo menos quatro pessoas pararam para tirar fotos com eles. Um deles, Caio podia jurar, era um ex-membro da Fresno. Muitos grupos nacionais perambulavam por ali, além de estrelas da MPB, do axé e até do funk. Todo mundo em paz, tranquilo, conversando, como se fosse normal se encontrar e concorrer um contra o outro. Também tinha muita gente em volta do bar e foi um pouco demorado para pegarem algumas cervejas, mas saíram de lá com duas garrafas cada um. Rafael rapidamente virou a sua primeira, junto com Daniel. Caio bebericou e deu a segunda dele para o amigo baixista. Não iria conseguir tomar tudo sem passar mal e a última coisa que precisava agora era ficar preso no banheiro, vomitando.

– Um brinde à Scotty e aos antigos bailes de sábado à noite! – Daniel comemorou, segurando sua segunda cerveja no meio dos amigos. Caio estendeu a dele, assim como Bruno e Rafael. O último se enrolou um pouco porque tinha duas abertas nas mãos, recebendo o olhar reprovador do baterista. Brindaram, beberam um gole e pareciam, de uma vez, imersos no que aquela noite representava dali para frente. Independente do prêmio, eram a melhor banda de todos os tempos.

***

Amanda entrou no salão junto com vários outros convidados e os amigos. Kevin e Anna enviaram mensagens avisando que já estavam lá dentro, tirando fotos de todos os famosos que encontravam. Fotos discretas, claro. Talvez fosse útil para o blog de fofocas mais tarde.

– Não olha pro lado direito, mas aquela atriz que eu esqueci o nome e fez aquela novela que eu só lembro a trilha sonora está bem aqui atrás! – Maya falou perto de Amanda, animada. Amanda olhou e não viu nada de interessante, apenas algumas pessoas mais velhas e bem vestidas. Guiga estava se abanando e garantiu que não tinha nada a ver com enjoo ou com o bebê.

– Rodrigo Hilbert passou pela gente!

– Ele nem é tão bonito assim... – Maya deu de ombros, recebendo um olhar reprovador de Fred.

– Você comeu algo estragado? O cara é um Deus grego!

– Isso aí, amor! – Guiga defendeu, rindo, vendo o marido cumprimentar alguns produtores e músicos de bandas famosas.

– Maya, não confio no seu julgamento! – Amanda comentou, tirando o celular da bolsa e verificando as mensagens.

– Falou aquela que namora o Daniel Marques desde a época que era só um esquisito gordinho do colégio.

– Ele nunca foi gordinho! Ele sempre foi grande e... saudável.

– Seja honesta na sua vida, amiga. Vai viver melhor – Maya piscou, olhando de longe uma muvuca de pessoas de preto e se dando conta que a Scotty estava por ali, perto da entrada. Cutucou Amanda, que tirou o olho do celular e também apenas observou. Era uma cena até curiosa, para quem nunca tinha estado nos bastidores de shows e eventos. Garçons passavam com bandejas repletas de uns canapés esquisitos, ao mesmo tempo em que *roadies* e produtores corriam de um lado para o outro com pranchetas, microfones, cabos e (Guiga depois jurou ter visto) uma boneca inflável. Alguns cinegrafistas de TV e fotógrafos estavam perambulando, gravando momentos e flagrantes. Caio estava apertando a mão de Dinho Ouro Preto, enquanto Bruno e Daniel conversavam, alegremente, com algumas garotas que pareciam modelos. Rafael não estava à vista, o que deixou Maya preocupada e prestes a mandar uma mensagem. Amanda tinha noção de que eles estavam só conversando e que não precisava pensar nada demais. Era normal socializar com as pessoas e Daniel era famoso e as garotas provavelmente queriam ficar perto dele.

Mas precisavam ser modelos maravilhosas?

– Vamos entrando, está na nossa hora! – Fred chamou, animado, sem perceber que os amigos estavam por perto. Deu a mão para Guiga e guiou as meninas até um rapaz de fones de ouvido, que os levou aos seus lugares. E eram ótimos lugares! O auditório tinha um enorme palco repleto de luzes brilhantes e uma decoração que lembrava um teatro antigo. A música de fundo era clássica e esse parecia ser o tema de tudo ali dentro. Meio *O Fantasma da Ópera*. As poltronas vermelhas às vezes continham fotos e nomes, indicando quem deveria se sentar e onde. Amanda viu fotos de pessoas como Marisa Monte, Mr. Catra, Arthur Panda, Di Ferrero, Pitty, Claudia Leitte e outros tantos.

Logo encontraram Kevin e Anna, animados e tirando fotos deles mesmos. Kevin tentava enquadrar seu rosto sem cortar o topete armado com pomada e fixador capilar. Amanda sabia que ele deveria ter levado mais de uma hora para conseguir o efeito desejado. E estava muito bonito em um terno *slim* azul marinho, fazendo seus olhos claros se destacarem. Anna também estava radiante, seu vestido longo branco mostrava suas curvas de modelo e faziam qualquer pessoa babar. Ela parecia uma deusa grega! Cumprimentaram-se e se acomodaram, ouvindo uma chamada ecoar por todo o salão, avisando que o evento entraria no ar em dez minutos.

– Ai, meu Deus! Estou suando frio! – Kevin disse, apertando a mão de Anna e Amanda. As amigas sorriram, animadas, tentando esconder o quão novatas pareciam ali no meio. Amanda reparou que na fileira atrás dela tinha um grupo de rapazes exalando um cheiro de maconha.

– Não olha para a direção da porta, mas acho que O Rappa está mais perto do que a gente queria! – cochichou para Maya, ao seu lado, que logo virou o corpo quase todo para olhar sobre o que a amiga estava falando. – Obrigada pela discrição, você sempre nota dez.

– É ele mesmo! O Falcão! – a garota riu, sentando normalmente. – Tinha uma amiga na faculdade que daria os dois rins para estar no meu lugar agora. Vou tirar uma foto minha com eles atrás e esnobar. Rins devem valer um bocado no mercado negro.

– Como é que o assunto se tornou tráfico de órgãos? – Guiga se virou para o lado, fazendo as amigas rirem.

Minutos depois viram Caio, Daniel, Bruno e Rafael entrando, acompanhados por um rapaz de crachá e prancheta, e sentarem a duas fileiras na frente deles, quase diante do palco. Caio olhou para trás e acenou, fazendo as meninas receberem alguns olhares de pessoas em volta. Amanda sentiu seu celular vibrando.

Tô suando frio e acho que bebi d+

Era mensagem de Daniel. Sorriu ao imaginar o namorado nervoso e ficou feliz de vê-lo compartilhando isso com ela.

Você tá um gato, vai dar tudo certo :)

Você tbm. O vestido só é mais curto do q eu tinha imaginado!

Desde qndo vc me viu usando o meu vestido? E obrigada! <3

Eu vejo as coisas hahaha

Boa sorte e guarda o celular no bolso. Faça seu show!

Eu vou, fofa. Mas acho que preciso mijar primeiro!

Ela viu Daniel levantando da cadeira, rindo, enquanto algumas luzes foram apagadas. Caio pareceu chamar o amigo, que o ignorou e correu pelo corredor sozinho. Será que voltaria a tempo? Viu um garoto bem vestido, todo de preto, ser indicado pelo rapaz de prancheta a se sentar no lugar de Daniel. Chegou, sem falar nada, e se acomodou, meio robótico.

– São modelos contratados pra isso – Fred explicou, vendo a confusão no rosto das amigas com a cena. – Eles tapam buracos. Quando a câmera passar, não pode ter nenhuma cadeira vazia à mostra. Aparece mais do que um estranho qualquer.

As luzes se apagaram totalmente e um sinal luminoso piscou acima do palco. Uma música animada começou a tocar e a voz de uma mulher soou no microfone geral, dando boas vindas e fazendo uma contagem regressiva.

Segundos depois, uma atriz muito famosa e um cantor de MPB dividiam o palco, animando os convidados e artistas e apresentando uma noite que seria surreal para a galera que cresceu na pequena cidade de Alta Granada.

***

Daniel entrou no banheiro, apoiou-se na pia, de frente ao espelho. Estava suando de verdade, um pouco mais do que deveria, e sentia os dedos formigando. Às vezes se sentia assim e não sabia bem se era porque tinha bebido muito ou pouco. Seu corpo não era muito conciso quando se tratava de reações. Verificou que o suor não tinha atrapalhado seu cabelo e tirou, do bolso da calça, um pequeno cigarro de maconha e um isqueiro. Acendeu-o rapidamente e puxou a fumaça, sentindo a cabeça doer um pouco com a pressão. Em instantes, começou a relaxar. Os dedos pararam de formigar, mas ainda tremia um pouco. Encostou o corpo na parede ao lado da pia e ficou alguns minutos respirando fundo e tragando, ainda se sentindo esquisito.

Um rapaz entrou no banheiro, seguido de outro. Olharam para Daniel e o cumprimentaram. Os dois pareciam ter a mesma idade que ele, pelo menos 23 anos, e conversavam alegremente sobre qualquer coisa que Daniel não dava a mínima. Sorriu, fingiu simpatia, e voltou para o seu cigarro. Apenas observou quando um deles tirou um pacote do bolso e jogou o conteúdo branco na pia. Daniel ficou um pouco assustado. Apesar de tudo, algumas coisas ainda eram acima do limite que ele mesmo tinha imposto quando resolveu entrar nessa vida. Aparentemente, limite não era algo que os dois rapazes tinham. Cheiraram, um após o outro, até a pia voltar a ficar relativamente limpa. Um deles cambaleou, sendo segurado pelo outro, que deu tapas em seu rosto. Como se nada tivesse acontecido, saíram do banheiro, dando adeus a Daniel e voltando a deixá-lo sozinho.

– Merda – ele disse em voz alta, apagando seu baseado e jogando o resto no lixo. Sabia que iria se arrepender depois e que Rafael iria ficar bravo porque tinham comprado juntos. Mas naquele momento tinha sentido nojo e só queria sair dali e voltar, por alguns minutos, para a realidade.

Embora ele soubesse que sua realidade não era mais a mesma de um garoto de dezesseis anos que tocava aos sábados, no colégio. Quando seu único medo era ser reconhecido pelas patricinhas ou que Amanda não fosse vê-lo tocar. Naquela época, parecia o fim do mundo. Agora, era diferente. A televisão nacional estava ali, prestes a julgá-lo e, antes de sair do banheiro, sentiu o vômito subir pela garganta.

– Merda – repetiu.

Alguma coisa tinha que dar certo.

vinte e seis

Amanda estava sentada de pijama no sofá da casa de Daniel, com o laptop no colo. Tinha acabado de acordar e esperava Maya voltar da cozinha com o café para lerem as notícias sobre o Prêmio Nacional da Música da noite anterior. Depois da Scotty ter ganhado o prêmio de Melhor Música, com *A menina*, e ter levado, milagrosamente, também o de Melhor Grupo, todos tinham ido à pós-festa do evento e algumas coisas se tornaram vagas na sua memória. Lembrava de momentos. De risadas, agradecimentos, bebidas e muita música. Lembrava de ter dançado uma música do Roupa Nova com as amigas e de ter visto Rafael desmaiar, bêbado na pista de dança. Será que ele estava bem? Onde Bruno passara a maior parte da noite, era meio vago, embora se lembrasse de momentos dele dançando com elas e jogando bebida em cima de Caio, enquanto celebravam. Caio tinha ficado perto delas o tempo todo e era quase tudo que se lembrava. De Caio.

Isso era um pouco estranho, mas ela sabia que tinha tomado algumas doses de vodka e se tinha algo que a bebida russa fazia com ela era bagunçar a sua cabeça. Sempre se arrependia no dia seguinte e agora não era diferente. Pelo menos a ressaca não era tão grande quanto a de Daniel, que não tinha conseguido nem levantar para fazer xixi e acabou fazendo no chão ao lado da cama. Ele teria que limpar depois, porque Amanda não iria se sujeitar a isso. Só esperava que ele não se esquecesse e pisasse, espalhando tudo pela casa.

– Acho que eu beijei um cara famoso ontem – Maya comentou, entregando uma caneca de café para a amiga, fazendo um esforço visível para se lembrar. Amanda riu. – Tô falando sério. Um ou dois. Ah, não, o moreno perto de mim era o Caio mesmo...

– Você tirou algumas fotos, vê se não tem nenhuma pista!

– Kevin ficou de me mandar as que ele tem no celular. As dele foram as melhores! As que tiramos do Rafa desmaiado estão lá. Assim como as suas dançando funk!

– Eu não fiz isso! – Amanda disse abrindo algumas páginas na internet, irritada porque Maya repetia desde que acordou como ela tinha passado vergonha dançando Valesca Popozuda.

A internet era toda elogios ao PNM. A organização tinha sofrido algumas falhas, comentadas pelos jornalistas, mas a decoração, apresentadores e performances tinham sido sensacionais. Muitos elogios estavam sendo feitos à Scotty, que "com muita animação e juventude, fizeram o salão ficar de pé e dançar ao som da música mais tocada em todas as rádios do país!". Caio e Daniel eram ótimos *frontman*. Os dois trocavam brincadeiras, abraços e até os microfones enquanto faziam o que sabiam fazer de melhor: cantar e deixar todo mundo arrepiado. Era uma música só, mas Amanda tinha certeza que ninguém iria esquecer o show que aconteceu na noite anterior. Pelo menos era uma das coisas que tinha mais viva em sua memória. Os amigos no palco, se divertindo, como faziam há cinco anos.

– O que vai postar de fofocas sobre a festa? – Maya perguntou, ligando a televisão para assistir aos noticiários, esperando ouvir mais comentários.

– Tenho algumas fotos de caras de banda agarrados com modelos e atrizes famosas e momentos vergonhosos na saída da festa. Mas estou pensando se jogo tudo no ventilador, sabe? Se posto foto do Daniel fumando maconha pra ver se, pelo menos, a pressão das pessoas faz ele perceber o quão idiota isso é.

– Eu não duvidaria que ele faria algo legal disso e começaria a vender a própria droga!

– Bate na boca! – Amanda repreendeu, vendo Maya dar de ombros. Estava realmente pensando em algo extremo assim. Se divertir era uma coisa, mas começava a perceber que Daniel passava dos limites e tinha certeza que ele mesmo não percebia isso. Só não queria prejudicar os outros e não sabia o quão ruim isso poderia soar para a banda no fim das contas. Preferiu ficar quieta por enquanto.

Amanda recebeu uma mensagem de Kevin dizendo que Rafael estava vomitando a alma e que precisaria das duas para ajudá-lo. Eles estavam na casa de Bruno e ele, ainda dormindo, se recusava a sair da cama dizendo montes de palavrões sobre como Rafael merecia sofrer no mármore do inferno por fazer tanto barulho aquela hora da manhã. As amigas se entreolharam, ainda de pijamas, fecharam o laptop e, com ele debaixo do braço, correram pela rua para a casa do amigo.

***

Rafael só parou de vomitar quando Anna apareceu com um chá de um monte de ervas que sempre fazia quando isso acontecia. Enfiou ele debaixo do chuveiro, com Caio de cueca samba-canção ao lado, fazendo a maior lambança no banheiro da casa de Bruno. Maya estava sentada na sala, escrevendo, enquanto Amanda e Kevin tentavam ajudar lavando alguns panos e limpando a sujeira que Rafael tinha feito mais cedo. Bruno ainda roncava em seu quarto.

– Porra, já tomei banho hoje! – o garoto berrou, sendo puxado por Caio para debaixo da água. Ele gritava, batia os pés, fazendo Anna rir. Era como uma criança e, embora trágico, achava fofo o jeito como Caio era firme com ele. E com a banda toda. Ele tinha feito um ótimo trabalho na noite anterior e ela não poderia estar mais orgulhosa. O prêmio era deles, mas era como se todo mundo tivesse ganhado na loteria. Nada relacionado a dinheiro, mas pela satisfação de verem algo que torceram tanto, dar certo. Lembrou-se do momento exato em que o apresentador anunciou o nome da Scotty como Melhor Grupo. Viu o rosto de Caio, já emocionado com o troféu de *A menina* nas mãos, se encher de lágrimas e seus olhos se arregalarem. Rafael tinha sido o primeiro a berrar e pular em cima de Bruno, que estava ao seu lado. Fred, na fileira da frente, que ainda comemorava o primeiro prêmio, levantou Daniel no colo e o soltou em cima do palco, correndo de volta ao seu lugar. Os quatro garotos pareciam não acreditar que aquilo estava acontecendo. Ficaram alguns segundos em silêncio, enquanto recebiam o troféu, e começaram a sorrir, pular e chorar. Caio, rouco e com os olhos cheios de água, chegou primeiro ao microfone.

– Eu nunca achei que poderia enfartar com a minha idade – ele tinha dito, fazendo as pessoas rirem. Caio sempre sabia o que dizer. – Mas vocês estão me provando o contrário. Obrigado aos fãs da Scotty, que votaram em nós e nos deixaram tocar as nossas músicas por tantos anos. Fábio, Fletch, Tom, galera da gravadora e Fred, obrigado por acreditarem na gente e em todas as mentiras sobre como nós éramos super profissionais quando começamos. Espero que a gente esteja perdoado! Fred vai ser papai em breve e a gente sabe como esse filho é sortudo de ter um pai tão descolado e fiel. Anna – ele tinha feito uma pausa após falar o nome dela, fazendo o coração da garota bater mais rápido –, Amanda, Maya, Guiga, Kevin e... Carol. Onde quer que estejam, vocês foram os primeiros a acreditar na gente, naquela cidade pequena, com máscaras brancas e instrumentos baratos. Éramos muito ruins e, mesmo assim, algumas de vocês se apaixonaram por nós. Os gordinhos *nerds* e sem autoestima do mundo todo agradecem!

Anna lembrava de ver Amanda e Maya abraçadas, chorando compulsivamente. Kevin estava de pé na cadeira, gritando e batendo palmas. Guiga, meio contida, aplaudia e sorria como uma criança. Mas Anna só conseguia pensar em Carol e como ela gostaria de ter ouvido aquilo ao lado da amiga. Onde quer que ela estivesse, esperava que tivesse assistindo e que, talvez, sentisse saudades. Ligasse, enviasse e-mail, aparecesse em algum show. Não era pedir muito.

Acabou saindo de suas memórias com o chuveiro sendo desligado e um Rafael molhado, como um gato escaldado, tremendo de frio. Caio esticou a toalha, enquanto Anna começou a secar seus cabelos.

– Você precisa comer algo, Rafa – ela disse. O garoto fez careta e ameaçou vomitar de novo, levando um tapa de Caio.

– Cresça e vire homem. Vamos te dar dez minutos para colocar uma roupa limpa e descer para a cozinha. Bruno não tem nada que preste aqui, mas acho que Kevin viu sucrilhos e leite. Não faça careta, você encheu a cara porque quis.

– Vocês não entendem... – ele murmurou, meio bravo com a bronca. Se agarrou na toalha e saiu para o quarto de Bruno, batendo os pés no chão. Caio respirou fundo, parecendo preocupado.

– Não sei qual o problema dele. Daniel tem mania de abandono e faz merda pra aparecer. Mas o Rafa? Eu realmente não entendo.

– Você faz o seu melhor – Anna abraçou o namorado. – O dia que ele quiser conversar, ele sabe que pode contar contigo. Não é sua responsabilidade ser a mãe dele.

– Deus me livre, a mãe dele é tenebrosa! – Caio riu, beijando a garota.

– Depois de saber que ela enviou um colete à prova de balas para ele de Natal, ano passado, eu acredito em tudo na vida. Proteção demais torna o garoto assim, meio maluco.

– Eu não sei até que ponto ele está se divertindo ou se tem algo mais orgânico que isso – Caio ainda parecia preocupado, saindo do banheiro e descendo as escadas com Anna atrás.

– Não é sua responsabilidade ser pai também, você sabe!

– Mas é minha responsabilidade manter ele vivo. Porque se depender do Daniel ou do Bruno, se Rafael aparecer coberto de bosta só será mais uma besteira do caçula do grupo. E achar baixistas bons hoje em dia não é fácil – brincou, fazendo Anna rolar os olhos com o humor negro que ele raramente sabia usar.

***

Era quase de noite, na casa de Bruno, quando Daniel entrou na cozinha com o celular nas mãos. Passaram a tarde lá, tentando animar Rafael e fazer com que Bruno desistisse do plano de dormir até o dia seguinte. Kevin tinha ido ao mercado com Anna e, enquanto todo mundo estava na sala jogando WAR, Amanda tinha ido pegar refrigerante. Daniel parou no batente, com a testa franzida.

– Acho que você não entendeu quando eu disse que poderia te ajudar com esse seu novo trabalho – ele disse, grosseiro. Amanda deixou a garrafa na pia e se virou para o namorado, estranhando. Ele mordia a boca e parecia nervoso.

– Não entendi a grosseria.

– Eu deixei bem claro que você tinha vindo ficar comigo e fazer parte da minha vida. NÃO FERRAR COM ELA! – ele berrou, jogando o celular no chão, espatifando-o em vários pedaços. Amanda recuou um pouco, sem entender. Por que ele estava agindo dessa forma?

– O que foi que eu fiz? – perguntou, confusa.

– VOCÊ ME PERGUNTA O QUE FEZ? VOCÊ É UMA MENTIROSA! VEIO FICAR COMIGO PRA QUÊ? PRA GANHAR DINHEIRO ÀS MINHAS CUSTAS? COMO UMA QUALQUER? ESPEREI ANOS POR ISSO?

– Você está me agredindo à toa, Daniel. Me explica direito o que aconteceu.

– DAR EM CIMA DE OUTROS CARAS É UMA COISA, EU ESPERO ISSO DE ALGUÉM COMO VOCÊ. MAS INVADIR MINHA PRIVACIDADE ASSIM? QUEM TE DEU O DIREITO DE DIVULGAR ALGO SOBRE MIM NAQUELE SITE DE MERDA?

– Eu não divulguei nada lá hoje! – ela disse, arregalando os olhos. Nada tinha acontecido, ela tinha ido para a casa de Bruno e nem atualizara o site. Do que ele estava falando?

– NÃO MINTA PRA MIM! TEM UMA FOTO MINHA FUMANDO ERVA NA PORRA DO SITE! NA PORRA DO SEU SITE! – ele berrou, apontando o dedo para ela. Amanda estava irritada. Se tinha uma foto dele, era problema inteiramente de quem tinha postado. E dele mesmo por ser babaca. Ela tinha pensado em fazer algo assim, mas desistiu logo depois.

– Você é inteligente o bastante pra saber que existem outras vinte garotas, como eu, que trabalham pra revista DE MERDA. E que alguma delas pode ter visto você FUMAR SUA ERVA e parecer um babaca na frente de todo mundo, sem se importar com isso. Não coloca a culpa em mim sem saber!

– VOCÊ É UMA MENTIROSA! – Daniel gritou, jogando uma cadeira no chão, atraindo os amigos para a porta da cozinha. Bruno, de prontidão, segurou seu braço e evitou que ele jogasse qualquer coisa a mais para chamar atenção. Daniel, bravo, empurrou o amigo e saiu batendo a porta da casa com força, deixando todo mundo perplexo para trás. Amanda sentia o coração disparado e o corpo todo tremendo. Começou a chorar e recebeu o abraço de Maya.

– Não fui eu quem postei a foto, eu não faria isso de verdade! – ela disse, rouca. A amiga concordou.

– Ele não tem o direito de julgar sem saber. Se estava bravo consigo mesmo, se machucasse sozinho. Que mania ridícula que ele tem de levar sempre alguém junto!

– Ele realmente disse "fumando erva" ou eu fiquei surdo, além de bêbado? – Rafael perguntou rindo, recolhendo a cadeira do chão. Bruno balançou as mãos, furioso, pensando que o palavreado infantil de Daniel era o menor dos problemas no momento. Caio coçava a cabeça, enquanto procurava na internet a tal foto, pensando em várias coisas ao mesmo tempo.

Isso aconteceria uma hora ou outra e, talvez, era melhor primeiro expor o problema para poder analisar de outra perspectiva. Daniel precisava, de uma vez por todas, parar de usar drogas. Ou seria o fim da Scotty.

vinte e sete

Já passava das duas da manhã e Daniel não tinha dado sinal de vida. Sem celular, Amanda sabia que só restava esperar ele aparecer, quando ele quisesse. Todo mundo tinha ficado na casa de Bruno e, com muito custo, ela conseguiu sair de lá e andar um pouco pelo condomínio. Queria ficar sozinha, pensar um pouco, chorar sem ser julgada. A verdade é que estava confusa. Daniel era uma roda gigante de sentimentos e, enquanto num momento parecia maravilhoso, segundos depois podia ser um desastre. Amanda sabia que tinha aceitado enfrentar tudo isso, mas não tinha ideia de até quando seu corpo iria aguentar. A carga de adrenalina era muito grande.

Quem dera ainda fosse adolescente e sair correndo, gritando e batendo a porta adiantasse alguma coisa. Olhou para o celular mais algumas vezes, enquanto andava lentamente. Colocou os fones de ouvido e deixou a *playlist* escolher o que deveria escutar. Queria algo difícil, dolorido, que a fizesse ter um motivo para chorar que não fosse a vergonha de não saber o que fazer em uma situação dessas. Por que não existia um manual sobre como lidar com relacionamentos conturbados com músicos famosos e babacas? Iria ajudar pra caramba.

No fundo, sabia que ele voltaria arrependido. Que pediria perdão, diria que nunca mais faria aquilo. Falaria sobre como tinha avisado e como ela sabia no que estava se metendo. Explicaria que queria mudar, que estava tentando, porque ele mesmo não aguentava mais ser assim. Para depois, dali alguns dias, fazer tudo de novo.

I never wanted everything to end this way
(Eu nunca quis que tudo acabasse desse jeito)
But you can take the bluest sky and turn it gray
(Mas você pode pegar o céu mais azul e transformá-lo em cinza)
I swore to you that I would do my best to change
(Eu jurei pra você que faria meu melhor para mudar)
But you said it don't matter
(Mas você disse que não importa)
I'm looking at you from another point of view

(Estou olhando pra você por outro ponto de vista)
I don't know how the hell I fell in love with you
(Eu não sei porque diabos eu me apaixonei por você)
I'd never wish for anyone to feel the way I do
(Eu nunca desejaria que alguém se sentisse do jeito que eu me sinto)

– Obrigada, McFLY – ela falou baixinho, chorando, aumentando o volume de *Point of View*, uma música antiga que ela raramente gostava de escutar. Era bonita e emotiva, mas melancólica e extremamente real. Quem tinha escrito aquelas frases provavelmente enfrentara momentos horríveis e conseguira, magistralmente, passar aquilo para quem ouvia. Dava vontade de chorar por ela e pela pessoa.

Amanda sentou no meio fio, em frente a uma casa qualquer que tinha as luzes apagadas, e apoiou a cabeça nos joelhos, se encolhendo o máximo que pôde. Chorava sem ligar de ser notada. Era tarde e não tinha ninguém na rua, não era como se fosse ser vista ou criticada. E, se fosse, esperava que a pessoa pudesse sentir que jamais deveria deixar alguém chegar naquele estado. Ela preferia que Daniel tivesse terminado com ela do que falado daquele jeito. Chamou-a de mentirosa, de aproveitadora e de mais um monte de coisas que ficavam ecoando em sua mente, como um mantra. Ela tinha que se livrar daquilo. Não fazia bem repetir para si mesma que seu próprio namorado, o cara que morava com ela, que conhecia tudo da sua vida e jurava amor eterno, podia ser tão baixo quando estava com raiva.

Passou pela sua cabeça que ela deveria ir embora. Maya tinha aceitado dormir na casa de Rafael por alguns dias e Amanda queria, mais que tudo, ter seu próprio canto. Não ter que voltar à casa de Daniel e encarar suas coisas para tomar uma decisão. E o que deveria fazer? Simplesmente esquecer e aceitar que ele era daquele jeito? Deveria ir embora, abandonar tudo que tinha feito até agora e nunca mais aparecer? Tinha algum protocolo a ser seguido nesses momentos?

***

Is this a sign from heaven
(Isso é um sinal do céu)
Showing me the light?
(Me mostrando a luz?)
Was this supposed to happen
(Era para isso acontecer?)
I'm better off without you
(Estou melhor sem você,)
So you can leave tonight
(Então você pode ir embora hoje à noite)

And don't you dare come back and try to make things right
(E não se atreva a voltar e tentar dar um jeito nas coisas)
'Cause I'll be ready for a fight, yeah
(Porque eu estarei pronta para lutar, yeah)

Daniel, sentado no meio fio do outro lado da rua da casa de Bruno, viu Amanda sair lentamente pela porta da frente. Ele não tinha ido longe e resolvera voltar antes que fizesse alguma besteira. Por algum motivo, sua consciência falou mais alto. Já estava dentro do carro quando desistiu e decidiu andar pelo condomínio, esfriando a cabeça. Sabia que exagerava, que falava coisas que não sentia e que tinha vontade de ferir todo mundo à sua volta quando se sentia machucado. Mas ele não tinha esse direito, tinha? Por um momento, enquanto brigava com Amanda na cozinha, tinha se tocado que estava sendo idiota. Ela disse que outras garotas trabalhavam para o mesmo site e ele se lembrou de ter esbarrado com pelo menos duas na noite anterior. Duas garotas tentando aproximação, que ele nobremente (mas de forma grosseira) renegou e que, provavelmente, gostariam de rebater a recusa. Só que era tarde demais. Via no rosto da namorada que ela iria lembrar daquilo para sempre e, com razão, teria medo de como ele reagiria em relação aos problemas para o resto da vida. Tinha visto nos olhos dela a decepção, a confusão e o medo, enquanto ele gritava qualquer coisa para se sentir melhor. Se estava arrependido? Ele pensou em voltar e pedir desculpas, mas sabia que não funcionaria dessa forma. E que, se voltasse aquela hora, Bruno iria bater com a cabeça dele na parede. E ele teria razão de fazer isso.

Viu que Amanda usava o pijama por baixo de um moletom e que andava sem olhar para onde estava indo. Levantou-se do meio fio e resolveu segui-la, de longe, observando e tendo todos os motivos do mundo para se arrepender de ter deixado ela assim. Era a pessoa que mais amava, a que mais confiava e por quem daria sua vida. Por que precisava ser tão idiota?

De repente, Amanda começou a chorar compulsivamente e ele reparou que ela estava com o fone de ouvido. Mexia no celular e não se importava de soluçar alto, como se não ouvisse a si mesma. Daniel começou a chorar. Em um ato infantil e ridículo, chorou junto com ela, a alguns metros de distância, evitando as luzes dos postes e se mantendo oculto no escuro. Ela parou, sentou no meio fio e colocou a cabeça entre as pernas, chorando ainda mais livremente e fazendo Daniel sentir cada lágrima. Era horrível. Ele nunca tinha visto Amanda chorar daquela forma. Nunca tinha visto ninguém chorar assim. Era assustador que fosse por culpa dele.

Pensou se deveria ir embora e nunca mais voltar. Ela provavelmente viveria melhor sem ele. A banda viveria melhor sem ele. Mas era egoísta demais para simplesmente abandonar tudo que amava, sem pelo menos continuar tentando. Pensou se deveria se jogar em frente a algum carro e torcer para não acordar mais. Era um pensamento horrendo, mas parecia plausível ao peso que seu coração estava sentindo. Ao peso dos próprios erros e das idiotices que continuava fazendo, uma atrás da outra, como se ainda tivesse dezesseis anos e tivesse milhões de oportunidades de voltar atrás.

As oportunidades na vida não eram ilimitadas. E ele tinha muito medo, no momento em que sentou de frente para Amanda, no escuro e do outro lado da rua, de nunca mais ser capaz de ser perdoado.

Encostou a cabeça entre as pernas e chorou sem vergonha. Ele não sabia mais o que fazer.

vinte e oito

Amanda parou em frente à casa de Daniel respirando fundo. Eram nove horas da manhã e ela voltava do apartamento de Caio, onde passara a noite. Tinha chorado muito, dormido bastante e esperava estar com a cabeça limpa e tranquila para tomar algumas decisões. Mas, parada como a estátua ridícula do Bruce Springsteen no jardim, não fazia ideia do que fazer. Passou a mão pelos cabelos, contando até dez e se sentindo nervosa. Quando a porta se abriu, Daniel apareceu apenas de calça jeans, com os cabelos bagunçados e uma xícara de café nas mãos. Amanda cruzou os braços em uma fraca tentativa de se proteger. Daniel apenas sorriu, envergonhado, e abriu caminho para ela entrar.

– Eu não vou demorar muito – ela disse, com a voz trêmula, sem conseguir soar confiante como queria. Daniel fechou a porta atrás de si, assoprando o café.

– Quer um pouco? Fiz mais do que devia.

– Você não faz café – ela respondeu franzindo a testa, se virando para a escada. Daniel permanecia parado no corredor, bebericando a xícara.

– Vi um tutorial na internet. Dai usei água demais e ficou aguado, acrescentei pó e ficou forte... tem um balde pronto – ele riu, com vergonha. Mordeu os lábios vendo ela subir as escadas. – Você vai pegar suas coisas?

Amanda parou no meio da escada e se virou para ele. A verdade é que queria chorar, mas precisava se manter forte e segura. Sabia bem como Daniel era. Embora não esperasse que ele estivesse em casa, acordado e tomando café. E, aparentemente, de banho tomado. Era muito cedo para isso.

– Não deveria?

– Não. Mas você quem sabe – ele não sabia bem o que dizer. Pela cara de espanto dela, Amanda sabia tanto quanto ele. Os dois ficaram em silêncio por um tempo e o único barulho que ouviam era o da xícara sendo assoprada. A falta de diálogo incomodava a garota, que esperava alguma reação de Daniel. Ele pensava a mesma coisa. Esperava que Amanda surtasse e gritasse com ele, como ele merecia. Mas nenhum dos dois fez nada. Olharam-se em silêncio por um longo tempo.

– Quer um pouco de café?

– Quero.

Ele nem pensou duas vezes e saiu disparado para a cozinha. Seu coração batia forte e não sabia se era culpa da cafeína ou da adrenalina. Ok, um passo de cada vez. Voltou ao corredor com uma caneca e entregou para Amanda, que aceitou em silêncio.

– Está uma porcaria – ela fez careta. Daniel riu, trocando o peso do corpo de um pé para o outro.

– Obrigado. Especialidade nova.

– Pelo visto sua especialidade é estragar as coisas.

– Eu sei – ele concordou, assustado com a rispidez na voz dela. – E eu entendo se quiser ir embora ou não falar mais comigo. Você tem motivos.

– Eu tenho mesmo – Amanda continuou bebendo o café, ainda que achasse ruim. De alguma forma, era algo que ele tinha feito sem ninguém pedir ou exigir e que, podia não estar bom, mas era uma tentativa. Isso era novidade para ela. – Você pode ter passado a noite na farra depois de brigar comigo. Mas eu só consegui pensar nisso.

– Eu sei, desculpe – ele disse, novamente, sem desmentir o que ela falava. Não tinha ido para a farra, mas certamente Amanda não acreditaria nisso.

– Eu não sei o que fazer, Daniel.

– Você tem poucas opções – ele foi até a cozinha e deixou a xícara na pia. Pegou uma camisa vermelha de cima da mesa e vestiu, ajeitando o cabelo no espelho do corredor. – Tenho uma entrevista em duas horas em alguma revista adolescente. Vou buscar o Rafael e tentar fazê-lo comer algo saudável antes, já que deve estar de ressaca até agora. Bruno e Caio só vão me encontrar de noite, para a reunião com o Fábio. Até esse horário, você pode ficar longe de mim. Ficaria feliz com uma mensagem sua de vez em quando só pra garantir que está viva, mas eu compreendo que fui um babaca. Então, vamos ver se até de noite pensamos em algo para amanhã, pode ser? Uma coisa de cada vez.

– Você foi mesmo um babaca – Amanda foi até a cozinha.

– Só isso que você ouviu de tudo o que eu falei?

– Audição seletiva! – ela berrou de longe. Daniel concordou, ainda sorrindo, e saiu porta afora. Amanda ficou de frente para a pia, sem entender muito bem o que estava fazendo. Deveria ter gritado com ele, esperneado e explicado que não se faz esse tipo de coisa. Talvez devesse ter batido nele, jogado algumas coisas no chão. E que, sim, ela tinha dito que estaria ali para ele para o que der e vier. Mas existiam limites.

O problema é que ela estava cansada. Nada disso iria resolver. Ele precisava entender que não podia sempre fazer o que quisesse e pedir desculpas no dia seguinte. Dessa vez, daria um susto.

***

– Você viu que saiu a matéria sobre a gente naquele jornal da Argentina? – Rafael perguntou a Daniel, dentro do carro, olhando em seu celular. O amigo, dirigindo, negou.

Os dois tinham acabado de sair de uma loja e comprado um aparelho novo, já que o seu tinha sido destruído.

– Ela colocou uma pinta enorme na minha cara? – Daniel perguntou se lembrando de como a jornalista não havia gostado dele.

– Pior – Rafael riu baixinho, rolando a matéria no site. – Não tem nenhuma citação sua.

– O quê? – Daniel franziu a testa. – Mas eu falei tanta coisa importante!

– A única vez que seu nome é citado é... no início, quando fala quem somos. E em algum pedaço que Caio comenta algo e... ah, não, nem assim. Não diz "Daniel", diz "o guitarrista encrenqueiro".

– Encrenqueiro? – Daniel se espantou, decepcionado. Rafael gargalhava.

– Foi falar do Maradona. Aprendeu?

Os dois pararam em uma loja de sanduíches e entraram na fila. As pessoas olhavam para eles, falavam umas com as outras, e, embora os dois estivessem acostumados, isso sempre era meio chato. Daniel sentia que o estavam julgando, como sempre. Mas mesmo assim sorriam e tentavam parecer maneiros e descolados.

– Com licença – uma senhora de cabelos brancos parou na frente deles, com a testa franzida. Parecia ser bem mais velha, talvez uns setenta anos, e usava óculos que fazia seus olhos ficarem gigantescos. – Vocês são daquela banda famosa, certo?

– Somos da Scotty, senhora! – Rafael confirmou sorrindo. As avós sempre gostavam muito dele! Iria ser muito legal dar mais um autógrafo e...

– Você deveria se envergonhar! – ela deu um tapa no braço de Daniel. O garoto tomou um susto tão repentino que quase deixou seus óculos escuros caírem no chão.

– O que houve? – perguntou, vendo Rafael estender a mão, porque a senhora iria bater de novo nele.

– Você deve ser muito mimado e foi mal-educado pelos seus pais! Não é possível que com tudo que você tem, ainda precisa ser um péssimo exemplo para os meus netos! – a senhora gritou, fazendo todo mundo da loja olhar para eles. Eram o centro das atenções. – A minha netinha, Andressa, te ama tanto! Ela tem fotos, pôsteres e camisetas. E ontem dormiu chorando porque viu uma imagem sua se drogando na internet. Que vergonha! Como você tem coragem?

– Me desculpe, senhora, se acalme... – Daniel tentava falar, mas ela deu outro tapa em seu braço, parecendo muito brava. Rafael não sabia o que fazer. Tentou segurar a mão da senhora.

– Vocês estão jogando fora uma vida linda, com o talento que têm. E perderam uma fã – ela ralhou, se recompondo e ajeitando sua bolsa. – Você deveria dar graças a Deus por ser um garoto sadio e bonito. Ao invés disso, é um idiota desmiolado. Passar bem – e saiu da loja, batendo os pés.

Daniel coçou a cabeça, sem saber onde enfiar a cara. Todo mundo voltou, aos poucos, a fazer o que estavam fazendo antes de toda a cena, mas sempre olhando de canto de olho para eles. Duas garotas ao fundo da loja tentavam tirar fotos com seus celulares. Rafael apertou o ombro do amigo.

– Fica tranquilo, cara. Ela estava meio despirocada das ideias!

– Ela tá certa, Rafa – Daniel disse, mordendo os lábios. – A gente é idiota.

Rafael apenas concordou, sorrindo para algumas pessoas que passavam por eles. Respirou fundo e viu que sua vez estava chegando e que tinha que decidir qual sanduíche iria comer. Tantas decisões! E só conseguia pensar no que a senhora tinha dito. Que a neta dela chorou quando viu a foto de Daniel. E isso o deixava bastante magoado.

***

Amanda tinha colocado todas as suas coisas de volta nas suas malas. Não pretendia ir embora, mas queria que Daniel visse que não era muito difícil isso acontecer. Ligou o laptop e verificou seus e-mails, os *posts* do blog da revista, enquanto respondia às milhares de perguntas de Kevin no telefone.

– Se fosse você, rasgava todas as camisetas dele.

– Ele tem dinheiro, pode comprar novas.

– Tira foto de todas as coisas da casa dele, inclusive as nojentas como as pizzas que ficam debaixo do sofá, e posta no site. Acaba logo com a vida dele! – Kevin dizia, sua voz ficando cada vez mais aguda por causa da irritação. Amanda riu, com o celular preso no ombro, enquanto digitava um e-mail para a assessora de outro artista.

– É um poder que eu não gostaria de usar!

– Não vem com o papo de herói da Marvel pra cima de mim. Com grandes poderes vêm grandes responsabilidades, mas com grandes poderes É BOM NÃO MEXER COMIGO, SEU IMBECIL – o garoto gritou do outro lado da linha, fazendo Amanda gargalhar. – Assim que deveria ser. Vou ligar para o Stan Lee porque não está nada fácil ser bonzinho nesse mundo cão.

– Por falar nisso, viu o último filme do Super-Homem?

– Retire o que disse antes que eu tenha que matar você! – O amigo repreendeu, decepcionado de estar falando sobre a Marvel e ela citar a DC Comics. – Você tem cinco segundos.

***

Daniel posava para as fotos da revista adolescente, depois de ter respondido uma série de perguntas corriqueiras sobre ele e sua carreira. Ele seria a capa da edição do próximo mês, mas a editora-chefe não parecia feliz por recebê-lo e ele ouviu, sem querer, ela perguntar se não poderiam mudar a matéria para outro integrante da banda. Aparentemente Daniel estava começando a ficar em baixa por conta da foto dele na festa depois do Prêmio Nacional da Música. Rafael estava sentado em um canto da sala, jogando algo no celular, alheio às conversações.

Mas Daniel respirava fundo e sorria, fazendo caretas, segurando balões, cartinhas, banners de fãs. Viu que o fotógrafo se esforçava para construir algo bonito e fofo, que representava bem a revista, mas sempre acabava rindo. Suas fãs eram sempre tão infantis assim? Que tipo de garota acredita que um ídolo da música adora ler poemas de amor escritos por elas? De verdade, nenhum tem saco. Ursinhos de pelúcia? Caio era o único que levava tudo para casa, ele não conhecia nenhum outro artista que ficava com pelúcias cheios de perfume. Era fofo, mas lixo no fim do dia. E era uma triste realidade que as fãs não conseguiam enxergar. Seria tão legal se alguma revista falasse disso! Ao invés de incentivar que as garotas fizessem de tudo para serem amadas pelos caras, "eles adoram batom vermelho e cabelos compridos, meninas!", incentivasse todo mundo a ouvir as músicas com pessoas que elas realmente amavam. E que também as amassem de volta, do jeito que são.

Enquanto divagava, viu a editora-chefe ir embora do estúdio, mas não sem antes cumprimentar Rafael de forma animada, tirando uma foto com ele para colocar na internet, e acenou de longe para Daniel, com um olhar um tanto esquisito. Daniel não aguentava mais receber esses olhares. Estava acostumado com outros: o de curiosidade, de inveja, de reprovação. Mas não o de decepção. Era a primeira vez vindo de pessoas estranhas e isso era de cortar o coração. Ele precisava tentar fazer as coisas certas.

vinte e nove

Bruno consultou o relógio quando viu Fábio e os outros produtores entrarem pelo corredor da gravadora. Caio, sentado ao seu lado, tentava ligar no celular de Daniel, mas sabia que o amigo não iria atender para não levar bronca antecipada. Estavam em cima da hora! Ele e Rafael precisavam participar da reunião, mas não tinham dado sinal de vida. Não era como se os dois nunca fizessem isso. Daniel era mestre em se atrasar e ninguém esperava o contrário. Mas era sempre decepcionante.

Fábio entrou na sala de reuniões, cumprimentou Caio e Bruno e viu que os outros dois ainda não tinham chegado. Balançou a cabeça, respirando fundo, como se pensasse que estava sendo idiota por exigir muito. A pressão em cima dele era enorme e naquela reunião iriam resolver questões importantes para o futuro da banda. Enquanto acomodava os outros produtores e empresários, ouviram um barulho de sapatos no corredor. Bruno olhou pela porta e viu Daniel e Rafael correndo elevador afora, na direção deles.

– Isso é um milagre. Daniel chegou no horário marcado? – Fábio riu, olhando para o relógio. Daniel, esbaforido, acenou para todos e sentou ao lado de Caio. Rafael apertou a mão de cada um e se dirigiu à mesinha com água. Não iria aguentar algumas horas de papo furado morrendo de sede, mesmo preferindo uma cerveja. – Suponho que podemos começar?

A pauta de assuntos era enorme. Outro produtor, chamado Rodrigo, mexeu em algumas folhas e decidiu começar. Falaram sobre o caso de Bruno, que a audiência seria secreta e que seria importante que todos da banda comparecessem.

– Para mostrar solidariedade e apoio. Precisamos incentivar uma campanha contra abuso de fotógrafos!

– Eu não consigo achar que ele merecia menos, mas você tem razão – Bruno disse com os dentes travados de raiva. Odiava fotógrafos e a invasão de privacidade. Era uma das coisas que o fizera titubear antes de aceitar o contrato com a gravadora, anos atrás, depois de largar a escola. Ele amava estar no palco, tocar, ganhar seu dinheiro, viver com seus amigos e poder ter a sua própria vida. Mas detestava profundamente todo o resto que vinha junto com a fama. Menos as garotas, claro.

– Precisamos discutir o que aconteceu após o PNM – Fábio comentou, depois de resolverem algumas questões menores, inclusive contratuais, que estavam sendo bem lidadas por Caio. Fred estava ao telefone com ele, terminando algumas cláusulas. Daniel se encolheu um pouco na cadeira. – Vocês ganharam dois prêmios, dois dos maiores da noite, e sabem o que mais foi noticiado com o nome de vocês em toda a mídia nacional? Daniel fumando maconha. Podem me explicar isso?

– Eu não tenho explicações – Daniel deu de ombros. Caio olhou para ele, desligando o telefone.

– Eu deixei isso chegar nesse ponto e assumo a responsabilidade – falou, recebendo olhares assustados dos três companheiros de banda. – Eu sabia o que estava acontecendo e não fiz nada para mudar.

– O que você poderia ter feito, cara? – Daniel perguntou, mexendo as mãos. – Não é como se sua opinião fosse me fazer não fumar ou beber e tudo mais.

– Eu poderia ter expulsado você da banda – Caio olhou para ele. Daniel arregalou os olhos, assim como Bruno e Rafael. Fábio continuava na mesma posição, observando os meninos. – Eu fiz de tudo para vocês perceberem como somos melhores unidos. Entre amigos, família. Que somos um só. Mas os três – ele apontou, balançando a cabeça – não pensaram em mim ou na banda quando agiram por conta própria. Eu não significo nada pra vocês.

– Não fala merda, Andrade! – Bruno gritou, vendo Rafael boquiaberto e Daniel chocado. Caio deu de ombros e olhou para Fábio.

– Tenho algumas ideias de como recolocar a banda na mídia de forma positiva e quero apresentar a vocês. E isso inclui o Daniel falando da experiência negativa com a droga.

– Olha, eu não sou da família de nenhum de vocês quatro. E nem gostaria de ser. Na maior parte do tempo vocês são petulantes e me irritam horrores – Fábio bufou. – Mas eu gosto da banda. Vocês têm talento demais e isso é raro. Usem isso agora, façam muito sucesso e encham o banco de dinheiro. Quando forem mais velhos, fumem maconha, cheirem desodorante, enfiem a cara na água gelada, corram pelados, se matem, façam o que quiser. O problema vai ser de vocês. Mas hoje – ele apontou categoricamente para a mesa – o problema é meu. Porque é meu dinheiro envolvido. Dinheiro desses senhores aqui. E a gente não vai ficar no prejuízo porque vocês quiseram entrar pro *hall* da fama morrendo de overdose aos 27 anos ou antes. Nem que eu realmente precise mandar um de vocês embora para a cidadezinha sem futuro da qual vieram. Estão entendidos?

Os quatro concordaram, calados.

***

Maya estava sentada no chão da sala do apartamento de Caio, quando Anna desceu as escadas desligando o celular. Parecia cansada e um pouco brava. Sentou ao lado da amiga, espiando o que ela escrevia no laptop.

– O que te deixou furiosa? – Maya perguntou. Anna bufou prendendo os cabelos compridos em um coque.

– Meu médico ligou. Disse que meu exame de sangue não tá legal e que estou com estresse agudo. E, por isso, estava tendo tantos enjoos e dores.

– Então é bom ter um diagnóstico! Daí pode resolver com a ajuda dele.

– Vou ter que tomar remédios. Eu odeio tomar remédios, você sabe. E fazer uma endoscopia!

– Eca, eles vão enfiar uma câmera pela sua garganta tipo em algum filme de alienígena!

– Cale a boca! – Anna empurrou a amiga com o ombro, sorrindo. – O que está escrevendo?

– No momento, o décimo capítulo do meu livro. Os amigos estão na escola e o personagem do Rafael tirou notas baixas! Preciso ser verossímil, certo? – as duas riram.

– Como chama o personagem do Rafael? – Anna se endireitou, curiosa.

– Pedro!

– A gente não conhece nenhum Pedro.

– Então! O Bruno chama Matheus e os outros eu ainda não decidi. Acho que, talvez, Tom e o Demônio da Tasmânia.

– Suponho que Tom seja o Caio – Anna disse fazendo Maya rir e concordar.

Anna se levantou e pegou um caderno de anotação, passaram muitos minutos relembrando a adolescência e anotando o que deveria ir para o tal livro. Jogadas de *paintball*, com certeza. Noitadas na praia ou na sorveteria de Kevin, também. Cortaram alguns pedaços e personagens e já discutiam lançamento mundial, quando Anna notou que horas eram. Os meninos deveriam estar voltando para casa. Queria saber tudo que acontecera na reunião.

***

Os quatro estavam sentados em uma hamburgueria badalada no bairro Jardins, esperando os pedidos chegarem. Tinham ido direto, em silêncio, depois da reunião. Daniel, de um lado, checava o celular a cada minuto para ver se Amanda tinha enviado alguma mensagem. Como era de se esperar, estava fingindo que ele não existia. Olhava do celular para os amigos, que permaneciam calados. A ideia de Caio, quando saiu para jantar com eles, era conversar sobre a reunião, mas a única coisa que conseguiam fazer era não dizer nada. Rafael, nervoso e hiperativo, resolveu quebrar o gelo.

– Acho que devemos começar a escrever novas músicas. Isso sempre faz a gente ficar mais feliz.

– *Great*, Scott! Não é uma ideia ruim – Bruno concordou. Caio balançou a cabeça.

– A gente pode regravar aquela música tema de *Toy Story*, sabe? *Amigo estou aqui*? – Rafael continuou, fazendo Daniel rir e Caio coçar o nariz, evitando a risada.

– Não seja infantil, meu voto vai para *You've Got a Friend*, do James Taylor – Bruno pegou o celular, procurando a letra na internet. Mostrou para Caio, que concordou.

– O que me dizem de irmos até a minha casa, sentarmos no estúdio e gravarmos uma versão caseira da música? Hoje de noite? – Daniel perguntou, sentindo uma empolgação nova. Rafael ficou animado, mas não sabia bem se era pela ideia ou pela comida que tinha chegado. Caio mordeu o lábio, avaliando se ele estava pronto para fingir que Daniel era um cara legal de novo ou se precisava de mais um tempo.

– Sei o que está pensando, cara – Daniel disse. Caio arqueou a sobrancelha, tirando os olhos do próprio prato e encarando o amigo. Bruno fez o mesmo. Rafael nem estava escutando. – É óbvio, não precisa esconder.

– O que eu estou pensando, Daniel?

– Pode ser um acústico! É uma ótima ideia!

– É exatamente isso que estou pensando! – Caio balançou a cabeça, dando um breve sorriso. Bruno fez uma careta, rolando os olhos e voltando a comer.

– Acho que ele estava avaliando se você merece a nossa companhia ou se merece ficar no bueiro – falou de boca cheia.

– Bueiros podem ter tartarugas ninjas... – Rafael deu de ombros. Caio concordou.

– Rafael, sim, sabe o que estou pensando! – os dois bateram as mãos, se cumprimentando.

– Vocês sabem que tartarugas não vivem em esgoto, certo?

– Bruno, não conta o fim do filme! – Daniel disse, mostrando o dedo. Caio e Rafael explodiram em gargalhadas, vendo Bruno balançar a cabeça negativamente.

– A gente nunca deveria ter abandonado a escola. Onde tartarugas vivem?

– Nos bueiros! – Rafael repetiu, ainda rindo alto. Caio secou as lágrimas, bebendo um gole de seu refrigerante.

– Depende se são marinhas ou terrestres.

– Me sinto reprovando em biologia toda vez que você começa a falar! – Daniel tampou os ouvidos enquanto Caio explicava tudo que ele sabia sobre tartarugas. E, como bom fã, ele sabia muito.

***

Amanda checou seu celular pela décima vez em menos de um minuto. Nenhuma notícia de Daniel ou de qualquer um dos meninos. Mais cedo tinha enviado mensagem para Bruno e só soube que eles ainda não tinham se encontrado. Mas tinha sido antes da reunião e ela queria saber o que acontecera depois. Ele tinha levado um sermão do produtor? Tinham passado a mão na cabeça dele, como sempre? Será que essa exposição iria ajudá-lo em alguma coisa?

Terminou o que precisava fazer e decidiu que iria ao cinema sozinha. Maya estava ocupada escrevendo e Anna não queria sair, pois estava com mais uma crise de enxaqueca. Tudo bem, ela sabia o caminho. Não aguentava mais ficar em casa e a vida precisava ser mais do que os dramas envolvendo a Scotty. Antes de sair, verificou o celular novamente e prometeu que seria a última vez. Nada de novo vindo de Daniel, mas as caixas de mensagens das redes sociais estavam lotadas. Mais cedo Amanda tinha se aventurado a ler uma delas e se arrependeu profundamente. Era um festival de xingamentos e de coisas que ela nunca tinha lido na vida. O que ela tinha feito, fora namorar o cara que todas essas garotas sonhavam em ter?

Elas que ficassem com ele e descobrissem como era divertido namorar Daniel Marques. Uma surpresa a cada dia.

***

Os garotos estavam em dois carros e Caio decidiu deixar o dele em casa e seguir a pé para a casa de Daniel, onde ficava o estúdio da banda. Precisava avisar Anna dos planos e sabia que a namorada ficaria animadíssima. Caso ela não tivesse trabalho fechado no dia seguinte, iria querer fazer aquelas pizzas caseiras de madrugada. A animação que Caio sentia era surreal quando se falava em música, em gravação e em colocar sua criatividade em prova novamente. Era uma adrenalina gostosa, que o fazia se lembrar de que era aquilo que sempre quis para a vida toda e que não podia reclamar do que viesse. Quantas pessoas não gostariam de trabalhar com algo que amasse?

Bruno e Rafael entraram na casa de Daniel já jogando as coisas em cima dos sofás. Estava tudo apagado e em silêncio e Daniel estranhou, porque achou que Amanda estaria lá. Ledo engano. Acendeu todas as luzes e a chamou. Pegou o celular e discou seu número, mas caiu direto na caixa postal. Bruno também checou em seu celular e não tinha nenhuma mensagem ou ligação dela, o que o deixou preocupado. Daniel, no caminho de volta, explicou aos amigos sobre o que tinha acontecido, como tinha ficado depois da briga e tudo mais. Bruno só queria socar a cara dele, como sempre, mas Rafael parecia confiante de que Daniel estava tentando mudar e que deveria agradar Amanda o máximo que podia.

Mas, naquele momento, ela não estava em casa e claramente não queria que soubessem para onde foi. Rafael perguntou à Maya, que só respondeu um "se virem, estou ocupada. Qual foi a sua nota em matemática na segunda série mesmo?", desligando o telefone.

– Vai acendendo as luzes do estúdio, vou trocar de roupa. Preciso das minhas calças da criatividade! – Daniel disse a Bruno. Ele tinha um figurino específico para compor: conjunto velho de moletom. Mas enquanto subia as escadas só pensava em checar se Amanda tinha mexido em algo. Estava verdadeiramente preocupado. Ouviu o barulho dos amigos descendo para o porão, abriu a porta do seu quarto e respirou fundo. As malas de Amanda estavam feitas, todas encostadas no canto. A parte do armário que era dela estava vazia, às moscas, e ele apostava que tinha sido até ilustrada para que ficasse brilhando na cara dele, culpando-o e julgando-o pelas suas atitudes. Sentou na cama, arrasado, passando as mãos nos cabelos. Gritou alguns palavrões, socando a porta do armário e nada disso fazia a dor no seu peito passar. Puxou o moletom puído do fundo da gaveta, vestindo-o só para que os amigos não notassem que tudo estava errado. Que tudo estava fora de lugar e, como sempre, a culpa era dele.

Desceu as escadas respirando fundo, sentindo as mãos trêmulas. Precisava beber alguma coisa. Passou pela cozinha e pegou uma garrafa de cerveja, virando quase tudo em um gole. Rafael, que tinha ido ao banheiro, chegou perto dele e deu um tapinha em seu ombro. Pegou uma cerveja para si e apontou para o amigo, como um brinde. Viu que os olhos de Daniel estavam brilhando e que ele lutava com informações e sentimentos que não queria dividir. Estava preocupado, embora naquele momento só estivesse pensando que a cerveja estava boa demais e que levaria mais algumas para o estúdio.

– Você é uma boa pessoa, Danny. Só é feio, mas isso não tem como resolver fácil assim, bebendo cerveja. Precisa de *lifting* e *botox*. Algumas semanas com um *personal training* e, talvez, mudanças radicais na sua alimentação.

– Você é meio gay, Rafa. Acho que deveríamos nos casar – Daniel disse, rindo do amigo e mandando um beijo no ar. O outro piscou para ele, pegando algumas garrafas no colo.

– Depois de algumas bebidas você pode ficar mais bonito. Aposto que todas as suas fãs são dependentes de álcool. Não tem outro jeito.

– As minhas fãs são muito conscientes, obrigado! – Ele coletou algumas garrafas também, um saco de biscoito de polvilho e seguiu com Rafael até o porão. Viu Caio entrando no corredor, sorrindo.

– Onde é a festa?

– Lá no meu apê. Pode aparecer. Vai rolar bunda-lelê! – Rafael cantarolou, andando sem olhar para trás. Caio fez careta vendo Daniel dar de ombros.

– Acho que a gente estragou o nosso baixista. Ele nunca iria citar Latino em uma conversa, isso está indo longe demais. Precisamos tomar uma atitude.

– Você pega as armas e eu atraio ele para o jardim de trás. Isso é caso extremo de pena de morte!

trinta

Caio entregou a cada um dos meninos a letra impressa de *You've Got a Friend*, de James Taylor. A música era linda. Não era a preferida dele, James Taylor tinha outras muito melhores em sua opinião, mas cabia perfeitamente no momento em que a banda estava. Precisavam, além de mostrar um para o outro que estavam juntos para o resto da vida, mostrar ao país todo que eles iriam enfrentar os problemas unidos.

Daniel cantarolou a música em voz alta, fazendo Bruno compreender porque a música era perfeita para eles. As vozes dos amigos encaixavam no tom e ele sabia que poderiam fazer um bom trabalho. Pegou seu cajón, que estava no canto do estúdio.

– Preciso comprar um novo. Não fazemos tanto acústico como antes, esse está um pouco ultrapassado. Amanhã passo na loja depois da audiência.

– Vou fazer a linha do baixo como na música original. Se precisar de mudanças, a gente vê no andamento. Beleza? – Rafael sugeriu, plugando seu baixo acústico no amplificador e testando algumas notas. Estava meio desafinado. Bebeu um gole de cerveja e começou a mexer nas cordas.

Daniel estava sentado com o violão, ainda cantarolando a música com as notas originais. Poderiam fazer apenas um *cover*, igual à gravação de James Taylor, ou uma versão diferente. Esperou que Caio se pronunciasse.

– Pensei em tentarmos colocar um pouco de bossa nova na música, o que acham?

– Uma coisa meio Caetano Veloso ia ser sensacional, também! – Bruno pontuou, sentando no cajón e garantindo que estava em pleno funcionamento. – Sabe aquela música chamada *Mãe*? Tem uma levada bonita.

– Fazer James Taylor virar brasileiro? Curti! – Rafael riu. Caio plugou sua guitarra acústica no amplificador, fazendo um barulho alto. Os três gritaram tampando os ouvidos e xingaram, juntos.

– Podemos misturar os dois. E quem sabe fazer um clipe pra tocar na emetevê! – brincou. Os amigos riram, menos Rafael que não entendeu a referência. Caio bebeu um gole de água e aqueceu a voz, fazendo alguns exercícios. Daniel fez careta, porque sempre esquecia dessa parte e só lembrava quando terminava os shows rouco ou com a garganta dolorida.

Começaram a tocar de forma aleatória, mesclando bossa nova com uma levada mais funk e clássica, tentando encontrar um meio-termo que poderiam usar. Caio, que tinha a voz um pouco mais aguda e em um tom acima da de Daniel, começou a cantar a primeira parte da música.

– Acho que poderia ser um pouco mais lento que o original, James Taylor parece que acelera um pouco em algumas palavras! – Bruno opinou. Caio concordou, tentando aumentar a pressão em algumas sílabas. Daniel, concordando também, segurou a palheta na boca e dedilhou a entrada da música novamente, segurando as notas. Rafael levantou o dedão, elogiando, e ele sabia que estava no caminho certo.

***

Eram duas horas da manhã e Anna estava sentada no canto do estúdio, lendo um livro. Eles já tinham desmembrado a música várias vezes e montado novamente, gravando todas as tentativas. Várias garrafas de água e cerveja jaziam no chão, assim como pratos vazios da mini pizza caseira. Rafael estava sem blusa e Bruno fumava um cigarro sem ouvir as reclamações de Caio, quando Daniel começou a brincar com a letra da música.

– Que tal uma versão Herbert Richards? Quando estiver mal e problemático... e precisar de uma mão amiga. E nada, oh nada, parece se encaixar!

– É Herbert Richers! – Caio berrou no meio do barulho.

– Coloque suas mãos no coração e chame meu nome em voz alta, yeah! E logo eu, super vidente, estarei batendo na porta da sua casa...

– Tem que ser vidente mesmo – Rafael disse, rindo. – Mas você pulou a primeira parte, idiota. Deveria ser tipo: feche seus olhos e pense em mim. E logo vou estar do seu lado. Para clarear, como um abajur, até seus momentos mais obscuros...

– A palavra abajur estraga toda a música! – Bruno reclamou. Disse que iria ao banheiro e saiu do estúdio, subindo as escadas para o corredor. Quando acendeu a luz, viu Amanda no sofá, de pernas cruzadas e com a cabeça encostada nas mãos. De primeira, levou um susto porque não esperava que alguém fosse ficar calado no escuro. Depois, apagou seu cigarro no cinzeiro da mesinha e a viu levantar a cabeça, sorrindo.

– Estava ouvindo um pouco da música de vocês daqui de cima. O estúdio estava com a porta aberta?

– Um pouco. Rafael quebrou a maçaneta quando tentou fingir que era o Tom DeLonge, sabe como é.

– Isso sempre acontece.

– Sempre acontece – ele riu, sentando ao lado dela. – O que faz aqui sozinha? Por que não desceu?

– Não queria atrapalhar. E eu não estava com vontade, estou meio cansada. Estão gravando um cover?

– Uma versão! – ele corrigiu. – Acho que isso aproxima mais a gente. Estamos precisando. As confusões não estão tendo limites!

– Que turminha da pesada! – Amanda brincou. Bruno riu. – Estou com uma dúvida e eu acho que você pode me ajudar. Apareceu na hora certa.

– Diga, pequena. Estou bêbado o suficiente pra dar dicas sobre relacionamentos que eu nunca tive.

– Por que nunca quis! – ela colocou a língua para fora. – Eu não consegui brigar com Daniel. Por ontem, sabe? Ficamos em um clima esquisito e eu até juntei minhas roupas nas malas e deixei no quarto dele. Quero que Daniel saiba que eu não preciso disso.

– Está tudo explicado! Por isso ele ficou com cara de bosta quando começou a ficar bêbado, cantando *Lies* do McFLY de novo. Faz todo sentido.

– Eu não sei o que fazer. Estou com sono, cansada e eu só quero dormir. Mas não sei se eu vou pro quarto dele e deito lá, fingindo que nada aconteceu, ou se peço abrigo pra um de vocês. O que eu faço?

– Eu não sei. Meu punho tem esse amor profundo pela cara do Daniel, você sabe. Minha opção sempre vai ser deixar ele pelado do lado de fora da casa.

Os dois riram. Amanda respirou fundo, mordendo os lábios. Bruno não iria ajudar muito, porque tinha essa mania de proteção que sempre fazia com que ficasse do lado dela e não de Daniel. Ela não queria vê-los brigar de novo. Nunca mais, na verdade, se fosse possível. Embora ela soubesse que acontecia praticamente todos os dias.

Ficaram alguns minutos em silêncio até Daniel aparecer no corredor, com o violão nas mãos. Pareceu um pouco chocado, mas sorriu ao ver Amanda sentada em seu sofá. Ela ameaçou se levantar, mas ele estendeu a mão.

– Não vai embora! Nenhum dos dois, me deem um minuto – pediu. Amanda se ajeitou de novo e Bruno franziu a testa. Viram Daniel puxar uma cadeira da cozinha e sentar na frente deles, arrumando o violão no colo e segurando a palheta nos lábios. Amanda achava lindo quando ele fazia isso. Ele tinha esse jeito sexy de fazer até pequenos movimentos parecerem bonitos e programados. Olhou em seus olhos, sem querer, e viu que ele sorriu com o canto da boca, antes de começar a dedilhar algo que ela nunca tinha ouvido.

Quem me dera poder proteger meu coração
Sempre que eu soubesse que iria sofrer

E que ele iria ser quebrado em mil pedaços
Não sou Deus e não posso mudar as estrelas
E eu não sei se existe vida em outros planetas
Mas eu sei que eu machuco
Pessoas que eu amo e que se importam comigo
E que você não quer ter nada a ver com o que eu tenho passado

Essa é a última vez
Eu desisto desse coração imaturo
Estou te dizendo que eu
Sou um novo homem que finalmente compreende

– Compreende o quê? – Bruno perguntou quando ele parou de cantar. Daniel sorriu e deu de ombros.

– Eu não terminei a música ainda, vai ter que esperar pra saber.

– É muito bonita, Daniel. – Amanda falou. Ele encarou seus olhos, fazendo com que ela se sentisse derretendo por dentro. O garoto sorriu e agradeceu.

– É pra você – Confessou. Os dois se entreolharam por alguns segundos, até que Bruno fez um barulho com a boca.

– Estou tocado emocionalmente, mas preciso ir ao banheiro de verdade. Vocês me dão dor de barriga – se levantou, deixando os dois sozinhos na sala. Amanda ia falar alguma coisa, quando o garoto estendeu a mão, novamente.

– Eu posso te pedir desculpas mil vezes, mas sei que você vai pensar o quão repetitivo vou estar sendo. E você tem razão. Eu não tenho ideia do que estou fazendo e, sinceramente, me sinto um idiota. Tenho tudo que eu gosto perto de mim. E não posso deixar pensamentos ruins afetarem o que tem de bom na minha vida. Quero procurar ajuda, quero melhorar de verdade, porque essa semana eu quase perdi você e a minha banda. Não me sobraria mais nada.

– Daniel...

– Eu entendo que você queira ir embora e se ver livre de mim. E vou te pedir pela última vez, prometo, para me dar mais uma chance aqui. Sei que ter te avisado que eu era problemático não te preparou pra esse tipo de coisa ou decisão. Os caras ainda estão por perto porque, de alguma forma, acham que eu posso mudar. Eu tenho vivido no escuro por alguns anos e eu preciso saber o motivo. Quero me tornar o Pacey da sua vida, e não o Dawson.

– Isso é um *spoiler*!

– Tanto faz. Vou ser a pessoa que você precisa. Me dê só mais algum tempo.

– Daniel, eu...

– Hoje você dorme aqui. Eu vou pra casa do Bruno e fico no sofá. Vai ser bom pra mim. Só, pelo amor de Deus, desfaça aquelas malas. Aquilo é pior do que assistir *Supernatural* sozinho no computador e ver as cortinas mexendo por causa do vento. É apavorante! Estou admitindo como homem, aqui.

– Eu nunca vi *Supernatural* – Amanda disse. O garoto fez uma careta, prometendo que iriam assistir juntos em algum momento. Até porque ele nunca mais veria sozinho. – E você não me deixa falar!

– Eu estou meio bêbado, animado, ansioso e... me desculpe. Não quero ouvir você dizer tudo que eu já sei sobre mim e que você tem razão de dizer. Sou um merda, eu sei.

– Eu só ia dizer que eu te amo – Amanda deu de ombros. Daniel arregalou os olhos, porque não esperava aquilo. Ficou encarando a garota por alguns segundos e colocou a língua para fora.

– Se isso for um sonho e eu tiver desmaiado de bêbado no estúdio, vou acordar muito puto da vida!

– Sente isso? – Bruno apareceu atrás dele, vindo do banheiro, e puxou seu cabelo. Daniel gritou, passando a mão na cabeça com ferocidade. – Bom, está acordado. Vamos recolher os instrumentos e você vai direto comigo pra casa. Chegamos num ponto na gravação onde estamos cantando James Taylor em português com a voz do Pato Donald. Melhor terminar por aqui. Boa noite, pequena!

– Boa noite – ela respondeu vendo os dois saírem da sala, sentindo que estava fazendo o certo em esperar. Daniel era sempre uma surpresa.

***

Carol abriu a caixa de e-mails, cansada depois de um dia inteiro no escritório com muito serviço nas costas dela. Ainda era estagiária, mas a advogada responsável deixava todo tipo de coisa para ela fazer e isso, às vezes, a fazia ficar acordada até tarde. Eram quase três da manhã e resolveu ler e-mails atrasados. No fundo, só queria dormir. Correndo o mouse pela caixa de entrada, achou estranho ter recebido algo de Maya, depois de tanto tempo sem se falarem. Decidiu começar por ali. O assunto era “Estou escrevendo um livro, sua vadia” e Carol abriu um sorriso sentindo saudades. Morava muito perto e, ainda assim, se sentia muito longe. Tinha decidido se afastar da sua vida antiga para se focar inteiramente no trabalho e na faculdade, mas algumas pequenas coisas sempre a puxavam de volta para Alta Granada.

Para a Scotty.

E para Bruno.

trinta e um

Seis anos atrás

– 1, 2, 3...

– Fim de semana chegando e eu aqui pensando nelaaaaaaaaa – Daniel cantou alto fazendo Caio começar a rir de repente. Rafael parou de tocar o baixo enquanto Bruno apenas girava as baquetas entre os dedos.

– Danny, você desafinou!

– A gente devia desistir disso tudo e formar uma *boyband*... – Rafael opinou.

– Vamos começar de novo no três – Caio ajeitou a guitarra no ombro.

– ... tipo dançar e fazer sapateado no palco, sem precisar tocar instrumentos e... – Rafael continuava.

– Acho que a letra está legal, mas você precisa abaixar seu tom, Danny – Bruno falou vendo o garoto concordar.

– ... porque, convenhamos, somos uma bela porcaria e o Caio dança super bem, ele só finge que não porque eu já vi e ele rebola tipo...

– Rafa? – Caio perguntou. O garoto levantou o rosto vendo os três amigos o encarando. Olhou para os lados e balançou a cabeça. – Começamos no três?

– Certo, chefe – o mais novo concordou.

– 1, 2...

A campainha tocou e eles ficaram estáticos. Quem apareceria na casa de Bruno àquela hora? E no meio do ensaio?

– E se for a Amanda? – Daniel perguntou sem conseguir se mexer, enquanto os amigos deixavam os instrumentos de lado para sair da pequena saleta nos fundos, onde tocavam. A parede tinha sido forrada para ser à prova de som, mas eles não podiam arriscar. Se alguém soubesse, seria o comentário do século e eles não precisavam de mais isso.

– A Amanda não viria aqui essa hora da noite – Bruno consultou o relógio. Eram quase nove horas de um domingo.

– Alguém pediu pizza? – Rafael perguntou feliz. Todos negaram. A campainha tocou de novo.

– Seus pais têm a chave, certo? – Caio olhou para Bruno fazendo o garoto rir.

– Não são os meus pais, acredite.

Os quatro trancaram o quartinho dos fundos e seguiram em silêncio pela área externa, entrando pela cozinha. Rafael chutou algumas latinhas de cerveja que estavam no caminho fazendo Caio olhar feio para ele. Precisavam urgentemente que a faxineira aparecesse. Já era sexta-feira? A luz da sala estava apagada e Daniel ficou tateando a parede atrás do interruptor. Bruno andou direto para a porta da sala quando levou um susto com seu celular tocando dentro do bolso. A música muito alta de *SexyBack* do Justin Timberlake encheu a sala de repente, fazendo todos os quatro se entreolharem e começarem a rir.

– Fred – disseram juntos. Era tão óbvio. Bruno fez uma careta e abriu a porta encontrando o amigo loiro, com uma touca de tricô vermelha, segurando o telefone nas mãos.

– Quê? – ele perguntou vendo a expressão dos quatro. – Hoje vocês vão à festa da Patty e eu fico com o carro, lembram disso?

Como poderiam ter esquecido a festa da Patty? Não era como se fossem convidados para todas as festas do colégio e a Patty era a maior boazuda. Sempre dava mole para o Bruno, embora o garoto desprezasse continuamente suas investidas. Não fazia o seu tipo. Já Caio e Rafael quase gritaram como meninas, correndo escada acima para competir quem iria tomar banho primeiro. Fred bateu a porta vendo a bagunça da sala de estar do amigo.

– A faxineira não vem desde o mês passado?

– Ela veio na sexta – Daniel riu colocando a língua para fora. – Tem certeza que não vai à festa conosco? A Susana estará lá e já disse que...

– Susana é minha amiga, fique tranquilo – Fred piscou fazendo Bruno rolar os olhos. – E não, eu vou ao cinema com a Camila. Lembram?

– Uhhh aquela bonitinha do primeiro ano! – Daniel bateu as mãos nas de Fred, cumprimentando o bom gosto do amigo. Os dois riram como garotas quando ouviram berros no andar de cima.

– Melhor avisar ao Rafael que o banheiro dos meus pais já está funcionando, ele deve estar pentelhando o Caio para tomarem banho juntos – Bruno subiu os degraus de dois em dois com os amigos atrás.

Fred e Daniel começaram a discutir sobre o ensaio enquanto abriam o armário de Bruno para verificar roupas que estivessem jogadas e largadas estrategicamente para esses momentos. Se tivessem que passar na casa de cada um para caçar roupas iriam, com certeza, ter problemas. Não era como se a mãe de Caio fosse deixá-lo sair livremente em um domingo à noite e, embora a mãe de Rafael não falasse muito sobre, provavelmente inventaria uma desculpa para prendê-lo em casa. A mãe de Daniel era um pouco mais livre com as coisas, mas não poderia arriscar de qualquer maneira.

– Acontece que não estou conseguindo achar meu tom na última música. Acho que vou acabar passando o vocal pro Caio e daí posso me preocupar mais com o solo, que está um pouco pobre demais...

– E o nome da banda? Já decidiram? Vão ficar mesmo com Skywalker? – Fred perguntou fazendo careta e cheirando uma camiseta que Daniel jogara em cima da cama. O quarto de Bruno estava todo revirado.

– Acho que não, vimos que já existe uma banda com esse nome. Malditos britânicos que roubaram a ideia do Marty McFly...

– Ah, por favor, não é como se vocês tivessem pensado antes que eles! – o amigo loiro disse rindo. – Quais eram as outras opções?

– Ficamos entre alguma das Tartarugas Ninjas ou algum personagem da DC Comics.

– Muito óbvio.

– Ou com algo bem pós-moderninho tipo *Luke I'm Your Father*, embora eu tenha insistido que parece nome de música do Fall Out Boy.

– Concordo contigo – Fred pontuou, pensativo.

– Obrigado – Daniel fez um agradecimento com a mão. Pegou uma camiseta preta e uma azul do armário e juntou com duas calças que pareciam ligeiramente grandes. – E por enquanto é isso. Nada de nome, nada de personalidade e nem de banda.

– Não seja dramático. Acho que essa calça preta deve caber em você. Mas toma banho antes de vestir, você está fedendo – Fred abriu o armário debaixo da televisão do quarto de Bruno, encarando os DVDs. Daniel cheirou embaixo do próprio braço, concordando. Caio, que tomava banho no banheiro na porta ao lado, entrou de toalha no quarto.

– Ouvi o final da conversa. Acho que Danny deve mesmo tomar banho antes de se vestir – disse fazendo os amigos rirem enquanto Daniel saía do quarto com uma troca de roupas em mãos.

– Esses DVDs estão cheios de poeira, há quanto tempo não assistem nada daqui? – Fred perguntou tirando algumas caixas de filmes do armário, ficando de joelhos. – *Titanic*?

– Bruno disse que é da mãe dele, mas a gente não acredita – Caio gargalhou jogando a toalha de lado e começando a se vestir com uma roupa que trouxera na mochila no começo da outra semana. Tinha escondido dos amigos porque sabia que algum deles mataria um leão por uma roupa limpa e cheirosa naquele momento. Fred o cumprimentou pela esperteza.

– Terceira temporada de *Friends*... – ele ia dizendo enquanto tirava do armário, separando em pilhas o que pretendia roubar para assistir mais tarde.

– Uma das melhores.

– *Batman* do Tim Burton, clássico. *Robocop*, *Eu, Robô*, *Robin Hood*, *Aladdin*... – Fred continuava separando enquanto Caio fazia comentários. – *Eurotrip*... oh, *Eurotrip*! Há quanto tempo não assistimos esse filme?

– *Scotty doesn't know, Scotty doesn't know* – os dois começaram a cantar automaticamente.

– Isso é genial. Sempre sonhei em escrever uma trilha sonora para um filme legal assim, do qual as pessoas iriam se lembrar sempre que pensassem no título – Caio se olhava no espelho, arrumando o cabelo e vendo que Bruno chegava sem camiseta no quarto. O amigo chegou perto, cheirando e abrindo os olhos.

– Onde achou uma roupa limpa assim?

– Estava no armário, acho que você só precisa procurar direito – Caio mentiu, fazendo Fred rir enquanto Bruno jogava todo o conteúdo da gaveta no chão.

– Acho que o nome da banda precisa falar sobre os músicos, ao mesmo tempo em que não seja algo descarado. Entendem? – Daniel perguntou entrando no quarto já vestido e com os cabelos pingando de água.

– Hmm... explique-se – Bruno pediu.

– Se o nome da banda é Os Idiotas, está explícito que somos idiotas com instrumentos. E provavelmente cantando para mais idiotas ainda – Daniel pontuou, sentando-se na cama. – Se nos chamamos de McFLY, pensa só, somos caras que podem voltar no passado, tocar Chuck Berry e ainda andar em skates voadores...

– E pegar a própria mãe – Caio sentou ao lado do amigo. Fred fez uma careta.

– Entendi o que quer dizer. Vocês precisam de um nome que fale o quão bocós vocês são, o quanto garotas passam vocês pra trás, o quanto gostariam de viver pelo mundo sem nenhuma lei e...

– ... e ver várias gatinhas peladas, é claro – Rafael concluiu se escorando na porta. Bruno deu uma gargalhada alta. – Qual a graça de ser famoso sem ter *groupies* e tudo mais?

– Então vocês seriam basicamente como o Scotty em *Eurotrip,* certo? – Fred perguntou e os cinco se entreolharam.

– A gente decide isso mais tarde, estamos atrasados para a tal festinha e não podemos correr o risco de chegar lá e não terem mais garotas bonitas disponíveis! – Bruno bateu as portas do armário saindo do quarto com os amigos em seu encalço pensando que Scotty era, realmente, um nome legal e *nerd* o suficiente para que poucas pessoas soubessem o que significava. Era digno.

***

Fred parou o conversível velho de Bruno na rua da casa da Patty, que estava abarrotada de motos de pequeno porte e carros com cara de emprestados da mãe. Enquanto os amigos desciam, explicou que era para ligarem no final e ele voltaria para buscá-los, mas para tomarem cuidado com bebidas exageradas e ressaca, já que teriam aula cedo.

– Sinto como se fosse meu pai nesse momento – Daniel mandou um beijo para Fred enquanto os amigos se ajeitavam na calçada. O outro riu batendo a mão na buzina e passando um pouco de vergonha com umas garotas que observavam do jardim da casa de Patty.

– Se encherem a cara eu vou deixar todo mundo na casa do Caio e vocês vão precisar lidar com a madrasta da Branca de Neve, não se esqueçam... – disse acelerando o carro e deixando os quatro rindo e acenando para a noite.

– Certo. Se um ficar bêbado e começar a dar em cima de garota feia, vocês já sabem... – Bruno começou a andar, com os outros atrás.

– Sinto como se fosse hora de morfar – Rafael estendeu a mão para o alto fazendo os quatro gargalharem enquanto cumprimentavam pessoas na entrada. Tinham poucas horas para se divertir, embora já fizessem isso sozinhos normalmente.

***

Bruno acordou com o sol no rosto, sem saber que horas eram. Estava deitado no sofá de casa, completamente vestido e fedorento e ficou algum tempo ainda para perceber o que estava acontecendo, quem era e por que estava vivendo naquele mundo cheio de latinhas de cerveja, móveis espalhados e instrumentos montados em plena sala de estar. Bateu na testa quando deu de cara com o relógio do aparelho de DVD que indicava que faltavam vinte minutos para a aula começar e notou que só tinha dormido uma hora desde a farra da noite anterior. Maldito sol, maldito colégio, maldita bateria que estava no caminho... bateria?

Se lembrou vagamente de voltar com os amigos da festa da Patty na noite anterior e de espalharem o bumbo, caixas, cases, guitarras e baquetas por toda a sala, enquanto faziam um show particular para Caio, que estava morrendo de sono depois de terem deixado Fred em casa. Devia ser o quê? Quatro da manhã? Lembrou de Rafael tentando imitar sons de videogame na bateria e de Daniel tocar músicas românticas no baixo, crente que estava com um violão.

E o melhor de tudo: não existia ressaca naquele momento. Só um cansaço tão tremendo que fez com que suas pernas doessem enquanto subia as escadas para tomar um banho e colocar o uniforme. Só Deus sabia o quão bom filho era naquele momento. Se fosse qualquer outro garoto estaria pouco preocupado com a escola e com formalidades. Até que se lembrou de Amanda e de como tinham combinado que os dois iriam juntos na segunda-feira para a aula e... droga! Ela deveria estar quase chegando!

Não mais do que dez minutos depois, enquanto vestia a calça e os tênis quase ao mesmo tempo, sacudindo o cabelo molhado, viu a amiga aparecer no fim da rua pela janela do quarto. Gritou um palavrão alto se lembrando dos instrumentos na sala e de como estaria eternamente ferrado se ela decidisse tocar a campainha, espiar pelo vidro ou mesmo entrar na casa. Porcaria de vida dupla, ele pensou rindo. Desceu as escadas correndo com a camiseta do colégio nas mãos, se olhou no espelho ajeitando os cabelos e desejou para si mesmo um ótimo e corrido dia, enquanto saia pela porta de casa, a fechando depressa e cumprimentando Amanda, vestindo o uniforme displicente, como se estivesse um pouco atrasado. Ufa!

trinta e dois

O tempo estava chuvoso em São Paulo, como normalmente acontecia em dias muito importantes. Bruno levantou cedo, tomou um banho e ficou pensando em como a cidade tinha o dom de prever coisas boas e ruins e que a chuva fina podia significar algo sobre a audiência que teria mais tarde. Ele só tinha metido a mão na cara de um fotógrafo que, diferente do que estavam falando, ultrapassara uma barreira muito grande em um momento de lazer. Isso não podia ser permitido. Onde estava o sindicato dos artistas quando isso acontecia? Para defender sua integridade? Se fosse alguém comum, bebendo no bar com os amigos e uma pessoa se aproximasse com uma câmera, poderia processar por invasão de privacidade e muito pior. Mas, como o rosto de Bruno já estava estampado nas revistas e jornais, era alguém que não podia reclamar disso, certo? Felizes eram os caras do Slipknot que nunca deixaram de usar as máscaras. A Scotty deveria ter continuado com as deles até o fim e esse tipo de coisa seria evitado.

Se bem que nunca tinha entendido como os super-heróis ficavam irreconhecíveis quando usavam máscaras e nem como a galera do colégio não se ligara que era ele no palco só por estar com parte do rosto tampada. No fundo, achava que as pessoas não prestavam mesmo atenção umas às outras. Era algo do ser humano.

Daniel dormia no quarto de visitas, logo no fim do corredor. Bruno, entediado, bateu na porta e entrou sem esperar resposta. O amigo estava deitado de forma estranha, com as pernas em ângulos esquisitos e os cabelos bagunçados. Cutucou seu braço e sentou ao seu lado, fazendo Daniel levar um susto enorme quando o viu ali.

– Porra, cara, não faz isso...

– Vamos almoçar. Estou puto da vida por precisar responder judicialmente por algo injusto e quero reclamar e encher o saco de alguém que não pode me processar.

– Eu posso te processar – Daniel sentou na cama, esfregando o rosto. – Que horas são?

– Quase nove.

– O QUÊ? VOU APROVEITAR A AUDIÊNCIA E MANDAR PRENDEREM VOCÊ!

– Eles não podem me prender, idiota.

– Então pra que serve esse circo todo?

– Se fossem me prender acha que eu estaria tranquilo agora? Eu não matei o cara e nem foi tentativa de homicídio. Então é penalidade leve, vou receber multa e provavelmente fazer serviço comunitário.

– Aposto que foi tentativa de homicídio... – Daniel puxou o celular sem ver que Bruno sorria. Não tinha mensagem nenhuma de Amanda. Será que ela ainda estava dormindo?

– Mandy me mandou mensagem perguntando se você estava bem e eu mandei ela procurar outro namorado – Bruno se levantou, sabendo bem porque ele ficava ansioso checando o celular, vendo Daniel arregalar os olhos. O amigo se levantou também, se espreguiçando e indo em direção ao banheiro.

– Nem brinca comigo. Fico pronto em vinte e dois minutos.

***

Descobriram alguns fãs na churrascaria que decidiram almoçar. Pelo menos cinco vieram até a mesa pedir fotos e autógrafos e uma menina começou a chorar tanto que o segurança precisou pedir para que se retirasse. Uma era muito bonita, um rapaz parecia pedir autógrafo para a namorada, mas o que mais chamou a atenção de Bruno foi a cartinha de uma fã que tinha treze anos. Ela veio até a mesa, tirou foto e entregou o papel a ele, indo embora logo depois. Os pais dela sorriram, acenaram, mas não se aproximaram. Normalmente Bruno não lia as cartas ou dava tudo para Caio abrir e investigar primeiro. Era ele quem gostava dessas coisas melosas e sentimentais, enquanto Bruno ficava com os presentes mais caros e comida. Mas dessa vez, precisando de apoio dos fãs, ele resolveu que mudaria a rotina. E não se arrependeu.

– Você é o melhor ídolo do mundo. Minhas amigas dizem que é bonito, mas nunca sorri nas fotos e eu acho que você deveria sorrir mais – ele leu alguns pedaços para Daniel, que concordava com a cabeça. – Sou da equipe de um dos seus maiores fã-clubes na internet e seria muito legal receber a sua visita. A gente te ama e te apoia, sabemos que vai ficar tudo bem. Você é incrível e vai superar tudo isso. Te amo pra sempre.

– Caraca, ela te ama mais do que seus pais.

– Isso não é tão difícil – Bruno bufou. Releu de novo a cartinha e sentiu seu coração aquecer, como se tivesse ganhado uma nova amiga. Se tudo desse certo, prometeu a si mesmo, iria entrar na internet e procurar seus fã-clubes. Iria agradecer a todos eles pessoalmente. Era o mínimo que podia fazer diante daquele amor todo.

***

Carol olhou o relógio do celular e viu que eram quase três da tarde. O noticiário televisivo anunciava que iria começar a primeira audiência do caso do baterista da banda nacional Scotty, que tinha se metido em uma briga com um fotógrafo. Carol parou o que estava fazendo para prestar atenção. Viu a imagem de Bruno, Caio, Daniel e Rafael juntos na porta do fórum, subindo as escadas lado a lado sem falar com os jornalistas. Sentiu seu coração apertar. Tinha prometido a si mesma que não pensaria e nem falaria mais sobre eles. Eram apenas pessoas famosas, não seus amigos. Mas se sentiu tocada quando Maya enviou um e-mail querendo informações para o seu livro. Uma animação que parecia a mesma de quando tinha dezesseis anos tomou conta dela. Aparentemente a garota estava escrevendo sobre toda a adolescência deles e Carol estava inclusa. Trocaram mensagens durante o dia e a última resposta de Maya, de um jeito sutil e que ela nunca tinha visto a amiga fazer, dizia que sentiam a falta dela.

Ela também sentia saudades, mas tentava ignorar. Ficava muito tempo em Campinas, sozinha, lendo e resolvendo dramas do escritório. Trabalhando, construindo seu futuro. Respirou fundo e olhou mais uma vez para a televisão. A repórter terminava de falar do caso de Bruno, avisando que em mais duas horas voltaria para avisar o resultado.

Duas horas. Será que daria tempo de chegar a São Paulo?

***

– O que você está fazendo? – Daniel perguntou enquanto dirigia de volta para casa, com Bruno no banco do carona. O amigo estava mexendo furiosamente no celular e resmungava sozinho.

– Estou entrando nas páginas de alguns fã-clubes e agradecendo o apoio. Mas algumas fotos de capa são horrorosas! Eu não tenho imagens melhores? Vou mandar mensagem pra moderadora desse aqui... Se eu mandar foto minha agora, será que eles mudam? Olha essa! Que montagem super tosca!

– Cuidado, se você responder um vai ter que responder todos. Parei de mexer por um tempo nas minhas redes porque recebi diversos xingamentos por escolher mensagens para responder, mas ninguém se importa se eu não posso passar horas na frente do computador! – Daniel aconselhou, pensando se entrava no *drive-thru* do McDonald's ou não. A demora na espera da audiência tinha o deixado morrendo de fome, embora tivesse se empanturrado na hora do almoço.

O carro de Caio seguia logo atrás, onde ele e Rafael ouviam música alta e cantavam juntos, dançando e, às vezes, perdendo o carro de Bruno de vista. Naquele momento, as coisas pareciam melhores. Bruno não tinha sido acusado e a família da vítima tinha aceitado um acordo. Eles pagariam multa e o tratamento do fotógrafo e, se Deus quisesse, iriam limpar o nome da banda em breve. Tudo estava correndo da melhor forma possível e Caio se sentia mais leve a cada problema resolvido. Até que seu celular tocou e ele resolveu parar no estacionamento de um posto de gasolina para atender. Era Fábio, e ligações repentinas vindas dele nunca eram boas notícias.

– Estou com um jornalista da *Rolling Stones* querendo aquela entrevista com o Daniel para sexta-feira, falando sobre drogas e como ele está superando isso em tratamento. Vou confirmar. Mas temos um problema hoje e você vai ter que se virar pra resolver. Um dos maiores portais da internet quer publicar a foto dele fumando na página principal e estou tentando evitar isso. Estragaria todo o nosso esforço!

– Não pode acontecer! – Caio concordou, franzindo a testa. Respirou fundo tentando pensar em algo que poderia ajudar a situação. Falar de álbum novo? Não era tão interessante para a massa. Algum clipe ou situação comum? Provavelmente não interessaria muito também. A notícia de uma cantora de axé grávida era mais assunto do que o prêmio que eles tinham ganhado. Precisava dar um furo bom, algo que fosse bombástico e que faria todo mundo falar da Scotty de novo, de forma positiva. A audiência de Bruno não ter dado em nada, não era tão legal para a mídia quanto seria se ele tivesse sido condenado, morto, exilado e tudo mais. As pessoas mal estavam falando do assunto e já procuravam outro buraco para cutucarem! – Pede para o jornalista me ligar. Tenho algo que vai mudar o rumo das discussões por alguns dias. Pelo menos até o Daniel falar sobre as drogas.

Fábio desligou o telefone a contra gosto, querendo saber o que era e ameaçando Caio se fosse irresponsável. No fim, confiava no garoto, mas queria ter certeza de que não iria piorar a situação, porque poderia ser mais um momento crítico inesperado e eles não estavam precisando disso. Caio não podia prometer nada, mas tentaria salvar a Scotty da forma que conseguisse. Explicou para Rafael a situação enquanto esperava o telefone tocar novamente. Quando aconteceu, atendeu sério e direto.

– Quer alguma coisa para publicar? Menti esse tempo todo, eu tenho uma namorada e estamos juntos há cinco anos.

***

Chegando em seu condomínio, Daniel ligou para Amanda. Estava trêmulo e achou que ela não fosse responder, mas a garota atendeu quase que de primeira e parecia muito feliz. Não sabia se era pelo resultado de Bruno ou pela ligação dele, mas iria se enganar e ficar com a segunda opção. Sorriu igual um bobo. Ela era a única que conseguia esse tipo de reação dele. Soube que Amanda e Maya estavam na casa de Anna e Caio esperando notícias e pediriam pizza para comemorar o fim de todo esse problema. Daniel e Bruno concordaram em ir direto para lá, claro. Independente das amigas, pizza era sempre primordial.

– Você sabe que está terminando um sanduíche pensando em pizza? – Bruno apontou para o lanche do amigo. Daniel deu de ombros.

– Não é traição quando comidas não têm sentimentos!

– O universo tá vendo isso, aê!

– O universo me vê batendo punheta todos os dias e nada me aconteceu até agora, quem liga pro que eu estou comendo? – Daniel falou, acenando para o guarda da portaria e fazendo Bruno fingir que iria vomitar com a informação desnecessária.

– A imagem que está ecoando na minha mente é pior do que queimar no mármore do inferno! Nunca mais fale disso!

– Punheta! No banheiro, na cozinha, no estúdio... – Daniel gritou, fazendo Bruno olhar bravo para ele. – Ih, tem outro carro na casa do Caio. De quem é? – se distraiu.

– Nem ideia – Bruno olhou para o veículo preto estacionado na porta, onde Daniel pretendia estacionar. Não era um carro caro, mas parecia oficial do governo, fazendo os dois começarem uma discussão sobre os agentes da S.H.I.E.L.D. e outras organizações secretas. O amigo parou logo atrás e os dois saíram, espiando. – Fábio usa uma caminhonete, né?

Daniel concordou enquanto andavam até a porta do prédio. Bruno girou a maçaneta, mas ela não abriu. O que era estranho, porque estavam esperando por eles e sempre deixavam a porta aberta. As garotas estavam doidas? Resolveu tocar o interfone.

Carol, com um vestido preto de corte reto e salto alto, os cabelos curtos arrumados e sorrindo ironicamente, abriu a porta. Olhou para Daniel e Bruno e, assim como eles, tomou um susto. Apertou os dedos contra a palma da mão em sinal de nervosismo. Não os via desde o casamento de Kevin, e mesmo lá tinha mantido o máximo de distância deles. Encarou os olhos do ex-namorado e sentiu um calafrio. Os dois continuavam exatamente como ela se lembrava. Fora a barba malfeita de Bruno e os cabelos bagunçados de Daniel, tudo estava no mesmo lugar.

– Isso é uma máquina do tempo? Em que ano estamos? – Daniel perguntou, sorrindo. Abraçou Carol em um impulso, duvidando que ela fosse real. Bruno ficou parado, nervoso, sentindo o coração disparado e a cabeça girando em todos os sentidos possíveis. O que estava acontecendo? O que ela estava fazendo ali?

– Olá, perdedor. Sentiu minha falta? – a garota perguntou. Daniel gargalhou, apontando o dedo para ela.

– Você envelheceu alguns anos. Está com o quê agora? Setenta?

– Vai se ferrar – ela mostrou o dedo do meio, dando espaço para ele entrar na pequena portaria do prédio de flats do condomínio. Voltou para a porta e encarou Bruno. Ele não tinha se mexido e parecia em choque, o que era inesperado e até fofo da parte dele. Carol apertou os olhos. – Vai me sacanear também ou está pensando na maneira mais cruel de me ignorar?

– Você está linda – ele disse, rouco. Carol franziu a testa, sentindo o rosto ficar vermelho. Bruno, seu idiota. Ele não podia fazer isso com ela. Se encararam por alguns segundos, até ouvirem o grito de Amanda do andar de cima, chamando-os. Carol desviou os olhos e subiu as escadas, envergonhada, entrando no apartamento logo em seguida.

Bruno a seguiu lentamente e fechou a porta atrás de si. Chegou perto dos amigos na sala, que conversavam e riam, mas não conseguiu dizer nada. Amanda logo pulou nele para um abraço, assim como Anna. Falavam e falavam sobre como estavam felizes por ele e por tudo ter ido bem na audiência. Até Maya bateu em seu ombro para dizer que tinha torcido pelo pior, mas que estava feliz de qualquer forma. Ele riu mecanicamente, mas não estava realmente ouvindo tudo aquilo. Seu coração batia forte, fazendo com que ele ficasse meio surdo e alheio ao que acontecia. O que Carol estava fazendo ali? Depois de tudo era a última pessoa que esperava ver. E não sabia se estava preparado, embora tivesse passado quatro anos desde a última vez que tinham se falado diretamente. O que não tinha acontecido no casamento de Kevin, por exemplo, porque se ignoraram de forma constante.

Daniel era uma porta e não tinha notado como ele estava quase imóvel, fingindo participar da conversa. Ficava apontando para ele, exigindo participação nas conversas. Amanda olhou de rabo de olho para o melhor amigo algumas vezes, imaginando o que estava sentindo e se estava confuso ou chateado. Pela expressão neutra de Bruno, era difícil discernir. Em um momento apertou sua mão e fez com que ele olhasse para ela, agradecendo mentalmente. Quando é que tinha se tornado esse idiota por conta de uma garota? Logo uma que tanto sacaneou ele a vida toda?

Rafael e Caio chegaram logo depois, surpresos com Carol assim como todo mundo, mas felizes e extremamente ignorantes ao que Bruno poderia estar sentindo. Em um momento, o garoto pediu licença, usando a desculpa de fumar, e foi para a rua do condomínio rapidamente. Precisava pensar um pouco sozinho, longe da barulheira e das conversas.

Andou um pouco em círculos, vendo o sol ir embora aos poucos e o dia ficar ainda mais frio. Seu celular estava cheio de mensagens de conhecidos, felizes pelo veredicto positivo da audiência, mas ele não queria ler nada daquilo agora. Chutou uma pedrinha da calçada e sentiu alguém se aproximando.

– Você não precisa me ignorar, Bruno – Carol disse, ficando ao lado dele. Estava com frio, passando as mãos nos braços e o garoto tirou seu blazer para colocar nela. Carol não esperava isso. Bruno em momento nenhum olhou em seus olhos e ficou alguns segundos sem responder nada.

– Eu estou ignorando a situação, não exatamente você.

– Eu não vim pra deixar você chateado. Ao contrário. Estava preocupada e... eu não sei, acho que surtei um pouco. Não é normal pra mim me sentir assim.

– Você não deveria ter vindo. Eu não estou pronto – ele se virou para encarar a ex-namorada. Não conseguia olhar em seus olhos, mas tentaria ser o mais verdadeiro possível. – A gente não terminou bem e você nunca mais respondeu minhas mensagens. Eu fui embora da cidade para seguir meus sonhos e fiquei quase seis meses esperando respostas de alguém que dizia gostar tanto de mim. Eu confiei em você. Não me obrigue a ficar feliz de te ver assim, de repente.

– Você me deixou. Foi uma escolha sua, sabe como foi difícil pra gente ficar junto naquela época. Eu era adolescente, na minha cabeça você tinha estragado tudo de novo. Eu não sou exatamente a pessoa mais altruísta, sabe? Eu penso em mim sempre que posso.

– Eu sei – ele bufou. Apagou o cigarro e acendeu outro logo depois. Viu o motoqueiro da pizza se aproximar e puxou a carteira. Sem esperar pelos amigos, pagou a conta e segurou as pizzas nos braços, com o cigarro pendurado no canto da boca. – Eu só queria que você tivesse sido sincera comigo e não simplesmente me ignorado. Eu não sou um cara tão ruim assim.

Bruno andou até a porta do prédio, abrindo-a com um chute. Carol ficou alguns segundos ainda encarando a entrada iluminada, apertando o casaco de Bruno contra o corpo, sentindo o cheiro dele e pensando que, realmente, ele não era um cara ruim e tinha todo o direito de se sentir como quisesse.

trinta e três

A sala de Caio parecia, repentinamente, pequena para todo mundo. E ele gostava muito disso. Gostava de ter os amigos por perto, de barulho, de conversa e do cheiro de comida no ar. Lembrava a adolescência e como se sentia feliz em ir para a casa de Bruno, onde tinham liberdade para passarem o dia de cueca vendo televisão e comendo, sem a supervisão dos pais e sem regras. Sua mãe nunca fora exatamente ruim e Caio a amava muito, mas a casa dele nunca tinha ninguém. Ela prezava pela limpeza e organização e, na maior parte do tempo, passava boas horas tocando piano enquanto Caio estudava na mesa ao lado. Era uma das coisas que ele sentia saudades, da sua mãe ao piano e de como ela era bonita fazendo o que realmente gostava. Tinha aprendido muito com ela e esperava que, hoje, ele ficasse tão radiante tocando quanto ela ficava.

Em algum momento da noite, vendo que os amigos estavam distraídos com Fred e Guiga pelo Skype, chamou Anna no canto e pediu para que fosse com ele até o quarto. Iria contar a ela sobre a conversa com o jornalista, mas não sabia a reação que ela teria. Tantos anos tendo a sua identidade preservada e, de repente, iriam querer saber dela. Caio estava cansado de esconder seu relacionamento e encontrou uma chance de colocar isso para fora. Sabia que Fábio ficaria extremamente furioso, mas dos males era o menos pior. E a regra de não namorar era a mais idiota que ele já tinha ouvido, embora a maior parte das bandas passasse por isso e os fãs nunca ficassem sabendo.

– O que aconteceu de tão sério? Fred estava mostrando o berço do neném e eu queria tanto ver! – Anna parecia animada. Estava com as bochechas coradas, menos pálida desde que começara a tomar os remédios indicados pelo médico. Vê-la melhor só o deixava mais feliz. Como poderia continuar dizendo que seu coração não tinha dona? Ela era a mulher da sua vida. Abriu um enorme sorriu por saber que ela gostava tanto quanto ele de ter todo mundo reunido em casa. Era como se sua família estivesse junta e Caio sabia que ela sentia falta disso. Sentou com ela na cama e respirou fundo.

– Hoje tive que tomar uma decisão que compromete não só a mim, mas também você. Sei que não conversamos sobre isso, mas precisei agir e você sabe como eu tento fazer de tudo para salvar a banda e os meninos. Eu fico cansado disso, você sabe que sou bom com opiniões e ideias, mas não decisões e...

– Fala logo o que houve, está me deixando nervosa. O que eu tenho a ver com isso, Caio?

– Eu contei a um jornalista sobre a gente. Sobre nós dois.

Anna franziu a testa e por um momento Caio achou que ela fosse deixar para lá e aceitar o fato tranquilamente. Mas ela mordeu os lábios e seu rosto não mostrava nenhuma felicidade.

– Então... as pessoas vão saber que eu existo e que estamos juntos? Ah, Caio! Eu não esperava por isso!

– Amor, eu sei! Me desculpa. Sei que você não gosta da exposição por minha causa, mas eu não tive muita escolha. E eu sempre quis poder falar a verdade, sabe como me sinto sobre esconder as coisas!

– Eu não quero que as pessoas achem que eu consigo contratos por sua causa! E a minha carreira? Isso vai se tornar um inferno! – Ela começou a roer as unhas, tentando não ficar nervosa. Claro que ficava chateada, não era o que ela queria. Gostava de ter a vidinha tranquila, sem precisar olhar para trás quando andasse na rua e tudo agora iria mudar. Mas imaginava que Caio tinha bons motivos para ter feito isso, porque ele nunca tomava nenhuma atitude drástica sem falar antes com ela. – Sei que você fez na melhor das intenções. Mas eu preciso ficar um pouco sozinha, pode sair?

– Posso. Não pense que vai ser tão ruim assim. Vou adorar poder postar fotos nossas na internet e andar de mãos dadas na rua. E nunca mais vamos ter problemas em shows, você nunca mais precisará sair do meu lado.

– Fábio sabe disso?

– Ele vai descobrir. E eu não ligo. Eu sou basicamente o único da banda que ele não pode expulsar e ele ganha muito dinheiro com a gente. Fica tranquila quanto a isso – ele se levantou, beijando a testa da namorada e se dirigindo à porta. – Eu te amo. Desculpa não ter conversado com você antes.

– Também amo você. Vou me preparar mentalmente pra começar a levar ovada na rua, sabe como é – Anna riu, nervosa. Viu Caio fechar a porta e se jogou na cama, sem saber por onde começar a pensar. Não sabia se estava exagerando ou fazendo drama em cima de algo que, na teoria, era bem simples. Mas começou a chorar mesmo assim, achando que o mundo tinha aberto um buraco negro debaixo dela.

***

O fim do dia chegou com a despedida de Carol, em meio a troca de telefones e promessas de que se veriam mais vezes. A menina ainda precisava dirigir até Campinas e garantir que acordaria cedo no dia seguinte para ir trabalhar, então acabou não ficando o quanto queria. Mas sabia que esse encontro era uma abertura para voltarem a se falar mais e ela estava gostando da ideia. Rafael, Maya e Bruno se despediram logo em seguida, depois de Rafael receber um convite de um conhecido para uma festa no apartamento dele, do outro lado da cidade. Daniel logo recusou, dizendo que estava com sono, o que deixou Amanda extremamente feliz. Saíram por último, vendo Caio arrumar a sala e Anna trancar a porta assim que os viu na calçada.

Daniel e Amanda andaram alguns metros lado a lado, conversando sobre qualquer coisa. Estava frio e os dois usavam casacos, mas o vento os fazia lembrar do casamento de Kevin e do dia em que resolveram ficar juntos novamente. O dia em que tudo parecia tão promissor e distante e que os problemas ainda não existiam de forma tão marcante. Daniel acendeu um cigarro, porque ficava um pouco nervoso com as memórias, e Amanda, inesperadamente, segurou sua outra mão, trazendo o garoto para perto e garantindo que andassem assim até chegar em casa. Ela não percebeu como ele tinha ficado feliz com esse gesto, como aquilo significava tanta coisa para ele, mas trocaram alguns olhares confidentes antes de abrirem a porta e se livrarem dos casacos. Lá dentro, livres também do frio, engataram em um beijo que pareceu durar horas e que, na cabeça deles, só tinha chegado ao fim de verdade quando o sol voltou a aparecer e eles caíram no sono, lado a lado, na cama.

***

Caio se levantou preparado para a guerra. Não conseguiu dormir direito, acordou a noite inteira e andava sozinho pela casa enquanto checava seu celular. Nenhuma mensagem, nenhuma ligação. Sua ansiedade estava sem limites. O silêncio estava o incomodando e ele decidiu passar boa parte da noite na sala, assistindo televisão sozinho. Mas, quando se levantou de manhã, estava disposto e pronto para encarar o que fosse preciso. Anna estava dormindo ao seu lado, alheia ao que ele imaginava que estaria esperando por ela assim que se levantasse. Respirou fundo e pegou o celular da mesa da cabeceira.

Quarenta ligações perdidas. Eram oito horas da manhã e quarenta ligações, sem exagero. Muitos e-mails, mensagens e atualizações nas redes sociais. Nada diretamente dos amigos, sabia que era muito cedo para que qualquer um tivesse lido notícias na internet, mas Fábio e Fred estavam compulsivos.

– Você fez a coisa certa! – Fred disse assim que Caio retornou a ligação. – Estou orgulhoso e com boas expectativas. Os comentários estão sendo muito positivos, depois dá uma olhada.

– VOCÊ TEM MERDA NA CABEÇA? – Foi a reação de Fábio. Caio estava esperando por isso, então apenas explicou, pausadamente, que era o melhor a ser feito no momento e que encararia todas as responsabilidades pelo que disse. Fábio continuou com um discurso de "vamos ter que mudar algumas coisas" por vários minutos, até que surgiu outro problema e precisou desligar. Caio entendia que ele estava frustrado por ter sido ignorado, mas não era algo ruim. Os comentários eram realmente bem positivos e muita gente torcia pela felicidade dele. Uma foto de Caio de mãos dadas com Anna, tirada depois de uma festa qualquer, voltou à tona e enfeitava a página de entrada de um site de notícias. Os fãs começavam a criar teorias e muitas montagens estavam aparecendo. Foi questão de minutos para acharem todas as contas de Anna na internet e a bombardearem com pedidos de amizade e mensagens.

Caio acordou a namorada e começaram a ver, juntos, as *fanpages* e toda a movimentação. Ainda deitados na cama, por duas horas, acompanharam a internet virar uma zona de combate, uma página de felicitações e opiniões de todos os tipos. Todo mundo tinha algo a dizer, alguns "eu avisei" ou "ela é muito feia pra ele", como de costume. Anna ficou um pouco mais tranquila quando sentiu que a aceitação dos fãs era maior do que a negação. Boa parte ficou muito feliz pelos dois e já criavam sites e blogs sobre eles, buscando informações antigas e até fotos da época da escola. Tinham ganhado até um *shipname*: Canna. A reação estava sendo ainda melhor do que Caio previra e, diante de tudo isso, ele se levantou com esperanças e foi escovar os dentes se sentindo um Jedi, cheio de força. Embora soubesse que esse tipo de sensação era rara e que logo outra coisa viria para atormentar sua vida de líder de banda.

Mas, por enquanto, iria fazer café da manhã com sua namorada, dançariam na cozinha ao som de Beatles e pediriam uma rodada de comida chinesa pelo telefone. Iria aproveitar a calmaria enquanto podia.

***

No fim da semana, apenas Caio e Daniel estampavam as capas de revistas e páginas da internet, com assuntos totalmente diferentes. Bruno tinha sido esquecido, ele estava feliz com isso, e Rafael passava o dia pensando em algum assunto estranho que o pudesse colocar na mídia também.

– Escuta só como saiu no Nação da Música sobre o caso do Daniel – Rafael comentou ao lado de Bruno, dentro do carro, enquanto iam a uma loja de instrumentos no centro da cidade atrás de um cajón novo. Rolou a notícia pelo celular até achar a parte que estava lendo. – O guitarrista diz estar frequentando terapia e tentando ficar longe de problemas.

– Ele não está em terapia – Bruno riu.

– E não fala comigo há dois dias, significa que eu sou um problema? – Rafael perguntou. Bruno deu de ombros, despreocupado. – Pode ser uma boa notícia para os jornais. Baixista da banda Scotty é um problema!

– Você não é um problema suficiente!

– Vou ter que te provar o contrário! – Rafael disse esperando Bruno parar no sinal. Assim que as pessoas começaram a passar na faixa de pedestres, ele soltou o próprio cinto, abaixou as calças e colocou a bunda na janela. Bruno arregalou os olhos quando viu que muita gente olhava para eles e começou a rir com coisas que só Rafael pensava em fazer.

– Para com isso, estão vendo a sua bunda e não a sua cara! Pode ser a bunda de qualquer um! – Bruno tentava fechar o vidro automático, quase esmagando Rafael, que forçava o corpo para fora. Os dois riram juntos por alguns minutos, correndo daquela esquina para que ninguém tentasse descobrir quem eles eram.

– Vou dizer que a doce de coco é minha namorada e que vamos nos casar – Rafael anotava mentalmente, enquanto estacionavam em frente à loja. – Será que ela ficaria brava comigo?

– Ela provavelmente mataria seu personagem no livro dela, o que significa que você já estará morto na vida real.

– Você veio comprar um cajón ou suas bolas? Desde quando eu tenho medo da Maya? – Rafael disse, colocando os óculos escuros. Bruno parou na porta da loja, se virou para o amigo e puxou o telefone do bolso, com um olhar irônico. – O que está fazendo?

– Alô, Maya? – ele falou alto depois de alguns segundos esperando que ela atendesse. Rafael arregalou os olhos e tirou os óculos, fazendo sinal para o amigo desligar. – O que acha de casar com o Rafael? É, o Rafael da Scotty. O seu amigo de anos. Ele mesmo. Tem outro Rafael?

O garoto estava quase em prantos na frente de Bruno. Fazia sinais, ameaças, cara de quem não se importava e, por dentro, estava realmente com medo de Maya.

– Ah... você prefere se casar com um poste! – Bruno disse alto, repetindo o que a amiga dizia e olhando diretamente para Rafael. – Certo, porque um poste é mais atraente e provavelmente mais másculo que ele. Claro, compreendo. Concordo plenamente. Obrigado pela informação, pode deixar. Pode deixar. Ok, pode deixar. Tá, Maya, eu ouvi! – Bruno falou, tentando não alterar a própria voz. Fez cara de tédio. – Desculpe. Não vou gritar com você, pode deixar. Ok, pode deixar. Sim senhora, entendido – e desligou. Rafael cruzou os braços e os dois se encararam por alguns segundos.

– O que ela queria no fim?

– Pediu que levasse sorvete pra ela – Bruno parecia entediado, abrindo a porta da loja e sendo abordado por um vendedor.

– E você topou? A gente tem que dar a volta no bairro pra comprar o sorvete!

– Claro que eu topei, vou dizer não pra ela? Ela iria me matar!

***

Eram seis horas da tarde de um domingo e Daniel andava de cueca pela casa com uma garrafa de cerveja na mão, tentando pensar na letra para a música que estava criando. Amanda estava sentada no sofá, de pijama, anotando, tentando ajudar de alguma forma.

– Eu ainda não consegui decidir se é sobre mim como terceira pessoa ou eu mesmo falando sobre como me sinto.

– Achei que fosse sobre mim – Amanda brincou, rindo. Ele bebeu um gole e apontou o dedo para ela.

– É sobre você. É mais para você do que sobre você, na real. É uma prova de como eu me sinto e como quero melhorar.

– Então fale em primeira pessoa, como estava fazendo.

– Tem uma frase que eu queria usar, que vi em uma música. Algo como "Life is a bitch and so are you", mas em português fica bem pobrinho.

– A vida é uma merda e você também é?

– A vida é uma filha da puta, assim como você.

– Não parece letra de música, mas você pode tentar. Tudo em inglês fica tão mais bonito, né? – Amanda anotou o que ele falava.

– Todos os meus dias se tornaram noites e eu não posso mais viver desse jeito, sem você na minha vida – ele foi até a cozinha e pegou outra garrafa de cerveja. Amanda olhou feio, mas ele ignorou. – Eu escrevi um guia de como ser um mentiroso idiota e quase perder tudo que ama.

– Que dramático! – ela falou baixinho, o fazendo rir. Daniel ia começar mais uma frase, mas perdeu o fio da meada quando a porta da casa foi aberta e Rafael entrou, sozinho, com seus *cases* de baixo.

– Chegou cedo! Marcamos o ensaio para as nove – Daniel lembrou e o amigo deu de ombros dizendo que tinha acabado de voltar da rua com Bruno e que se chegasse em casa, relaxasse e tudo mais, iria acabar dormindo e perderia a hora.

– Estou exausto! Onde tem mais cerveja?

– Você almoçou, Rafa? – Amanda perguntou vendo o amigo voltar da cozinha com uma garrafa na mão. Ele deu de ombros.

– Comi um sanduíche na rua com o Bruno mais cedo. Mas eu tô bem, só me sentindo cansado. O que estavam fazendo?

Amanda mostrou o caderno com a letra da música e várias frases soltas. Rafael leu e sentou ao lado dela no sofá. Daniel continuou andando de um lado ao outro, como se a presença do amigo não fizesse diferença em seu processo criativo.

Passaram ainda trinta minutos nesse esquema. Daniel dizia uma frase, Amanda questionava e escrevia, enquanto Rafael lia, fazia alguma piada e continuava bebendo cervejas. Amanda até tentou tirar a garrafa de sua mão, mas o garoto negou categoricamente.

– Eu tô bem, só cansado. Preciso me animar ou não vou render nada no ensaio!

***

Faltando pouco para o horário marcado da reunião, Daniel resolveu tomar um banho. Amanda tinha pensado em participar do ensaio, mas sabia que ia passar horas ouvindo a mesma música e estava começando a ficar com sono por usar pijamas o dia todo. Ligou para Anna e Maya e decidiram ir ao cinema enquanto os meninos trabalhavam. Tinha um filme novo do Ryan Gosling que nenhum dos garotos iria querer assistir.

– Ei, Rafa, vou subir e me arrumar. Tudo bem ficar aqui sozinho?

– Ah sem problema, acho que vou passar em casa rapidinho e trocar de roupa. Volto em meia hora! – disse deixando a garrafa vazia de cerveja na mesa de centro e despedindo.

O garoto andou lentamente pela rua até chegar no prédio de seu loft, o mesmo em que Caio morava. Percebeu que tinha deixado a luz da sala acesa. Não sabia bem o motivo de ter uma casa só sua se passava a maior parte do tempo nas dos amigos, mas não iria discutir mais por isso. Tinha sido voto vencido na reunião em que decidiram deixar de morar juntos. Não era ruim viver sozinho, mas Rafael gostava de ter companhia e não tinha realmente se empenhado em comprar móveis e enfeites. O flat era meio triste e sujo, mas ele planejava melhorar o ambiente assim que tivesse pique para isso. O que não estava acontecendo ultimamente. Foi até o banheiro para tomar uma chuveirada e sentiu a cabeça latejar, como se tivesse batido com ela em algum lugar. Olhou para o próprio reflexo e estava embaçado, não conseguia ver se estava com algum roxo ou calo visível. Droga de cansaço! Abriu a gaveta de remédios e pegou algo mais próximo para dor que tinha. Tirou os tênis no quarto e voltou ao banheiro, trancando a porta e ameaçando tirar a blusa. A última coisa que sentiu foi uma dor anormal na barriga e a visão escurecer, até cair com um baque surdo no chão.

***

Anna andava pelo shopping temerosa ao lado das amigas. Era a primeira vez na semana que saía assim, fora as idas ao trabalho que sempre estava fechada em um carro e dentro do prédio das empresas. Se na própria agência de modelos tinha recebido alguns olhares desconfiados, ficava imaginando como as fãs reagiriam se a encontrassem dando sopa em local público. Mas era tarde e ela estava torcendo para que ninguém notasse sua presença.

– Quem me dera o Daniel dizer logo que tem namorada e espantar as garotas interesseiras! – Amanda falou enquanto andavam em direção à área de cinema do shopping. – Acredita que elas continuam ligando pro celular dele e deixando mensagens? De vez em quando eu vejo e reclamo, mas acho que até o Daniel fica um pouco cansado.

– Daniel adora a atenção delas, nem inventa – Maya pontuou. Amanda concordou.

– Ele gosta. Sei que isso alimenta o ego dele e, enquanto a gente brigava outro dia, me disse que estava deixando garotas como plano B pra quando eu terminasse com ele. É um idiota, mas ele fala essas coisas exclusivamente pra me atingir.

– Ontem ele respondeu um "cai fora" por mensagem para uma garota, do meu lado. Eu nem acreditei, até fotografei e disse que iria te mostrar! – Anna disse, contente, puxando o próprio celular do bolso.

– Sabe que não é porque o cara diz que tem namorada que as *groupies* deixam de aparecer. Elas estão em todos os lugares, independente do que o cara diga ou faça.

– É por isso que você nunca vai topar sair com o Rafael? – Amanda perguntou. Maya olhou para ela e deu de ombros, fazendo careta.

– Talvez no dia em que ele criar pelos no peito ou deixar de ser famoso. Não curto essa *vibe* de moleque cheio de atenção. A não ser, claro, que seja o Ryan Gosling. Aí até pobre e problemático, como em *Diário de uma paixão*!

– Caio tem um amor secreto pelo Ryan Gosling, não contem pra ele que eu disse isso! – Anna falou e as três riram juntas. Olhou para os lados ao passar na fila do cinema e viu que algumas garotas apontavam, cochichavam, mas ninguém tinha chegado perto dela ainda. Menos mal, talvez as coisas não mudassem tanto quanto ela estava pensando.

***

– São nove e meia, cadê o Rafael? – Caio perguntou assim que voltou do banheiro para o estúdio. Prendeu os cabelos dentro de uma touca, já que não tinha ido ao cabeleireiro durante a semana. Bruno e Daniel deram de ombros, mexendo nos próprios instrumentos. Rafael não costumava ficar sozinho e nem chegar atrasado quando se tratava de ensaios. Normalmente estava sempre empolgado e era o primeiro a insistir que começassem antes do horário. Isso era esquisito.

– Ele deve ter dormido. Estava aqui antes e reclamou um bocado de estar cansado. Mas encheu a cara de cerveja – Daniel comentou. Bruno concordou que o amigo estivera para baixo o dia todo, mas que não era nada fora do normal.

Caio tentou ligar no celular dele, mas caía direto na caixa postal. Se o idiota tivesse caído no sono, seria acordado com um balde de água gelada! Tinham gravado oficialmente a versão de *You've Got a Friend* há dois dias e desde ontem estava na internet com um *lyric video* no canal da banda. Os fãs tinham adorado e a Scotty já tinha convites para tocar em rádios e pequenos eventos durante a semana. Ou seja, precisavam de ensaios e o baixista não podia ficar de fora. E ele sabia muito bem disso! Até tinha trazido os instrumentos bons mais cedo.

– Vou bater na porta dele, podem começar sem mim – Caio avisou, saindo do estúdio e marchando, bravo, até o flat de Rafael. Não era possível que eles fossem tão irresponsáveis assim. Uma hora era Daniel, outra Bruno e agora até Rafael estava dando trabalho? Caio tinha cara de babá, por acaso?

A porta do apartamento dele estava destrancada, como sempre, e Caio abriu chamando pelo amigo. Não obteve resposta, mas as luzes estavam todas acesas. Gritou para ver se alguém estava por ali e decidiu subir as escadas até o quarto do amigo. A luz também estava acesa e não tinha nada em cima da cama. Nem roupa de cama, na real, muito menos Rafael. Falou um palavrão em voz alta vendo a porta do banheiro fechada.

– Você dormiu no vaso? – Caio berrou batendo na madeira e mexendo na maçaneta. Estava trancada e não obteve nenhuma resposta lá de dentro. – Rafael? – chamou algumas vezes. Quando forçou mais a porta e não ouviu barulho nenhum, seu coração ficou acelerado e ele sentiu um nervosismo subindo pela garganta. Isso não era normal. Deu um chute, mas era fraco quando se tratava de arrebentar portas e fechaduras. Ligou para o celular de Bruno pedindo ajuda.

Enquanto esperava os amigos chegarem, continuava gritando e tentando espiar pela fresta da porta, sem sucesso nenhum. Estava nervoso e começava a suar frio. Rafael nunca demorava assim para acordar e, se estivesse dormindo mesmo, já teria respondido. Estava fazendo um enorme barulho e gritando pelo nome dele, não era possível. Alguma coisa tinha acontecido.

Bruno entrou no quarto correndo, sem entender muito bem porque Caio estava tão tenso e gritando no telefone. Viu a porta trancada e entendeu tudo. Chutou algumas vezes, enquanto Daniel entrava com uma cadeira no quarto. Caio continuava chamando por Rafael, em vão, quando Bruno conseguiu arrebentar a maçaneta e abrir a porta, encontrando o amigo deitado no chão, desacordado.

Caio correu para o lado dele, levantando sua cabeça e vendo que ele estava todo vomitado, com os olhos revirados, totalmente pálido e gelado, ainda tremendo. Daniel puxou o celular e ligou para o número da emergência, custando para conseguir digitar direito. Bruno sentou no chão e colocou a cabeça de Rafael em seu colo, enquanto Caio puxava a toalha do banheiro, molhava um pedaço e passava em seu rosto.

– O que foi que a gente deixou acontecer debaixo do nosso nariz? – choramingou baixinho, ouvindo Bruno gritar o nome do amigo e tentando entender o que realmente estava acontecendo. Nem em seus maiores pesadelos aquilo seria real.

trinta e quatro

Amanda chegou na casa de Daniel por volta de uma da manhã e estranhou ver quase todas as luzes apagadas. A porta estava aberta e, tirando o sapato para não fazer barulho, notou que a luz da cozinha estava acesa. Andou lentamente até lá e se deparou com Daniel sentado no chão, perto da pia, com as pernas encolhidas e a cabeça escondida entre os joelhos.

– Danny, o que houve? – perguntou, correndo até ele e levantando seu rosto. Estava vermelho e molhado, como se ele tivesse chorado. Os olhos, marejados, pareciam fora de foco e ele logo abraçou a namorada assim que percebeu sua presença. – Você está me assustando.

– O Rafael. Ele teve uma overdose ou algo parecido e está no hospital. Foi horrível, a imagem não sai da minha cabeça. Eu nunca vi algo tão cruel. Eu achei que ele fosse morrer e a culpa é parcialmente minha!

– O Rafa? No hospital? Ah, merda... – Amanda sentou do lado dele, ainda abraçada a ele. – Você não tem culpa de nada! Que horas ele foi pra lá? Por que você não está com ele?

– Bruno ficou e eu e Caio tivemos que voltar. Só aceitavam um acompanhante no quarto do hospital, e a gente estava começando a chamar atenção. Caio garantiu que nada seria divulgado e então me trouxe pra casa. Ele está em choque também, mas a gente não pode fazer nada agora.

– E como Rafael está? – Amanda não sabia o que dizer ou pensar. Sua mente vagava por todas as palavras que Daniel falava e parecia totalmente fora da realidade. Nunca achou que algo assim fosse acontecer com alguém que conhecia.

– Iam fazer exames e lavagem estomacal pra ver a extensão do problema. Eu estou com muita raiva!

– Raiva do quê, Daniel? Que culpa você tem nisso? – Amanda não compreendia. Rafael era grandinho e sabia muito bem o que estava fazendo. Não era culpa de ninguém.

– Por várias vezes eu arrastei o Rafael pros bares e festas. Fui eu quem fiz ele fumar maconha pela primeira vez e a gente competia pra ver quem terminava mais rápido a própria cerveja. Isso era pra ter acontecido comigo!

Era pra eu estar naquele hospital e não ele! Ele não merece, Mandy, ele não merece...

– Nem você merece isso. Ninguém merece. Rafael não é nenhuma criança!

– Você não entende. Eu me sinto culpado.

Amanda segurou as mãos de Daniel, ainda sentada ao seu lado, e esperou que ele falasse tudo que pensava, que xingasse e colocasse a raiva para fora. Por um minuto ficaram em silêncio até ouvirem a porta da frente ser aberta com um chute e Maya aparecer, apavorada e descabelada, no batente da cozinha.

– Daniel, me dá a chave do seu carro agora.

– Pra que quer a chave do meu carro? – O garoto se levantou com o susto. Amanda fez o mesmo. Maya chorava e parecia com muita raiva. Começou a gritar com Daniel, querendo o carro, quando Caio e Anna apareceram logo atrás, correndo.

– Você não tem condição de dirigir sozinha até o hospital nesse estado! – Anna berrou, como se já estivesse repetindo isso por várias vezes.

– EU FAÇO COMO EU QUISER, ME DÁ A PORRA DESSA CHAVE! – Maya gritou, assustando Amanda. Estava visivelmente descontrolada e não tirava a razão da amiga.

– Eu... posso dirigir pra ela. Até o hospital. Vocês fiquem aqui e eu vou – Amanda disse, escondendo o tremor das próprias mãos. Seria bom ver como Bruno estava e sabia bem que os meninos e Anna eram conhecidos demais para perambular por aí.

– Se Amanda dirigir, eu libero o carro – Caio respondeu. Maya começou a soluçar, perdendo a pose de durona e a expressão de brava. Nenhum dos amigos sabia o que fazer. Ela simplesmente saiu pela porta e seguiu até o carro de Caio.

– Você está bem pra dirigir? Não quer que a gente peça um táxi? – Daniel perguntou olhando para Amanda. A garota sorriu, dando um abraço rápido nele.

– Eu estou ainda anestesiada. Vai ficar tudo bem, não se preocupe. Volto logo.

E seguiu Maya com as chaves de Caio nas mãos.

***

Assim que chegaram ao hospital, Maya correu até onde sabia que Bruno estava, ultrapassando a recepção e fazendo a atendente gritar em repreensão. O garoto estava no corredor, apoiado na parede ao lado da porta de um dos quartos da ala hospitalar. Parecia abatido, acabado e abraçou a amiga ruiva assim que a viu.

– Ele está bem, fique tranquila. Ele vai ficar legal em breve – Bruno falou algumas vezes, baixinho, garantindo que Maya ficasse mais calma. Amanda chegou um pouco depois e cumprimentou ele de longe, tivera que fazer o cadastro na recepção antes que alguém chamasse um dos seguranças. – O médico já veio falar comigo. Fizeram a lavagem estomacal de urgência e foi bem em cima da hora. Mais algum tempo e ele teria morrido. Eu não entendo bem dos procedimentos médicos, Fábio já está vindo pra cá e eu liguei para a mãe dele, que entrou em pânico. Deve chegar aqui amanhã cedo e vocês sabem como a mãe do Rafa é.

– Ela vai querer levá-lo embora – Amanda disse, sentando-se em uma das cadeiras da sala de espera. Bruno concordou.

– Se ele tiver que ir por algum tempo, até se recuperar, vamos encarar isso. Eu tô tão frustrado! Nunca imaginei que passaria por essa situação – ele soltou Maya e também se sentou. Maya continuou de pé, suas pernas tremiam e ela parecia assustada.

– Então ele tá tipo... viciado? Em álcool? – perguntou. Bruno concordou.

– Foi intoxicação, mas o fígado e o rim dele estão detonados. E Rafa só tem vinte e um anos. O médico disse que ele não pode mais beber ou vai entrar em colapso de novo.

– Ele vai ficar arrasado quando acordar – Amanda prendeu os cabelos castanhos claros em um coque. Esfregou as mãos no rosto, evitando ficar mais triste ou chorar naquele momento. Dos males o menor, ele estava vivo e teria que tomar cuidado daqui para frente.

– Senhor Bruno Torres? – um médico apareceu na sala, fazendo o garoto e Amanda se levantarem de uma vez. Maya deu um passo à frente. – Ele está acordado. Ainda lento, mas está medicado. Gostaria que um de vocês entrasse para falar e conversar com ele e tentar mantê-lo acordado por um tempo. Até porque está fazendo piadas com as enfermeiras e elas não tem muito senso de humor a essa hora da noite.

– Eu vou – Maya estendeu o braço para Bruno. O garoto concordou e deixou que ela entrasse no quarto de Rafael, em seu lugar.

Maya sentia as mãos tremerem e o coração disparar. O cheiro forte de hospital a deixava enjoada e ela não sabia bem onde tocar e o que fazer. Prendeu o cabelo em um rabo de cavalo alto e se aproximou da cama. O quarto era silencioso e ouvia o barulho de uma máquina que provavelmente estava acoplada ao coração de Rafael. Transmitia um som irritante, mas constante e ela imaginou que era uma boa notícia. Chegando mais perto, conseguiu ver o rosto do garoto no meio da roupa de cama verde clara e ele estava completamente abatido. O rosto molhado de suor, os cabelos bagunçados e puxados para trás e olheiras enormes e profundas. Ele piscou algumas vezes e estendeu a mão, cumprimentando. Não foi muito longe, porque estava ligado ao soro e não conseguia mexer muito os braços. Sorriu com o canto da boca, como normalmente fazia.

– O médico disse que eu fiquei pedindo por doce de coco enquanto acordava. O cara é bom, de onde tirou você? – ele disse com a voz rouca e fraca. Riu baixinho, se achando muito divertido e Maya ficou contente de vê-lo agindo normalmente.

– Seu idiota, como você pode quase morrer de repente? Acha que eu iria sobreviver como? – ela falou se aproximando mais da cama. Não sabia o quão perto podia chegar e nem se podia encostá-lo. Nunca estivera em um hospital assim, era estranho e ela tinha medo de algo quebrar. – Como está se sentindo?

– Parece que passaram um aspirador de pó na minha barriga. Estou sentindo fome.

– Estou falando sério, Rafael!

– Todo mundo já sabe?

– Todo mundo. Digo, menos os fãs e tudo mais. Mantiveram em segredo.

– Minha mãe?

– Está pronta para arrancar a cabeça de Bruno, Daniel e Caio amanhã de manhã. E provavelmente te fez uma roupa de plástico-bolha, sabe como é.

– Me sinto mal por dar esse trabalho. Eu achei que estava me divertindo e de repente as coisas ficaram sérias e eu não sabia por onde fugir. Me desculpe.

– Você não me disse nada. Eu não reparei em nada! – Maya pareceu desesperada por alguns instantes. Rafael estendeu o braço, que tinha uma agulha com soro direto na veia, e a garota segurou sua mão, temerosa. – Ah, doce de coco, estive tão preocupada comigo mesmo e com meus problemas que eu nem reparei que você precisava de mim! Eu quem peço desculpas!

– Você me chamou de doce de coco! Chamem os médicos, já posso ter alta! – ele brincou, fingindo se levantar. Sentiu uma dor enorme no estômago e fez um barulho com a garganta, voltando a se deitar. Maya arregalou os olhos, visivelmente assustada. – Calma, estou brincando. Como sempre. Eu não vou pular daqui e nem quero que se sinta culpada por nada. Ninguém tem culpa, só eu. Eu achei que estava tudo sobre controle.

– Todo mundo que tem problemas diz isso – ela bufou. Ele fechou os olhos, soltando a mão dela.

– Eu realmente achei que estava no comando do meu corpo. Eu não via problemas em querer me divertir, sabe? Eu gosto de me sentir engraçado e de fazer as pessoas se divertirem comigo. Eu nunca imaginei... Nunca podia pensar... Me sinto tão idiota.

– Você vai enfrentar uma barra daqui pra frente. Pelas escolhas erradas – Maya olhou nos olhos do garoto, vendo que ele entendia e que, apesar de lerdo e rouco, parecia bem maduro. – Vamos conversar assim que tudo começar a voltar ao normal. Seu trabalho só começou.

– Obrigado, doce de coco. Fico feliz que tenha acordado e visto você antes de todo mundo. Bom, se não contar o médico careca e a enfermeira que tem peitos enormes. Senão, fico feliz que tenha acordado e visto você depois deles dois – ele sorriu e respirou fundo, tossindo um pouco. – Merda, que fome. Pode pedir uma pizza pra mim?

– Não tenho esse poder, infelizmente. Vamos perguntar ao médico assim que ele voltar – Maya puxou uma cadeira e sentou ao lado da cama dele. – Baixei um aplicativo sensacional no celular e acho que você vai gostar.

– Trocando um vício pelo outro? – ele mexeu os ombros, sonolento. – Ah, vamos, foi engraçado. O vício de beber com o vício do jogo? Ah? Ah?

– É só um jogo de perguntas e respostas, idiota! E vou começar a jogar agora, se mantenha vivo pra responder por mim, ainda mais na categoria Ciências. E, se eu perder dessa vez pra Carol, será humilhante e inaceitável!

***

Na manhã seguinte, antes dos pais de Rafael chegarem ao hospital, Fábio se encontrou com Daniel, Caio e Bruno para decidir os últimos detalhes do que aconteceria dali para frente. Apesar de Fábio ter feito o possível, eles precisariam falar que Rafael estava internado. Tinham ensaios, gravações e entrevistas marcadas para a banda durante a semana e seria impossível ignorar o fato de que o baixista não iria aparecer em nada. Por isso, a assessoria de imprensa da gravadora soltara uma nota sobre o caso, sem alardear muito e contar a razão da internação, mas os fãs se mostraram preocupados.

– O relatório do médico é estável, mas Rafael precisa passar por uma bateria de exames e, também, ter acompanhamento psicológico. A mãe dele não chegou ainda, vamos esperar para saber o que ela pretende fazer. Ele não vai participar de nenhuma atividade nas próximas semanas e vocês vão ter que lidar com isso porque não podem parar de trabalhar!

Caio entendia e sabia que era o certo a se fazer. Até por respeito a Rafael, eles precisariam continuar batalhando pela banda e, se possível, fazer os fãs ficarem do lado dele, torcendo pela melhora.

– A nota que soltou era sobre internação por overdose? – Daniel perguntou, preocupado. Não tinha dormido nada e se sentia extremamente culpado por tudo. Certa hora da noite foi até a cozinha e abriu todas as garrafas de cerveja e vodca que tinha em casa, esvaziando-as dentro da pia. Amanda, sem poder fazer nada, ficou ao seu lado apenas observando para garantir que ele não iria se machucar.

– Não. A nota fala sobre o afastamento por motivos de depressão devido a estresse – Fábio contou, fazendo os três garotos franzirem a testa, pensativos.

– Não vai colar, os fãs sabem que o Rafael é a pessoa mais alto astral do mundo – Bruno riu, levantando os ombros.

– Mas se ele chegou nesse ponto, precisa realmente de ajuda. Digo – Caio tentava não falar depressa para ser compreendido –, ele não deve estar tão feliz quanto a gente pensa. Justamente por ser sempre divertido e brincalhão, nunca notamos se tinha problemas. O público vai entender e vamos garantir que todo mundo se una pela melhora dele!

– Vocês estão satisfeitos? Em menos de um mês, os quatro me deram trabalhos tão terríveis com a mídia, que estou pensando em mudar o nome da banda para Lindsay Lohan! – Fábio grunhiu, puxando seu celular, sem prestar atenção no que Caio falava.

***

Amanda estava deitada no sofá, usando um short jeans curto e uma camiseta leve de Daniel, com o desenho do carro DeLorean. O namorado tinha saído cedo, depois de uma noite conturbada, e ela não conseguira mais dormir. Com o fone de ouvido, Amanda ouvia algumas músicas que Kevin tinha passado para ela algumas horas antes, para que se distraísse e não pensasse tanto em Rafael. Era difícil, mas ela sabia que ele ficaria bem. Maya estava arrasada, não saía do hospital e Amanda iria mais tarde até lá para tentar trazer a amiga para casa, já que Daniel tinha tentado sem sucesso.

A primeira música que estava ouvindo era *Give Your Heart a Break*, da Demi Lovato. Amanda realmente gostava dela, mas Kevin parecia ser um super fã e incluiu várias da artista na *playlist*.

Don't wanna break your heart
(Não quero ferir seu coração)
Wanna give your heart a break
(Quero dar um tempo a seu coração)
I know you're scared, it's wrong
(Eu sei que você está assustado, é errado)
Like you might make a mistake
(Como se você fosse cometer um erro)
There's just one life to live
(Existe apenas uma vida para viver)
And there's no time to waste, to waste
(E não temos tempo a perder, a perder)
So let me give your heart a break
(Então me deixa dar um tempo ao seu coração)

No meio da música, recebeu uma mensagem de Anna pedindo para a amiga ir até a casa dela, pois tinha um assunto sério a discutir. Anna tinha cancelado alguns trabalhos durante a semana, porque queria se focar em ajudar Caio e os garotos a superarem o problema com Rafael, mas ela parecia entediada e viciada em redes sociais. O que não era algo legal.

Amanda calçou uma sapatilha preta, ainda com os fones de ouvido, e saiu pela rua do condomínio. O dia estava frio, mas o sol queimava um pouco a pele. Era uma sensação gostosa e a fazia sentir saudades de Alta Granada, da praia e do calor enquanto andava para a escola todos os dias. Ao lembrar-se da sua cidade natal, sentia saudades de momentos e épocas, mas não tinha vontade alguma de voltar. A última coisa que Amanda queria era ir embora e desistir de correr atrás de uma vida melhor, que nunca teria em uma cidade tão pequena. Só de lembrar dos dias enfurnada no jornal da igreja, na salinha velha e cheia de papel usado e antigo, no tempo longe de seus amigos e da rotina de falta de sorrisos, sentia arrepios. Definitivamente estar em São Paulo era a melhor coisa a se fazer.

Bateu na porta de Anna, girou a maçaneta e entrou. Sabia que deixavam a porta aberta já que a segurança do condomínio era acima do normal. Ouviu uma música alta vinda do quarto da amiga, desligou a do seu próprio celular e subiu as escadas. Mesmo enquanto chegava mais perto, não conseguia compreender do que a música se tratava e até em qual língua era cantada, mas tinha certeza que era coisa de Kevin. Era eletrônica e robótica demais para parecer que Anna tinha encontrado sozinha.

Já na porta do quarto, teve um vislumbre do que seria alguém com um ataque nervoso. Anna estava sentada na cama, com o laptop no colo, a música alta, a janela com as cortinas fechadas, vários papéis de bala e bombons espalhados e os cabelos completamente despenteados.

– Se você de antigamente se visse agora, diria que não poderia sentar conosco no intervalo – Amanda se aproximou, rindo. Anna levantou os olhos brevemente, mas logo voltou para o laptop. Cantou o refrão da música diferente, que para Amanda soava como "ring ding dong ding digidin", e respirou fundo.

– Sabia que eu ganhei um fã clube?

– Um de verdade? – Amanda sentou-se ao seu lado. Anna mostrou na tela que existia um grupo de pessoas que, aparentemente, gostava muito do fato dela namorar Caio e que bombardeavam os *haters* o tempo todo. – Isso é bem legal, eu só tenho páginas com fotos minhas em montagens escrotas.

– Isso eu também tenho! E estou fazendo anotações mentais de xingamentos que nunca tinha ouvido na vida! Uma garota me chamou de lombriga esfomeada e a outra disse que eu tenho cara de cavalo. Eu não tenho cara de cavalo!

– Certamente que não tem ou algum haras já teria te contratado pra uma campanha publicitária – Amanda zombou, tirando os sapatos e empurrou Anna para o lado.

– Elas podem descobrir meu endereço pelo IP do meu laptop? Preciso chamar a polícia? Fui ameaçada sobre isso e eu não sei...

– Anna, calma! – Amanda riu, sacudindo a amiga. Achava engraçado que ela estivesse pirando com os comentários, mas iria se acostumar em breve. – As pessoas te adoram. Quero dizer, você é um super partido e quem for contra é tipo contra a felicidade do Caio.

– Os fãs não pensam exatamente nisso, se quer saber.

– Alguns problemáticos não, mas não a maioria. Você não foi atacada na rua e...

– Ainda! – Anna se jogou para trás na cama, de forma dramática. – Como eu vou aguentar isso? Como vou fazer pra essas pessoas me aceitarem?

– Não que você realmente precise disso, mas...

As duas entraram em uma pequena discussão, até o telefone tocar e verificarem que era Carol do outro lado. Atenderam pelo viva voz e a amiga parecia nervosa.

– O RAFAEL TÁ COM DEPRESSÃO? POR QUE NINGUÉM ME DISSE NADA?

– Rafael tá internado, mas foi ontem de noite. Como você sabe disso? – Anna perguntou com a testa franzida.

– Está em todas as páginas de notícias! Em que mundo vocês vivem? – Carol fez um barulho esquisito com a boca. – E que merda de música é essa?

– Música do Kevin! – Amanda gritou, rindo.

– É SHINee e é muito boa, pelo amor de Deus – Anna rolou os olhos abrindo algumas páginas na internet, atrás da notícia sobre Rafael. E estava lá. Primeira página, foto da banda e a notícia de que ele tinha sido internado com depressão e que estaria fora das atividades da Scotty durante tempo indeterminado. As duas se entreolharam e entenderam, em silêncio, que era melhor do que falar sobre os problemas com o álcool e drogas. Mas, ainda assim, era triste.

Tentaram explicar para Carol o que estava acontecendo e a garota pareceu genuinamente preocupada. Amanda ainda ligou para Guiga pelo seu próprio celular e mantiveram uma conversa por viva voz com as duas, por algum tempo.

– Quero criar uma página... como uma movimentação de fãs para ajudar o Rafael. Dar o endereço da gravadora e fazer com que enviem imagens, *banners*, cartas e mensagens para ajudá-lo a se recuperar. O que acham? – Anna perguntou, animada com a ideia. Carol precisava desligar o telefone para voltar ao trabalho, e disse que era uma ideia meio idiota e infantil, mas que iria apoiar se a amiga realmente quisesse. Guiga pareceu super feliz e empolgada, e, por causa de seus dotes artísticos, se ofereceu para fazer o *banner*. Queria ser útil em alguma coisa, já que Fred tinha ido para São Paulo com urgência encontrar os meninos e ela precisou ficar em casa, por precaução médica.

Anna ficou contente com sua ideia e decidiu colocar em prática. Caio que a perdoasse, mas se ele fazia as coisas sem consultá-la, ela também podia arriscar um pouco. E era uma ótima forma dos fãs verem como ela realmente se importava com a banda e, quem sabe, passassem a gostar mais da sua presença constante.

***

Uma das notícias sobre a depressão de Rafael falava sobre a música que os meninos tinham gravado alguns dias atrás e postado no canal da banda, *You've Got a Friend*. A matéria dizia que o vídeo na internet já passava de um milhão de visualizações e que era a homenagem perfeita ao amigo, que precisava de apoio. Outra nota em uma revista de jovens ainda ia mais profundo e aconselhava os fãs a divulgarem o vídeo e passarem a mensagem de que, se Rafael precisasse, ele teria amigos ao seu lado. Que os fãs eram esses amigos e que também cantariam junto com Bruno, Caio e Daniel.

You just call out my name
(Apenas chame o meu nome)
And you know where ever I am
(E você sabe que onde eu estiver)
I'll come running, to see you again
(Eu virei correndo, para vê-lo de novo)
Winter, spring, summer or fall
(Inverno, primavera, verão ou outono)
All you got to do is call
(Tudo que precisa fazer é chamar)
And I'll be there, yeah, yeah, yeah
(E eu estarei aí, yeah yeah yeah)

Hey, ain't it good to know that you've got a friend?
(Hey, não é bom saber que você tem um amigo?)
People can be so cold
(As pessoas podem ser muito frias)
They'll hurt you and desert you
(Elas vão machucar você e desertar você)

Well they'll take your soul if you let them
(Bom, elas vão tirar sua alma se você as deixar)
Oh yeah, but don't you let them
(Oh yeah, mas não as deixe fazer isso)

trinta e cinco

Duas semanas depois, o assunto da internação e do sumiço de Rafael ainda era notícia na internet e em alguns jornais. Apesar de todo o passado com sexo, drogas e *rock'n roll*, a Scotty estava tendo um papel importante na divulgação da conscientização dos jovens com os riscos das drogas e abuso de álcool. O que, claro, não deixava Bruno e Daniel muito contentes, mas que dava a Caio uma tranquilidade enorme. Não que os amigos fossem deixar de sair e encher a cara, isso não tinha parado, embora não fosse tão frequente. Mas eles mesmos estavam mais atentos ao que poderia acontecer e a falta que Rafael fazia era um desses sintomas.

– Sabe que a mãe do Rafa nunca vai deixá-lo voltar de Alta Granada, né? – Amanda perguntou, dentro do carro de Daniel, sentada no banco do carona. Estava descalça e com as pernas para cima, enquanto o namorado usava pijama e eles passavam em um *drive-thru* de uma pizzaria. Daniel deu de ombros, acompanhando a música que tocava na rádio. Amanda não conhecia, mas achava extremamente chata.

– Ela precisa deixar, sabe? Ele tem um contrato. E, pelo que falou hoje cedo por telefone, está bem melhor. Fred tem acompanhado de perto e disse que ele não faltou a nenhuma terapia.

– Rafael deve estar enlouquecendo a psicóloga... – Amanda riu, fazendo Daniel rir e concordar. Pararam no caixa, fizeram o pedido e continuaram em frente.

– Essa banda é sensacional. Não pude ir ao show deles no ano passado, mas a gente definitivamente vai no próximo! – o garoto continuou cantando junto com a rádio.

– Não sei quem são!

– Muse, fofa! Vou baixar a discografia pra você dar uma curtida – Daniel ignorou os resmungos de Amanda enquanto pegava as duas caixas de pizza e deixava no colo da namorada. Aumentou o volume do rádio, olhando para ela e cantando alto, batendo no volante e parecendo muito contente em vê-la fazendo careta.

***

Caio e Anna tinham decidido que, pela primeira vez, andariam juntos na rua. De mãos dadas. Custou para que ele convencesse Anna que seria legal e que não teria nenhum problema e, quando isso finalmente estava para acontecer, ele parecia um cachorro pronto para passear. Só faltava abanar o rabo, se fosse possível. Anna tentou não se arrumar muito para não parecer desesperada. Estava preocupada, claro, porque não sabia a reação que os fãs teriam se vissem aquela cena. Era terça-feira de tarde e provavelmente não encontrariam muitos deles, mas a ansiedade e preocupação tomavam conta dela. Caio tentava animá-la, dizendo que aquilo era algo banal, mas ela sabia bem que estava sofrendo um bocado pela internet e que não queria passar por aquilo ao vivo.

Estacionaram o carro na rua e desceram, colocando os óculos escuros e se encontrando na calçada. A ideia de Caio era ir até o Starbucks da Avenida Paulista e sentar um pouco para tomar café. Apenas ele e sua namorada aproveitando um fim de tarde. Parou ao lado dela e estendeu seu braço, com a palma da mão aberta. Anna soltou o longo cabelo, ajeitou o short jeans e colou a mão na dele, com a palma suando. Caio sorriu, feliz de verdade, enquanto a puxava lentamente pela rua.

– Viu só? Nada de errado.

Realmente não tinha nada errado naquela cena. Anna reparou que dois homens surgiram do nada, realmente de um buraco negro, e tiraram fotos dos dois. Não eram nada discretos, embora ficassem encostados nos carros da calçada e não falassem diretamente com eles. Caio sorriu, fazendo um cumprimento com a mão livre para eles, enquanto Anna apenas abaixou a cabeça.

– Nesse momento queria que você fosse o Bruno e batesse neles dois... – ela sussurrou, fazendo-o rir alto.

Os dois entraram na cafeteria e os fotógrafos ficaram de fora, mexendo nas câmeras. Caio tinha certeza que, quando saíssem, eles teriam se multiplicado. Um sempre atraía o outro e, embora a mídia brasileira não fosse como a internacional, algumas revistas de fofocas estavam se superando nesse quesito.

Na fila para pedir o café, o celular de Anna tocou. Era Kevin, animado, dizendo que tinha lido em um perfil da internet que os dois estavam juntos na rua. Ele estava atualizando a página esperando por fotos.

– Vai trabalhar, não tem mais o que fazer? – ela perguntou ao amigo, rindo. Ele negou. Era praticamente dono da rede de sorveterias do pai e seu marido vinha de família rica, ele poderia muito bem gastar seu tempo livre como quisesse. E ainda repreendeu a amiga por não se arrumar melhor, porque a foto que acabara de aparecer no portal mostrava um ídolo do rock usando uma roupa maneiríssima e super *nerd* ao lado de uma *hippie* de botas da última estação e camiseta desbotada.

– Você é modelo da roça, mocreia? – o garoto riu, mas Anna desligou antes de responder. Caio já estava fazendo o pedido e ela bufou, impaciente.

– A foto já está na internet! É impossível, como eles fazem isso?

– As câmeras devem enviar para algum e-mail, sei lá. Sabe como é, a tecnologia sempre inova nas áreas que são tããããããããão necessárias, como a da fofoca! – ele sorriu, animado. Para Caio, era perfeito que tudo estivesse dando certo assim. Para Anna, ainda era um pesadelo.

Sentaram juntos na mesa e Caio tentou acalmá-la. Evitou que a namorada pegasse o celular para olhar a foto e fez ela rir quando perguntou se tinha tomado seu remédio hoje. Fazia alguns dias que Anna começara um tratamento para estresse e Caio não queria que ela voltasse a piorar.

Enquanto o garoto ria da expressão que ela fazia explicando a medicação e o tratamento, uma garota parou ao lado deles com um celular na mão e um guardanapo.

– Com licença, pode autografar pra mim? Sou muito sua fã – pediu, sorrindo sem graça. Parecia nervosa, o papel tremia em suas mãos. Caio concordou, feliz, aceitando a caneta de Anna e autografando com o nome dela, Amanda.

– Tenho uma amiga com o seu nome – ele comentou. A garota parecia que iria morrer com a informação, agradecendo muito a gentileza e pedindo uma foto. Caio concordou, levantou-se e ficou ao lado dela. Anna se ofereceu para tirar, mas a garota queria uma *selfie* com ele.

– Ela me odeia! – Anna disse, minutos mais tarde, com o rosto enfiado entre os braços na mesa. Caio apenas ria, dizendo o quão idiota estava sendo e que *selfies* eram bem comuns, não sinal de apocalipse ou de ódio mortal por quem queria tirar as fotos.

– Caio Skywalker! – a moça gritou, de repente, do balcão. Anna levantou o rosto, sentindo as bochechas vermelhas, e viu o namorado se levantar da mesa.

– Você não fez isso...

– Caio Skywalker! – a moça repetiu, falando o sobrenome um pouco errado. Caio foi até ela, animado, nem um pouco incomodado com as pessoas que agora olhavam diretamente para ele. Fazia parte do trabalho, no fim das contas.

– Você não fez isso! – Anna disse alto, batendo em seu braço e gargalhando.

– Com o Rafael em Alta Granada, sou o palhaço do grupo. Estou apenas fazendo o meu papel!

– Quem mentiu pra você? – a garota perguntou irônica, rindo e aceitando sua bebida. Minutos depois, mais duas garotas se aproximaram da mesa, pedindo fotos a ele. Um rapaz chegou perto e, Anna pronta para oferecer a caneta a Caio, fez um pedido inusitado.

– Posso tirar uma foto com vocês dois? *Shippo* muito o casal Canna!

Caio concordou, levantando, vendo que Anna tinha ficado estática na mesa. Foto com ela? Certeza? Ele era doido? E o que diabos era Canna mesmo?

– Anna, vem aqui! – Caio disse, puxando seu braço. A garota acordou do choque momentâneo, colocou um sorriso no rosto e, de repente, tinha saído na sua primeira foto com um fã da Scotty.

E, verdade seja dita, era uma sensação maravilhosa.

***

À noite, com Bruno e Daniel em volta da mesa da sala, a diversão de Amanda era ler as matérias da internet que falavam da relação do seu namorado com as drogas. Ela achava fofo, claro, mas era divertido ver como ele ficava sem graça com aquele assunto. Os dois estavam jogando WAR e ela já tinha sido eliminada há, pelo menos, duas horas.

– A matéria da *Rolling Stones* ainda é minha favorita! – Bruno comentou, depois de decorar pedaços da entrevista só para irritar o amigo. – Como é aquela parte mesmo, onde ele fala que na adolescência aprontava muitas confusões?

– Eu nunca disse essas palavras! – Daniel rangia os dentes, tentando não ser levado pela brincadeira. Estava planejando o próximo ataque e sabia que Bruno jogava baixo quando queria ganhar.

– "Depois que a gente vira adulto, começa a perceber que algumas atitudes de adolescente não combinam mais com o estilo de vida" – Amanda disse uma das frases que tinha decorado. – Estilo de vida Daniel Marques, enchendo a cara e dormindo com a cidade inteira. Achei verídico e bem maduro.

– Isso é inveja da minha publicidade! – Daniel colocou a língua para fora, empurrando a namorada de lado. Amanda riu beijando de leve seu rosto, mostrando que estava brincando. Embora, de verdade, não estivesse.

– Sua vez de jogar, anda logo.

– Três contra dois em Vladivostok! – o garoto deu os dados na mão de Bruno.

– Ah, não. Sai da minha área! A Rússia é minha!

– Não quero a Rússia, quero Vla-di-vos-tok! – Daniel leu lentamente.

– É sério, vou anotar essas coisas e mandar a Maya incluir no livro dela. Vai virar roteiro de *stand up* – Amanda apontou o dedo para o namorado, buscando outra página no celular.

Bruno jogou os dados e comemorou a vitória. Estava pronto para levantar e fazer uma dancinha vergonhosa, quando a porta se abriu e Maya entrou, com o laptop debaixo do braço. Olhou diretamente para ele e abriu um sorriso.

– Beetlejuice! – Daniel berrou.

– Pode continuar o que estava fazendo, Bruno – disse, ignorando Daniel. Ele se ajeitou de novo, sentando, fingindo que ela não estava ali.

– Minha vez e eu vou acabar com você! – apontou o dedo para o amigo.

– Veio participar da dominação mundial, Maya? – Amanda perguntou, convidando a amiga para sentar ao seu lado. Maya se ajoelhou, negando, parecendo animada.

– Vim contar uma novidade! – sorriu. – Terminei o meu livro e sabem como ele se chama?

– *A volta dos que não foram*? – Daniel perguntou. Bruno rolou os olhos.

– *Galerinha do barulho*?

– *A culpa é dos Scotty*?

– *Scotty nas estrelas*? – Amanda entrou na brincadeira.

– *O clube da Scotty*?

– Já sei! – Bruno bateu na mesa, espalhando algumas pecinhas do jogo. – *A Guerra dos Scotty, as crônicas de Gelo e Bruno*! Sabia!

– Se eu fosse George R.R. Martin, você teria morrido no primeiro capítulo – Maya apontou para Bruno, que deu a língua.

– *Maroto Potter e a Scotty Filosofal*? – Amanda sugeriu, rindo. – Ah, anda logo. Sabe que a gente nunca vai adivinhar.

– Meu livro vai se chamar *Sábado à noite* – ela parecia orgulhosa. Amanda, Daniel e Bruno se entreolharam.

– Como *Nos embalos de sábado à noite*?

– Como na música do Lulu Santos?

– Desde quando você sabe nome de música do Lulu Santos? – Bruno perguntou a Daniel.

– Como nos bailes da escola! – Amanda bateu as mãos, animada. – Adorei!

– Alguém tem cérebro aqui – Maya rolou os olhos, se levantando. – Só passei pra avisar que vou procurar uma editora e que em breve serei rica e famosa...

– Nós já somos ricos e famosos – Bruno lembrou.

– ... e vou comprar uma mansão...

– Nós temos casas! – Daniel fez careta, vendo que ela os ignorava.

– ... e vocês dois serão obrigados a lerem o primeiro livro da vida de vocês. Apenas avisando. Boa noite e – ela abriu a carta de objetivo de Daniel, espiando o que estava escrito – o objetivo dele é destruir você, Bruno, fica de olho.

Saiu da sala ouvindo a risada alta de Amanda e os berros de desaprovação dos amigos. Queria ligar para Rafael, para saber quando ele voltava, porque estava pensando em ir a Alta Granada no fim de semana. Tinha que levar algumas encomendas para Guiga, como mamadeiras importadas e artigos de bebês difíceis de encontrar em cidades pequenas, e poderia passar em casa para conversar com seus pais. Seria uma longa semana, mas ela sentia que, pelo menos, estava, finalmente, caminhando para algum lugar.

trinta e seis

Dentro do carro, com o rosto encostado no vidro gelado, Rafael pensava na briga enorme que acabara de ter com a sua mãe. O coração ficava apertado, claro, porque estava indo embora de casa pela segunda vez e sabia que ela ficava chateada com a distância. Mas era seu sonho, sua vida e ele tinha passado por tudo aquilo para encontrar quem ele realmente queria ser. E não, não era um desmiolado qualquer que é inconsequente dos próprios atos. Ele se conhecia um bocado agora para entender o que estava acontecendo.

Há dois dias, Maya tinha passado rapidamente em Alta Granada, levando uma ventania de esperança para ele. Contou como os amigos estavam, assistiram juntos vídeos na internet e leram as entrevistas da banda do período que ele estivera fora. Rafael acompanhava tudo, claro, ainda mais com Kevin e Fred passando praticamente os dias com ele. Mas Maya era divertida e fazia tudo parecer uma enorme piada. Desde o cabelo estranho de Daniel nas fotos, até o jeito com que Bruno não fazia praticamente nada durante as entrevistas em vídeo. Também tinha recebido, por ela, uma mala cheia de presentes, cartas e mensagens de fãs. Anna tinha enviado uma parte e disse que muitas outras coisas esperavam por ele em casa, assim que voltasse para São Paulo. Rafael não queria admitir, mas, de noite, chorou um pouco com todas aquelas palavras boas sobre ele. Ninguém sabia que ele era realmente o culpado do que estava passando e que não era tão coitado quanto pensavam, mas a simples ideia de que tanta gente torcia por ele, fazia seu peito inflar de felicidade.

Rafael tinha muita sorte. No fundo, sabia que a única coisa que fazia direito era tocar baixo. Se a Scotty não tivesse dado certo, talvez iria acabar limpando piscinas de pessoas ricas em Alta Granada ou cortando a grama do vizinho por alguns trocados. Ele sabia que não era muito esperto e que tinha noção zero de trabalho.

A psicóloga que Fred tinha contratado e que estava acompanhando toda a estadia dele na cidade, estava satisfeita com os resultados. Passou suas consultas para uma conhecida em São Paulo e, oficialmente, deixou que retornasse aos trabalhos desde que ele prometesse fazer parte das reuniões dos

Alcoólicos Anônimos e continuasse o processo de desintoxicação. Não seria nada fácil, mas ele estava preparado para a batalha contra si próprio. Rafael não via a hora de voltar. Já estava começando a deixar a pouca barba crescer e cultivando hábitos naturebas. Até exercícios físicos estava começando a fazer. Era um perigo para a sua vida *rock'n roll*.

Pediu ao motorista que aumentasse o ar condicionado e colocou os fones de ouvido. Queria ouvir uma música do McFLY no clima para a qual ela tinha sido escrita. Parecia o momento certo de sentir a letra, a melodia e a emoção de *Not Alone*. Afinal, Rafael sabia que não estava sozinho e isso era realmente uma enorme sorte.

***

Amanda estava tendo um dia cheio, pela primeira vez desde que aceitara trabalhar no blog da revista. A caixa de e-mails transbordava e ela precisava editar, pelo menos, dez *posts* com notícias e fotos enviadas a todo segundo. O nome dela não aparecia, claro, mas ela sabia que os supervisores ficavam de olho e queria uma chance de poder fazer parte de uma edição de verdade! Ter um cargo oficial, seu próprio dinheiro e talvez seu próprio lugar para morar.

Daniel andava pela casa reclamando que ela não estava dando a atenção devida a ele e que iria para a rua procurar companhia. A garota apenas murmurava qualquer palavrão e empurrava o namorado quando ele chegava muito perto.

– Vai pro estúdio e faz coisas que músicos fazem! – a garota gritou quando ele berrou pela casa que estava entediado. Dois minutos depois, ouviu a porta da frente bater e um barulho de carro saindo da garagem. Deu de ombros e voltou ao que estava fazendo.

Um dos e-mails que tinha recebido era de uma sequência de fotos de Anna entrando na agência de modelos mais cedo. A amiga estava com o celular desligado, então não conseguia entrar em contato para saber quais fotos eram legais de postar e se ela não ligaria caso isso acontecesse. Agora Anna era famosa no meio, já que namorava um dos músicos mais cobiçados do país. No fim, Amanda precisou ligar para Caio, que deu carta branca para que qualquer foto fosse postada, contanto que mantivesse a integridade física da namorada. Amanda garantiu que Anna fazia questão de sair como uma freira na rua e, então, começou a editar o *post*.

O motivo das pessoas quererem ver fotos de Anna era incerto para ela. Não entendia tão bem essa fascinação por quem namorava caras famosos, como se fizessem algo realmente importante da vida. Não que Anna não fosse importante, claro. Inclusive depois de se engajar na campanha de Rafael e ter atraído uma boa mídia e fãs para si. Mas, mesmo assim, a ideia de vê-la indo para o trabalho era completamente sem graça. Se Anna ainda fosse rebelde e mostrasse o dedo para os fotógrafos, mas nem isso! Ela estava usando um chapéu super chique e um vestido esvoaçante branco, comprido e comportado. Parecia, realmente, uma modelo e não com alguém que namoraria o *nerd* do Caio.

***

Bruno fumava seu cigarro completamente perdido em pensamentos e sem entender por que Caio fazia tanta questão da presença dele enquanto o amigo terminava de criar a harmonia da nova música

– Você não está prestando atenção no que estou falando – Caio reclamou, colocando o violão de lado e cutucando Bruno com o pé. Estavam na sala da casa dele, com todas as portas e janelas fechadas para impedir qualquer barulho inoportuno vindo de fora.

– Não estou, essa coisa toda de composição é um saco. Sou apenas o baterista. Me passa um ritmo, eu toco. Acabou.

– Isso não tira sua responsabilidade! – Caio rolou os olhos. Viu que Bruno estava realmente com expressão de sono e propôs que os dois fossem ao maior parque da cidade, o Ibirapuera, para buscar inspiração.

– Se pudermos passar no McDonalds antes, fico mais animado. E não podemos voltar muito tarde, Rafael deve chegar daqui no fim da tarde.

– Bruno, sou eu. Caio. Sei que horas Rafael chega e não pisaria na bola. Vamos ao Ibirapuera, sentamos um pouco na grama e voltamos em uma hora. Fácil assim – o garoto se levantou, colocou os tênis e enfiou o violão no *case*. Bruno reclamou em voz alta, seguindo o amigo por obrigação.

– Eu odeio você, por que raios estamos na mesma banda?

***

Amanda saía do banho quando ouviu a porta de entrada bater. Ainda de toalha, foi até a escada para ver se era Daniel ou algum dos meninos tentando roubar comida da geladeira. Isso acontecia com mais frequência do que ela tinha imaginado quando começou a morar ali. Mas não estava preparada para o que viu, embora fosse uma cena extremamente fofa e adorável.

Daniel estava parado no corredor, tirando chaves e carteiras do bolso e, ao seu pé, um cachorro malhado de branco e preto estava deitado de forma preguiçosa. Parecia grande, talvez porte médio, e um pouco magro demais.

– O que eu preciso saber? – Amanda perguntou, apoiada na escada e fazendo Daniel olhar para ela. Ele sorriu de uma forma linda e amável, com as bochechas coradas e os cabelos bagunçados. Não parecia nada o Daniel entediado de antes ou o roqueiro sem noção de algumas semanas. Apontou para o cachorro e deu de ombros.

– Dê boas vindas ao Jones, meu novo melhor amigo!

– Daniel! – a garota prendeu melhor a toalha e foi andando até ele. Agachou na frente do cachorro e fez carinho em sua orelha, percebendo que estava praticamente dormindo. – Onde arrumou o Jones? Quantos anos ele tem?

– Fui até o abrigo local e escolhi o cachorro que ninguém queria. Disseram que o Jones tem oito anos e que é vira-lata puro – o garoto riu, também se agachando. – Ele pulou em mim assim que o trouxeram. Eu juro, foi amor à primeira vista. Ele está bem magro, vou levá-lo ao veterinário amanhã, mas é castrado, vacinado e está cansado assim porque demos uma corrida lá fora. Ele gostou de mim. E acho que não enxerga bem com o olho esquerdo. Mas não é lindo?

– Claro! Vocês dois são lindos! – Amanda puxou o namorado para um abraço, extremamente emocionada e animada com o que tinha ouvido. Deu um pulinho, evitando que a toalha caísse, fazendo Daniel estender as mãos tentando apertar seu corpo. Amanda deu um beijo nele e disse que iria colocar alguma roupa. A não ser, claro, que ele quisesse ir até o quarto escolher o que ela deveria vestir e deixar Jones descansar um pouco.

Daniel, claro, não pensou duas vezes.

***

Quando a noite caiu, quem passasse na rua principal do condomínio localizado em uma área nobre da cidade de São Paulo poderia ouvir barulho alto, pessoas rindo e um apartamento com as luzes todas acesas. A vizinhança não estava gostando daquilo, mas quem estava lá dentro não queria nem saber. A festa estava repleta de refrigerantes, docinhos, pizza e a música ambiente era Blink-182, a banda preferida de Rafael. Na TV da sala de Caio, Maya e Bruno jogavam Mario Kart no antigo Nintendo 64, enquanto Carol e Amanda torciam. Carol, claro, torcia para Maya. Daniel estava na mesa ao lado, comendo sozinho uma pizza quase inteira e Anna e Caio jogavam baralho, sentados no chão. A melhor parte, para Rafael, além de estar novamente em casa, ter seus amigos juntos e se divertindo, foi colocar o cachorro novo de Daniel no colo e fazer carinho em sua barriga. Sua nova natureza de homem natureba sentia-se revigorada! Amanda não sabia como Jones estava aguentando todo o barulho, talvez fosse também um pouco surdo, mas estava fazendo Rafael muito contente. Então nem sugeriu que o levassem logo para casa.

Rafael tinha sentido muita falta dessa bagunça. Sua mãe nunca permitiria que o som ficasse alto desse jeito, que comidas fossem espalhadas no chão da forma como estavam, ou que um cachorro ficasse deitado dentro de casa. Caio também custou para aceitar, verdade seja dita, mas assim que viu Rafael contente com o animal, não pensou duas vezes. Rafa se sentia estranho, como se todo mundo quisesse agradá-lo de repente, mas não era algo ruim. No fundo sabia que eles só estavam felizes por ele estar de volta.

Era quase meia-noite quando o celular de Caio tocou e ele atendeu Fred, em meio a um campeonato de Twister. Precisou colocar o pé no chão e foi desclassificado, recebendo alguns xingamentos do pessoal da sua equipe. Só ele, Maya, Amanda e Bruno tinham topado participar. Daniel tinha apagado no sofá e parecia estar sonhando, Carol jogava cartas com Anna e Rafael era o juiz da partida de Twister, claro, porque Bruno tinha roubado da última vez e eles decidiram que alguém precisava ser da Patrulha da Noite.

– Vocês não sabem de nada! – Rafael repetia, de pé no sofá. Bruno, suando em uma posição nada confortável, rebatia as acusações infindáveis sobre ter sequer pensado em roubar.

– Eu nunca roubo em jogo nenhum, vocês que são péssimos e não admitem!

– Admito que não faço ideia do que seja Patrulha da Noite e o motivo de Rafael estar me chamando de Outro! – Amanda falou, colocando a mão direita na bola vermelha e quase dando um nó em si mesma.

– Você é uma vergonha para a sociedade – Bruno bufou, indignado.

– Vergonha é você, ladrão – Maya assoprou o pescoço do amigo, que estava praticamente encostado nela. O garoto gritou, fazendo Rafael olhar para eles.

– A doce de coco está desclassificada porque isso é golpe baixo, todos sabemos como Bruno vira uma moça quando mexem com o pescoço dele. Fora do jogo.

– Você não pode fazer isso! – ela rebateu.

– VOCÊ NÃO SABE DE NADA!

– Vou sair de perto pra não enfiar a sua cara no tapete, não porque eu admiti a derrota – Maya se levantou, não ouvindo a risadinha de provocação de Bruno.

Tampando os ouvidos e tentando escutar o que Fred falava, Caio se afastou um pouco dos amigos.

– Uma pena não ter você aqui, cara! – ele disse, rindo. Fred concordou e avisou que tinha um pequeno assunto para resolver com ele e que dependia da sua aprovação para algo muito legal acontecer. Algo que ele mesmo estava organizando e colocando dinheiro e esforço. Caio foi até a cozinha e fechou a porta para conversarem melhor.

– Vocês estão ouvindo Demi Lovato? – o amigo perguntou assim que ficaram mais distantes da sala. Caio franziu a testa.

– Como você sabe?

– Kevin está tentando transformar todo mundo em fã, isso está impossível! – os dois riram. – Guiga ouve o último álbum dela o dia todo!

Disse até que quer colocar o nome do nosso filho como uma homenagem, Demétrio! – Fred reclamou e Caio achou genial. – Mas, então, presta atenção. E você tem todo direito de negar, mas veja o que acha da ideia...

Minutos depois, Caio entrou na sala, desligando a música do aparelho de som de forma repentina. Bruno e Amanda, os últimos no tapete de Twister, olharam para ele e Amanda foi levemente empurrada para cair. Rafael não estava prestando atenção, porque brigava e tentava não rir de Maya, então Bruno foi novamente vitorioso. Carol e Anna pararam o jogo e olharam para Caio.

– Fred acabou de desligar o telefone. Ele teve uma ótima ideia para melhorar a nossa imagem e ajudar quem precisa: um show beneficente da Scotty com parte dos valores dos ingressos doada a entidades que ajudam vítimas do abuso de drogas e álcool.

– Isso é sempre bem legal – Rafael opinou, dando de ombros.

– A melhor parte vocês não ouviram. O show será no sábado à noite, em Alta Granada.

A informação fez todo mundo ficar em silêncio. Daniel, ainda dormindo, não teria muita opinião no momento, embora realmente não fizesse diferença se estivesse acordado. Normalmente ignoravam o voto dele, alegando instabilidade mental. Bruno e Rafael se entreolharam. As meninas ficaram extremamente animadas, falando quase que ao mesmo tempo como a ideia era maravilhosa e que eles precisavam aceitar.

– É claro que a gente topa! – Bruno disse. Rafael concordou categoricamente, balançando a cabeça e mostrando o polegar.

– Vai ser delicioso esfregar meu sucesso na cara dos inimigos! – falou, recebendo um tapa de Bruno, enquanto erroneamente tentava beijar o ombro.

– Seus inimigos não moram mais naquela cidade!

– Ah, moram.

– Quem, o Curinga? – Anna perguntou. Os amigos riram, vendo o garoto sorrir maliciosamente.

– Vocês não sabem de nada, já mencionei isso hoje? – Sentou no sofá, fazendo pose de poderoso. – Escutem só. O Albert trabalha na sorveteria do Kevin e o André, lembram dele? Zelador da escola. E não tem nem vinte e três anos.

– O quê? – Amanda gritou, arregalando os olhos.

– Um dos amigos de Albert foi preso há um tempo e eu nem vou contar onde a Rebecca está, mas... SE CASOU COM UM PASTOR E VIROU RELIGIOSA!

– Como você não falou nada disso antes, seu idiota? Ouvimos por várias horas sobre suas terapias e isso é muito mais emocionante! – Maya disse chegando perto dele. De repente, todo mundo estava interessado nas fofocas da cidade pequena, enquanto Caio enviava uma mensagem para Fred confirmando a presença deles. Era surreal que muita coisa estivesse tão diferente e que, depois de anos, voltariam a Alta Granada como a Scotty. A mesma banda que tocava nos bailes de sábado à noite da escola.

trinta e sete

Amanda acordou com a cama vazia ao seu lado. Espreguiçou-se, sem lembrar muito de como tinha ido dormir na noite anterior e viu que tinha um bilhete na mesinha de cabeceira, escrito de forma corrida e com uma letra infantil. Junto a ele, o relógio-despertador do Darth Vader, um copo com água e uma maçã.

Fofa, estou no estúdio do porão com o Caio, vamos gravar até de noite. Por favor, não apareça lá se não Caio poderá se transformar num gremlin raivoso. Leva o Jones pra dar uma volta?

Te amo, D.

Amanda levou sorrindo, tomou um banho demorado e vestiu uma roupa bem leve. Mordendo a maçã, foi atrás do cachorro para caminhar pelo condomínio. Nunca tinha feito algo assim e duvidava que seria uma boa cuidadora de cães, mas como Jones era mais velho e tranquilo, talvez desse certo. Com certa dificuldade, e segurando a maçã com a boca, conseguiu colocar a coleira e levá-lo para fora. O dia não estava muito claro, mas não fazia frio e, para São Paulo, era um bom começo. Bruno diria que isso significava bons presságios.

Enquanto Jones cheirava uma planta, decidiu pegar o celular do bolso para checar suas mensagens. Ficou feliz vendo que tinha recebido algo da editora-chefe da revista e, ainda mais animada, quando leu que era um convite para uma entrevista de emprego fixo. Finalmente teria uma chance de trabalhar de verdade!

– Ouviu isso, Jones? Vou ter que sair de casa para trabalhar! – ela disse, animada, pulando e dançando no meio da rua. O cachorro não entendia essa felicidade toda, mas latiu quando viu que ela estava se mexendo demais e isso fez com que a garota risse ainda mais alto. Um casal de senhores passou do outro lado da rua, a olhando de cima a baixo como se julgasse o seu comportamento. Amanda sabia que a maior parte dos moradores daquele condomínio detestava que os músicos malucos e rebeldes morassem ali, que fizessem tanto barulho e perturbassem a paz. Mesmo assim, acenou para os dois com o celular na mão, ainda pulando. – Eu tenho um emprego, viu só? Não sou tão rebelde assim!

Ligou para Kevin e passou meia hora conversando sobre qualquer coisa. Obrigou o amigo a contar mais das fofocas e ele admitiu que não sabia de metade delas, fora a que Albert agora era empregado dele. Era recente e ele queria fazer uma surpresa para Amanda, mas pelo visto Rafael tinha se empolgado demais com as novidades.

– Ele é insubordinado, sem coordenação motora e quase entrou numa briga com um cliente ontem à noite – Kevin relatou, parecendo sério. Depois deu uma risadinha. – Mas é ótimo gritar com ele e dar trabalhos que ele não gosta de fazer! Eu me sinto tão poderoso, mocreia.

– Eu imagino! Até hoje não sei como pude ter um rolo com ele!

– Pois é, se vocês tivessem ficado juntos, ele com certeza te meteria na confusão que fez os pais dele o expulsarem da família. Minha tia disse que teve algo a ver com tráfico! Super *over*. Mas como eu sou uma boa pessoa, ofereço emprego a quem precisa. Mereço troféu Madre Teresa!

– Ai meu Deus! Por favor, quando os meninos forem tocar em Alta Granada, e eu for junto, faça ele me servir alguma coisa. Meu sonho é jogar uma bola de sorvete na cara dele!

– AHHHHHHHHH! A Scotty aceitou participar do show? Fred nem me falou! Isso vai ser tão legal, acho que nunca organizamos algo tão grande na cidade – Ele pareceu empolgado. – Pensamos primeiro em fazer em Margareth Villela, sabe? A cidade da música aqui perto. Seria apropriado e tudo mais, com público certo. Mas é óbvio demais e se tem algo que eu não sou, querida, é óbvio!

– Você, às vezes, é bem óbvio...

– ... e a ideia principal, ignorando você, era abrir os olhos de todo mundo para Alta Granada. Temos praias legais e ninguém nunca sabe sobre a cidade. Também queremos ajudar uma ONG que ajuda dependentes químicos e seus familiares. E sem falar que será sensacional levar a Scotty pra tocar onde tudo começou. Um show histórico!

Enquanto Kevin falava sobre a estrutura do evento e de como seria melhor que os bailes da escola, usando papel alumínio, máquina de fumaça e discos luminosos, Amanda ficou um pouco fora de si. Por alguns minutos voltou aos seus dezesseis anos, com seu vestido salmão claro, os cabelos arrumados e tendo seus passos observados por todo mundo no corredor do colégio. Na sua cabeça, podia ouvir os barulhos de seu sapato ecoando no chão brilhoso e a música de fundo tocando, enquanto ela olhava para todo mundo dançando e imaginava que não queria realmente estar ali. Mas que uma coisa a levava mecanicamente até perto do palco. A imagem em sua mente era quase tocável, parecia muito real, onde quatro garotos tocavam instrumentos usando roupas sociais e máscaras brancas cobrindo parcialmente o rosto. Bruno sempre discutia com ela, ultimamente, como ninguém reparava quem eram, já que a boca, o queixo, os cabelos e o resto do corpo era livremente reconhecível. Amanda não se lembra de ter desconfiado por nenhum momento. As lembranças eram sobre o que sentia quando os via lá em cima, como achava que o mundo era só dela e que nunca, na vida, iria conhecer alguém que cantasse melhor do que o guitarrista de cabelos rebeldes.

Era uma das poucas verdades daquela época. Amanda nunca mais conheceu alguém que tivesse a voz tão bonita quanto a de Daniel. E que, naquele momento, com dezesseis anos e o coração machucado por amores não compreendidos e dramas, não teria imaginado seu futuro junto dele da forma como era agora. Se realmente existisse uma máquina do tempo, gostaria de voltar naquela noite, ou em qualquer uma delas, e abraçar a si mesma, dizer que ela ficaria bem e que não era para ser tão covarde. Sua covardia só faria com que o maior romance da sua vida fosse atingido, várias vezes, criando cicatrizes que ficariam para sempre.

– ... o One Direction vai tocar aqui também, junto com os Beatles. Ouviu? OS BEATLES! JOHN LENNON VAI TOCAR NO MEU QUARTO! – Kevin gritou, depois de falar muitas coisas sem noção e perceber que a amiga estava respondendo positivamente a tudo, o que significava que não estava ouvindo nada. – O que está fazendo que estou gastando minha saliva contigo?

***

Tinham decidido que Rafael iria ficar por um tempo na casa de Bruno. Não era realmente ordens do médico ou da terapeuta, Bruno é quem tinha exigido custódia total e disse que ficaria de olho para ver se o amigo estava cumprindo as indicações do tratamento e se estaria se comportando.

Mas, em menos de 24 horas juntos, Rafael já estava deixando-o louco.

– Vou dizer ao seu médico que você está ficando maluco! – Bruno se jogou no sofá de casa, colocando uma almofada em cada lado do rosto, tampando os ouvidos. Na cozinha, Rafael batia frutas no liquidificador, depois de ter acordado cedo após uma noitada na casa de Caio. Parecia animado com o novo estilo de vida.

– Mais tarde vamos ao Ibirapuera correr um pouco! – disse ao chegar perto do amigo, entregando um copo de vitamina. Bruno olhou feio, mas aceitou tomar porque tinha medo de Rafael ficar chateado.

– Eu não vou correr coisa nenhuma – falou, entre um gole e outro. Rafael riu.

– Vai sim.

– Você não tem força pra me obrigar, seu magrelo – se levantou para levar o copo para a cozinha. – E você pode ter se tornado um *hippie*, mas eu ainda sou uma estrela do rock. Você corre e eu vou, no máximo, reclamar de como o dia está quente nas minhas roupas pretas. E beber uma cerveja.

Rafael cerrou os olhos para ele e Bruno se tocou que tinha falado besteira. Respirou fundo, desconcertado.

– Não vou beber cerveja mesmo, foi só uma forma de expressão.

– Eu estou bem com isso. Se quiser ferrar seu fígado, não te culpo. Quem não quer? É delicioso ficar desacordado, sentindo que alguma coisa dentro de você quer morrer e o resto do seu corpo não – disse de bom humor, lavando o copo do liquidificador, sob o olhar julgador de Bruno. – Se quiser ficar e passar o dia dormindo, tudo bem. Eu vou do mesmo jeito. Só gostaria de alguém para tirar fotos minhas enquanto faço ioga. Quero postar na internet!

– Desde quando você faz ioga? – Bruno seguiu o amigo pela casa, e percebeu que ele estava deixando o cabelo crescer. – Não vai cortar isso?

– Estou aprendendo ioga por um site muito legal – Rafael deu de ombros, fazendo o amigo rir. – E não, não vou. Mas você precisa cortar o seu, urgente.

Já era a segunda vez na semana que Bruno ia ao Ibirapuera e era o máximo de saudável que conseguia se sentir. No caminho de ida, dentro do carro, os dois discutiam sobre as músicas do The Who, quando seu celular tocou. Como estava dirigindo, foi Rafael quem atendeu. Era Amanda.

– Queria dizer que estou oficialmente empregada, tenho um salário, férias remuneradas e décimo terceiro! – contou, animada, do outro lado da linha. Rafael, colocando no viva voz, comemorou junto com ela.

– Estou comemorando, mas não sei se isso é realmente legal.

– Claro que é, Bruno! Vou poder comprar minhas coisas sem me preocupar e guardar dinheiro para ter meu próprio lugar pra morar.

– Você tem lugar pra morar – Rafael contestou. – É fedido e desarrumado, mas completamente sincero.

– Aquela é a casa do Daniel – a menina rosnou do outro lado. Bruno riu.

– Vai ser um tédio ter uma rotina de trabalhadora em São Paulo. Boa sorte!

– Obrigada! – ela riu, ainda animada e determinada a não se deixar abalar pela falta de compreensão dos amigos, que certamente não tinham rotina nenhuma. – Pode me buscar quando voltar do Ibirapuera, seja lá o que vão fazer?

– Vamos fazer ioga!

– Rafael vai fazer ioga e eu vou curtir as garotas de roupa de malhar – Bruno corrigiu. – E eu posso sim, te ligo assim que estiver voltando pra casa.

– Certo! Hoje de noite marcamos de jantar com a Carol em um restaurante japonês na Liberdade. Caio e Daniel não vão porque estão em um retiro espiritual musical, mas, se quiserem, vai ser divertido!

– Vamos sim, com certeza! – Rafael concordou, vendo o rosto de Bruno se transformar em uma careta.

– Se eu não tiver nada melhor pra fazer, te aviso.

– Bruno, você não tem nada melhor pra fazer – Amanda bufou – E vou desligar, a editora chefe vai me levar para conhecer o prédio da revista!

Rafael desligou o telefone e encarou o amigo, furioso e concentrado no trânsito. Chamou uma, duas vezes, até obter uma resposta dele.

– Você não precisa odiar a Carol desse jeito, já passou muito tempo.

– Não me diga o que fazer.

– Não estou dizendo, exatamente, mas vocês cresceram e isso claramente afeta sua áurea.

– Estou cagando pra minha áurea.

– Você ainda gosta dela? – Rafael continuava insistindo, preocupado com o amigo. Bruno não parecia querer responder sobre o assunto e, mesmo quando pararam o carro no estacionamento do parque, fingiu que não estava escutando. – Você parece que gosta dela, porque fica incomodado.

– O dia está bonito.

– Claramente isso te incomoda, porque está com essa cara séria e... – Rafael, ainda sentado no banco do carona, vendo o amigo tirar os cintos para sair do carro, apertou suas bochechas e tentou fazê-lo sorrir forçadamente. Bruno, num rompante de energia e raiva, segurou os braços de Rafael com força, fazendo com que os dois parecessem que estavam em uma luta de garotas na escola primária. Estavam se empurrando e batendo de leve, até que a mão de Rafael escapou, quando tentou revidar um tapa e socou, com muita força, a maçã do rosto de Bruno.

Rafael tomou um susto tão grande com o próprio ato, que gritou, tirou o cinto de segurança e saiu do carro, dando a volta até a porta do amigo. Bruno, com a mão na bochecha e mexendo o maxilar dolorido, olhou para o amigo sem entender e começou a rir, de repente. Rafael estava desesperado, com expressão de choro e tentando abrir sua porta.

– Pelo amor de Deus, me desculpe! – ele batia no vidro fechado, vendo Bruno rir de forma maníaca.

– Vamos fazer um exercício, estou com vontade de exercitar minha áurea. Vou contar até cinco pra você correr e, se deixar que te pegue, vai rolar mudança de sexo de tanto que vou bater nas suas genitais.

– Você não está falando sério! – Rafael disse, vendo Bruno sair do carro e trancar as portas.

– Eu não tenho problemas com transexuais, se me perguntar.

– Você não está falando sério, eu te pedi desculpas!

– Um... dois...

– Bruno, eu não vou correr de você e...

– ... três...

Rafael desatou a correr, desesperado, por uma das entradas do parque. Bruno guardou a chave no bolso, ajeitou o cabelo e puxou um cigarro, andando atrás do amigo. Faria como nos filmes de terror. Sabia que Rafael se cansaria em questão de minutos e que, uma hora ou outra, iria alcançá-lo.

***

Anna voltava do cabeleireiro e resolveu passar na banca de jornal a caminho do ponto de táxi. Gostava de comprar revistas em que a Scotty saía e fazia isso desde que tudo começara, anos atrás. Quando não tinha muito tempo para a caçada, fazia Fred pedir diretamente às editoras, como empresário, mas gostava de passar um tempo dentro das bancas vendo o comportamento das edições adolescentes.

Achou graça que uma matéria falava sobre a depressão, sintomas e formas de tratamento, como se Rafael tivesse trazido à tona o assunto. Era legal discutir doenças e problemas com os mais novos sem ser um tabu e Anna ficava feliz com a repercussão. Se o problema de Rafa pudesse ajudar alguém, mesmo que não fosse exatamente o que ele tinha, já seria muito legal.

Comprou algumas e saiu andando para o ponto de táxi, à frente. No caminho, passou por um grupo de adolescentes com uniforme escolar que estava rindo e fazendo barulho. Assim que viraram a esquina, Anna ouviu alguns gritos e risadas altas.

– Vadia!

– O Caio é meu, você só quer o dinheiro dele!

– Se eu te ver de novo na rua, vou quebrar a sua cara! – essa declaração fez com que as amigas rissem muito. Anna não parou de andar, continuou caminhando, mas notou que as vozes ficavam mais distantes. Uma ou outra ainda gritou um xingamento, mas percebeu que elas estavam indo embora. Que não tinham coragem de falar na cara dela, de falar diretamente com ela e se escondiam em grupos, da mesma forma como faziam na internet. Sentiu vontade de chorar, assim que entrou no táxi e indicou as direções para casa. Passou novamente pelas meninas na rua e não teve coragem de olhar. Por que faziam isso com ela? Anna estava com Caio há anos, desde a época do colégio, e não tinha prova maior do que essa de que eles realmente se gostavam. Que direito essas garotas tinham de dizer o contrário?

***

– Você deveria ter ido atrás delas! – Maya reclamou, assim que se sentou na mesa do restaurante japonês com Carol, Anna e Amanda, enquanto ouviam o relato da amiga. Maya estava furiosa. O sonho dela era pegar algumas fãs sem cérebro e bater nelas com um CD da Scotty. Ou com o violão de um deles. Com um violão seria extremamente sensacional e doloroso. Autografado ainda, só para ser radical.

– Não, você fez bem. Não pode dar mais motivos pra elas ficarem com raiva – Carol opinou, olhando o cardápio atentamente. Não costumava comer em restaurantes asiáticos, porque não suportava pimenta ou coisas cruas.

– Mas ela não deu nenhum motivo, essas garotas mal-amadas sentem raiva por não serem bonitas o suficiente pra fisgarem um cara desde a adolescência! E mantê-los fiéis e apaixonados, mesmo famosos e ricos.

– Maya, isso é raiva normal de fã. Todo *fandom* tem isso, essa galera radical e egoísta – Amanda ria da indignação da amiga. Carol olhou para ela se perguntando o que era *fandom*.

– Fã de verdade não é isso aí não. Isso aí é falta de uma surra, de pai e mãe presentes, é carência. Fã de verdade quer o bem, a felicidade do ídolo. Não vai me convencer do contrário – Maya pegou um cardápio também. Anna respirou fundo, sentindo-se desanimada, ouvindo Amanda explicar à Carol, sem sucesso, sobre grupos de fãs.

– Fã ou não, isso é absolutamente cansativo. Não sei se com o tempo elas se acostumam, mas eu espero que sim.

– Ou a Scotty daqui a pouco para de fazer esse sucesso todo e elas vão deixar eles pra lá – Carol disse, chamando o garçom. Amanda abriu a boca, abismada.

– Você está torcendo pro time errado!

– Você deve ser *hater* de alguma namorada de ídolo da sua adolescência! – Maya acusou, olhando para a amiga. Carol rolou os olhos.

– Eu não acredito em idolatria. Isso é babaquice de quem precisa de atenção.

– Sua vaca, não mudou nada.

– Maya, isso não é muito maduro da sua parte – Carol rebateu, vendo a garota dar de ombros.

– Prefiro ser imatura e ter coração. Como não acredita em idolatria? Gritava pelos Scotty nos bailes da escola, tinha pôsteres do Backstreet Boys na sua parede e escrevia o nome do Nick Carter na agenda, porque eu já li e até rabisquei em cima escrevendo o nome do Bruno.

– Foi você, eu sempre soube! – Carol pareceu revoltada. – Olha, não é porque eu gostava deles e achava o Nick um gato, que eu daria minha vida pra ir a um show ou gastar minhas economias comprando um CD. Ou faria uma tatuagem, passaria horas na internet falando mal ou inventando histórias com eles. Isso é falta de amor próprio.

– Desculpe, amiga, preciso discordar de você – Anna se intrometeu, enquanto Maya mandava Carol para vários lugares e as duas se mostravam os dedos do meio. – Isso é excesso de amor e, pra muita gente, faz bem participar de grupos onde pessoas gostam das mesmas coisas que vocês. Ser fã te faz entender o amor de uma forma que você, talvez, não entenda.

– Na sua cara, vaca – Maya riu, estalando os dedos. O garçom se aproximou, tinha traços asiáticos e era bonito, magro e usava óculos quadrados. – Caraca... erm, uma Coca, por favor.

– Duas – Amanda levantou o dedo, rindo da expressão da amiga.

– Três, mas a minha é Zero – Anna completou, olhando para Carol de forma doce e sutil. – E tudo bem a gente discordar e eu fico feliz que fique do meu lado nessa barra toda. Mas não é justo, pra mim, querer que eles deixem de ser famosos só pra que eu não receba alguma violência verbal. Pelo menos é só verbal, posso lidar com isso.

– Não foi você quem tomou surra de várias garotas – Amanda lembrou, contando à Carol o que tinha acontecido na porta de uma rádio.

Enquanto esperavam as bebidas, Amanda recebeu um telefonema de Rafael para saber qual era exatamente o restaurante em que estavam, porque a rua que ela tinha dado a ele tinha, pelo menos, uns duzentos iguais e Bruno já estava perdendo a paciência de dirigir. Amanda explicou, deu o nome mais de uma vez e, no fim, acabou indo lá fora para esperá-los.

Bruno parou com o carro, despejou Rafael e mandou um beijo para a amiga.

– Vou fazer algo mais divertido com comida de verdade – e riu da própria piada, vendo Amanda fazer cara de vômito – Se o Rafael der trabalho me avisa que eu deixo ele sem televisão hoje de noite.

– Televisão tem radiação e faz mal pra sua áurea! – Rafael disse, irônico, vendo o amigo fechar o vidro ignorando e sair cantando pneu. – Então, nem me pergunte com quem ele vai sair porque eu não vou dizer – Se virou para Amanda com os olhos arregalados.

– Você claramente quer que eu pergunte – ela respondeu enquanto entravam no restaurante e iam em direção à mesa. Rafael cumprimentou as outras três garotas e se sentou na lateral da mesa. – Com quem ele saiu?

– Ele quem? – Maya perguntou entregando o cardápio para Rafael.

– Bruno. Deixou o Rafa na porta e saiu cantando pneu dizendo que iria sair com uma garota, de uma forma bem machista – Amanda deu de ombros. Carol fez uma careta.

– Deve estar com raiva de mim e acha que isso chama alguma atenção.

– Ele tem essa raiva reprimida mesmo, dentro dele. Tentei fazê-lo falar hoje cedo, mas apanhei e falei fino por algumas horas. Não irá se repetir, se virem para ajudá-lo – Rafael passou o olho pelo cardápio. – O que é um uramaki?

– É um hossomaki com arroz por fora – Anna explicou, vendo a confusão no rosto dele.

– Eu realmente não fui correta, mas eu fiz minha escolha para poder ficar bem. Ele é um idiota até hoje e não conseguiu amadurecer o suficiente... – Carol deu de ombros.

– Só você é madura, né?

– Maya, não falei com você.

– Rafael ainda precisa me dizer com quem ele saiu hoje, porque eu estou prevendo que conheço a pessoa – Amanda olhou para o amigo, que disfarçou colocando o cardápio na frente do rosto. – Ah, vamos. Você implorou para que eu perguntasse!

– Tudo bem, já que vocês quatro insistem...

– Eu não quero saber – Carol disse, rolando os olhos. Rafael ignorou.

– ... e estão loucas de curiosidade...

– Caguei pro Bruno, cadê o garçom gatinho? – Maya levantou o braço.

– ... e querem muito saber, ele foi encontrar a Patrícia. Sabe, a produtora de palco da turnê?

– O quê? – Anna abriu a boca, surpresa. Amanda fez o mesmo.

– Mas ela não teve um caso com o Daniel há um tempo?

– Ela não faz o tipo do Bruno, isso é estranho.

– Meninas, meninas. Vocês mesmas não entendem como as coisas funcionam – Rafael falou, entrelaçando os dedos e fingindo uma calma divertida. – Bruno ligou para Patrícia porque sabe que ela iria sair com ele para chamar atenção do Daniel, que ignora ela faz algum tempo. E Bruno se aproveitou disso para que Carol ficasse com ciúmes e visse como estava errada em não querer ficar com ele.

– A mente humana e suas complicações, por que não sentam e conversam logo e fica tudo bem? Eu não teria demorado um livro inteiro pra contar como Daniel e Amanda eram chatos na adolescência e teria feito um conto ou *fanfic* se eles tivessem pelo menos conversado – Maya pontuou, vendo Rafael concordar.

– Eu conversava com ele! – Amanda pareceu indignada. – Só que, naquela época, o mundo girava em torno de como eu fazia das coisas um enorme drama. Todo mundo já foi assim uma vez na vida.

– Sem problemas, graças a você eu tenho uma história. E um *best-seller* no futuro!

– Eu não estou com ciúmes do Bruno, sabe? – Carol se virou para Rafael, ignorando a discussão e as explicações de Amanda sobre como todo adolescente é dramático. Pareceu cansada de pensar nesse assunto e, na verdade, estava se corroendo por dentro e arrependida de ter voltado a sair com eles por alguns minutos. – Só precisava seguir em frente. Não pense que não fiquei triste e não sofri por muito tempo. Eu tenho coração também.

– Claro que tem – Maya falou, irônica.

– Vocês deveriam conversar – Anna abriu espaço na mesa para que os primeiros pratos fossem colocados. Carol concordou, ajudando o garçom a encaixar as coisas.

– Eu só preciso descobrir se estou disposta a viver tudo isso novamente ou se minha vida estava melhor sozinha, com pessoas novas e um trabalho que me ocupava quase o tempo todo.

– O Bruno é um cara que vale a pena – Amanda disse com convicção. As amigas e Rafael concordaram, embora o garoto tivesse ressalvas sobre alguns defeitos que precisavam ser trabalhados. Citou um por um, recebendo risadas e objeções de Anna e Amanda, inclusive.

– Vou fazer uma *fanfic* de como você e Bruno se amam! – Maya anunciou, de repente, tendo uma ideia genial. – Melhor ainda, vou incluir um romance com final feliz no meu livro!

– Você não pode fazer isso, é fora da realidade! – Carol deixou que um sushi caísse dentro do molho shoyu, derramando para todo lado. Rafael deu um gritinho vendo sua blusa manchada.

– Eu escrevo ficção, sua vaca. Se eu quiser, você pode ser até bonita na história, é só pagar a minha conta – Maya disse vendo Carol abrir a boca e os outros amigos se engasgarem com a comida. – É um preço justo, coloquei o Rafael sendo forte e bonito porque ele me comprou um celular novo.

– Vou arrasar com as leitoras! – Rafael piscou, fazendo as garotas rirem.

trinta e oito

Priscila saía da escola com as amigas, enquanto decidiam se passariam em alguma pizzaria ou no shopping antes de irem para casa. O dia em São Paulo estava bonito e isso fazia com que ela quisesse passear, ao invés de se trancar e começar a estudar novamente, como estava fazendo desde o início do ensino médio. Sabia que, como estava no terceiro ano, deveria se preocupar com o vestibular, mas a ideia de tornar a vida uma chatice não estava a agradando muito. Sua mãe vinha com aquele papo de que ela precisava pensar no futuro, que tinha que ser responsável e escolher uma faculdade que a levasse a ser uma profissional de sucesso e não simplesmente qualquer coisa que gostasse de fazer. Priscila gostava, de verdade, de jogar futebol. A mãe achava ridículo, não era coisa de menina, e desde pequena dizia que a filha seria uma ótima médica se estudasse direito. Priscila odiava a ideia de passar o dia dentro de uma sala com pessoas doentes, enquanto poderia correr em campo aberto e colocar sua energia para fora. Então, naquela tarde com suas amigas, não sabia o que fazer.

– Eu vou ao cinema com o Gabriel! – uma das amigas falou, recebendo risadinhas e desencadeando várias perguntas sobre o garoto. Priscila fingiu que estava rindo e prestando atenção, mas só pensava que Gabriel era um cara babaca e que não merecia esse apoio todo. Já tinha dado em cima dela e de metade da turma.

Enquanto se aproximavam da esquina do shopping, ainda discutindo sobre os rapazes da turma, passaram por uma garota bonita e arrumada que fez com que Marina, uma das amigas, arregalasse os olhos e ficasse muda, estática. As garotas olharam duas, três vezes para notar o motivo desse pavor todo até se tocarem que tinham acabado de cruzar na rua com a Cara-de-Cavalo, namorada do Caio Andrade da Scotty.

– Era ela mesma! – as garotas diziam, fofocando entre si. Priscila apenas olhou para trás, vendo que Anna continuava a andar, sem dar bola para elas. Se era mesmo Anna, claro. Priscila gostava muito da Scotty, era completamente apaixonada pelo Daniel e não entendia a perseguição das amigas à namorada de Caio. Marina tinha até página na internet contra ela, fazia montagens divertidas e disseminava piadas para acabar com a moral de Anna.

Priscila só queria saber se era tão legal assim namorar um cara famoso e sensacional, que cantava super bem e parecia ser tão romântico. Enquanto sorria, ouviu as próprias amigas começarem a xingar em voz alta, falando coisas horríveis e querendo atingir a garota de longe. Era vergonhoso. Ela não sabia onde se esconder. A namorada do vocalista da Scotty continuou andando, alheia ao que diziam, enquanto elas riam e se achavam bastante espertas. Priscila queria morrer, mas fingiu que não tinha opinião. Não iria confrontar todas as meninas, mas não entendia o motivo desse ódio todo e da necessidade de fazer disso um acontecimento. Verdade seja dita, nunca iriam encontrar um dos caras da Scotty e, mesmo se encontrassem, eles nunca iriam se apaixonar por garotas comuns como elas. Eram famosos, estrelas da música e super ricos. Deviam viver em casas luxuosas, andarem com motoristas, essas coisas. E namoravam modelos como Anna, garotas bonitas, ricas e *groupies*. Não era realmente nada com que Priscila podia se relacionar.

– Vocês estão exagerando um pouco – reclamou quando outra amiga contava o quanto Anna era feia e mal vestida.

– Você só está defendendo ela porque é fã do Daniel e não do Caio – Marina pareceu brava. Priscila negou, mordendo os lábios enquanto atravessavam a rua. Olhou novamente para trás, mas viu que a esquina a impedia de reparar se Anna já tinha ido embora. Esperava, do fundo do coração, que ela não tivesse ouvido nada daquilo.

– Mesmo se fosse namorada do Daniel, eu acho sem noção falar mal dela assim. A garota é bonita, foi legal com o Rafael quando ele estava doente e namora o Caio há séculos!

– Eu duvido! E não seja hipócrita, você chorou quando viu a foto do Daniel com a tal Amanda naquela revista. Inclusive depois que a gente soube que são amigos de infância, como Caio e Anna.

– Claro que fiquei triste, ele é o cara dos meus sonhos! – Priscila se defendeu, lembrando como tinha chorado a noite toda com a imagem aberta no laptop. Amanda era bonita, nada contra a garota, mas só a fazia lembrar-se de como nunca teria um cara como Daniel. Embora, no fundo, sabia que era exagero e que, talvez um dia, iria achar alguém de quem gostasse.

Sem clima para ir ao shopping, despediu-se das amigas e pegou um ônibus para casa. Não estava a fim de estudar também, mas não queria ouvir o dia todo a mesma história contada por várias opiniões diferentes. Era cansativo e vergonhoso.

Quando subiu ao seu quarto, aproveitou que sua mãe tinha saído, deitou na cama e ficou encarando os vários pôsteres da Scotty grudados na parede. Era algo que seus pais odiavam e criticavam o tempo todo. Reclamavam que a parede ficaria manchada, que a tinta iria sair, que aquilo parecia quarto de adolescente (oi, Priscila tinha só dezessete anos!), que era infantil e bobo e que logo aquilo tudo ia passar. Então por que não deixavam simplesmente que ela quisesse tirar quando esse dia chegasse?

Abriu o laptop e conectou no site de vídeos da Scotty, acompanhando algumas performances ao vivo e o vídeo para *You've Got a Friend*, postado recentemente. Depois, ouviu *A menina* e *Sábado à noite*, suas duas músicas preferidas da banda. Cantou junto, chorou, postou em suas redes sociais e resolveu enviar uma mensagem à Anna, pela página que sabia que era original dela, pedindo desculpas pelo que tinha acontecido durante o dia. Estava se sentindo culpada e não gostava disso. Ela podia amar uma banda e gostar das namoradas dos caras também, por que não? Isso não acontecia o tempo todo nas *fanfics*?

trinta e nove

A notícia de que a Scotty tocaria em Alta Granada, depois de tanto tempo, estava começando a se espalhar. A cidade estava animada para recebê-los e Fred parecia ainda mais extasiado com tudo isso. Além do mais, seu filho estava para nascer e Guiga tentava marcar a data para quando todos seus amigos estivessem por perto. A data limite do nascimento era justamente naquela semana, então o bebê precisava nascer para evitar riscos. Apesar de sua mãe querer que a garota fizesse parto normal, na própria fazenda da família, Guiga queria o hospital de Alta Granada, com seu médico obstetra e a tranquilidade que precisava para uma cesariana. Fred, sem ideia do que fazer e do que era melhor, apenas concordava com ela. Se desse tudo certo, o próximo fim de semana seria agitado para todo mundo.

– Divulguei a matéria sobre o show em Alta Granada na internet e recebi centenas de mensagens de fãs dizendo coisas do tipo "vem pra Recife" ou "vem pra Belo Horizonte" e eu não sei o que responder – Daniel reclamava, sentado no estúdio. Caio riu, dando de ombros.

– Acontece sempre, não tem o que fazer.

– Eu nem sabia que tinha fãs em Recife, onde fica?

– Pernambuco, Daniel – Caio riu ainda mais alto. Dedilhou em seu violão a introdução da música que estavam trabalhando havia alguns dias. – Mas os fãs normalmente não sabem que a gente não decide essas coisas, que uma produtora de shows precisa nos contratar.

– Vou postar que quero ir pra Recife e ver se alguma produtora lê isso.

– Boa ideia – Caio voltou a atenção ao seu instrumento. Rafael entrou no estúdio, sem avisar, dando um susto neles.

– Desculpem, caras, precisei deixar o Bruno sozinho lá em cima.

– O que ele fez agora? – Caio perguntou, curioso. Rafael sentou no amplificador do seu baixo, mandando beijos e sentindo-se saudosista por estar novamente com seus instrumentos.

– Ele não fez nada. Ainda. Amanda chegou, pegou o Jones para caminhar e deixou um presente pra ele.

– Presente? – Daniel parecia confuso.

– Carol tá lá em cima – e os três se entreolharam, rindo. – Por falar nisso, onde Anna está? Carol perguntou e eu não sabia dizer, pareci que estava mentindo pra ela.

– Foi aos Correios. Disse que iria enviar uma caixa de brindes da Scotty a uma fã chamada Priscila. Parece que a garota deixou uma mensagem legal sobre ela, pedindo desculpas pelas amigas. Anna me fez assinar até uma camiseta ontem! – Caiu deu de ombros, espiando pela porta do estúdio.

– Será que a fã é gatinha? Vou pedir pra me apresentar! – Rafael riu, plugando o baixo e abraçando o instrumento. – Não se preocupe, não vou trocar você por ninguém, meu neném! A não ser que ela tenha ótimos peitos, você sabe.

***

– Eu não quero conversar. – Bruno disse, de cara fechada. Carol, sentada no mesmo sofá que ele, deu de ombros.

– Tudo bem. Estou só esperando Amanda voltar do passeio com o saco de pulgas.

Os dois ficaram em silêncio. Bruno estava desconfortável, então foi até a cozinha e abriu a geladeira de Daniel procurando por uma cerveja. Não tinha nada, fora algumas caixas de suco e garrafas de refrigerante.

– Que merda é essa, todo mundo decidiu virar saudável? – falou sozinho.

– Ele deve estar só garantindo que o Rafael não tenha tanto contato direto com bebida, não faz sentido? – Carol chegou na porta da cozinha, cruzando os braços. Bruno franziu a testa, concordando. Pegou uma garrafa de refrigerante e serviu dois copos, fazendo a garota sorrir de leve.

– Duvido que foi Daniel quem esvaziou isso – Bruno riu, entregando um copo a Carol e voltando para a sala. A garota o seguiu.

– Daniel está bem melhor que da última vez que o vi. Ou das últimas notícias que li sobre ele.

– Verdade. Ainda é um idiota, mas nem se compara ao de dois anos atrás. Ou mesmo com o cara que era quando Amanda chegou, sabe? Era nojento.

– Se você tá dizendo... – ela bebericou o refrigerante, fazendo ele rir.

– Pra você ver. Se eu estou falando, é porque é verdade. São incontáveis as vezes que eu quis que ele engravidasse uma garota qualquer só pra ter noção do que estava fazendo. Não foi preciso, felizmente.

– Acha que Amanda está feliz?

– Acho que sim. Ela gosta daqui, gosta de pensar que está ajudando Daniel e viver com a gente é bem divertido!

– Naquela época eu queria muito fugir dessa vida de vocês – Carol admitiu, olhando para dentro do copo. Bruno encarou a garota, sem que ela percebesse.

– E está feliz lá em Campinas?

– Não – ela se virou para ele e os dois sorriram. Bruno tossiu e voltou a olhar para frente. – Nesse momento eu deveria estar trabalhando, mas dei um bolo na minha chefe e vim pra São Paulo.

– Isso não é muito responsável, senhora eu-sou-tão-responsável – ele zombou. Ela concordou, fazendo uma careta.

– Não conte para Maya – e riu. – Tudo que eu queria era não ficar confusa assim, mas aconteceu e estou pensando no que fazer – Carol colocou os cabelos negros e curtos para trás da orelha, sendo acompanhada pelo olhar de Bruno. Os dois voltaram a ficar em silêncio.

– Você ainda está em tempo de se decidir, não seja tão dura consigo mesma – ele orientou. Carol encarou seus olhos por alguns segundos, até que a porta da casa se abriu com um estrondo e um latido alto. Bruno se levantou rapidamente, em um pulo, pegando a chave do carro de Daniel. – Então é isso, tô vazando.

– Calma! – Amanda pediu, soltando Jones da coleira, que correu para a área na parte de trás da casa. – Não quer ir com a gente comer alguma coisa?

– Não posso, sou legal demais pra andar com vocês duas assim – e saiu da casa, batendo a porta. Amanda olhou para Carol, que deu de ombros.

***

No dia seguinte, a Scotty foi convidada a tocar *You've Got a Friend* e *A menina* na MTV, em um novo programa sobre músicas nacionais que iria ao ar toda quarta-feira, ao vivo. Os meninos tinham pouco tempo para se preparar, inclusive após a volta de Rafael. Seria a primeira vez dele depois de ter ficado um tempo afastado. E, não se engane, ele estava animado e feliz da vida. Tinha total confiança que faria bonito e ainda deixaria todo mundo à sua volta mais contente. Iriam para a sede da emissora de tarde, falariam com os fãs por uma bancada instalada no estúdio e fariam uma entrevista antes de tocar.

– Eu ainda não sei o motivo de não querer ir com a gente – Daniel fazia drama, com a namorada sentada em seu colo no sofá de casa, esperando Rafael e Bruno terminarem de se arrumar. Ele estava lindo, embora para todo mundo parecesse sempre igual e com o mesmo estilo de roupa. Dessa vez tinha optado por fazer um pequeno topete com os cabelos bagunçados, usar uma calça mais justa e dobrada no meio da canela, parecendo curta.

– Você tem memória curta ou não se lembra da última vez que acompanhei vocês ao encontro de fãs?

– Mas hoje vai ser diferente! É a MTV!

– Pra mim dá no mesmo, Daniel, desculpe – ela beijou a ponta de seu nariz, recebendo um abraço em troca. – Mas vou assistir ao vivo! Vou pra casa da Anna, já que ela quer fazer disso uma festa.

Rafael desceu as escadas, interrompendo o beijo dos dois. Usava uma camisa quadriculada, mais larga do que ele e que provavelmente era de Daniel, uma calça preta justa, tênis da Vans e os cabelos, já com voltinhas e quase *mullets*, presos por uma faixa vermelha que dava a volta pela sua testa. Bruno desceu logo atrás, rindo, usando seu uniforme preto de praxe.

– Digam pro Rafael que essa faixa é de mulher e que está ridículo.

– Digam pro Bruno deixar de ser sexista, que eu uso o que eu quero onde eu quero e quando eu quero, independente da minha sexualidade.

– Rafa, tá meio ridículo – Daniel disse, dando de ombros. Amanda levantou do colo do namorado, rindo.

– Discordo. Achei diferente e estiloso!

– Gosto mais de você que das outras, admito – o garoto sorriu, mostrando o dedo para Daniel e Bruno.

– Parece um tenista.

– Parece a Xuxa.

– Parece o Axl Rose.

– Boa, Danny! – os amigos se cumprimentaram, vendo Rafael ignorar totalmente o que diziam.

– Já podemos ir? Meu retorno caloroso me aguarda.

***

A entrada do prédio da MTV estava uma loucura. Daniel não conseguia contar, mas chutava que pelo menos uns duzentos fãs estavam ali do lado de fora, margeando a entrada por onde eles teriam que passar. Amanda tinha razão. A gritaria ficou enorme assim que a van apareceu na rua. Os garotos sabiam como fãs tinham essa reação estranha sempre que uma van aparecia, como se todas elas tivessem os astros da música de seus sonhos. Era surreal, mas divertido. Ainda sentado, Caio tirou uma foto junto com os outros três e postou na internet, dizendo que seria um programa sensacional, fazendo ainda mais pessoas ligarem as televisões para acompanhar tudo ao vivo.

Daniel enviou uma mensagem para Amanda com uma foto tirada através da janela escura e a namorada mandou muitas respostas em *caps-lock* sobre como sempre tinha razão e que era para ele tomar cuidado. Cuidado com o quê? O pessoal lá fora era louco por eles!

Assim que desceram da van direto para um corredor livre, a gritaria ficou ainda maior. Algumas pessoas entoavam "Rafael" em coro, fazendo o garoto dar pulinhos e mandar beijos para todos os lados. Se sentia uma Miss Brasil nessas horas, ainda mais bonita e popular. Daniel, que vinha logo atrás dele, sorria para as pessoas, assim como Bruno e Caio. Até passarem por um afunilamento de grades na escada que daria à entrada da MTV e começarem a sentir que estavam sendo tocados e puxados em direção às pessoas. Os seguranças tentavam conter, mas os fãs não pareciam intimidados com eles. Caio sentiu alguém apertando a sua bunda, enquanto Daniel tinha seu cabelo puxado. Bruno quase perdeu a pulseira que estava usando, de uma marca de baquetas, e Rafael se encolheu todo para correr entre os amigos direto para a porta. Estava um caos. Muitas garotas pulavam por cima umas das outras para tirar fotos ou encostar a mão neles, até que minutos depois os quatro conseguiram chegar a salvo no saguão da central de televisão.

A salvo, sim, mas não ilesos. Caio viu que na cabeça de Daniel faltava um chumaço de cabelo e que a roupa de Bruno estava quase rasgada. Rafael estava rindo e começou a conversar com as pessoas que estavam lá dentro, alheio ao que os amigos estavam passando.

– O que aconteceu agora? Eu quase fui violado! – Daniel dizia com a mão na testa. Bruno quis xingar em voz alta, os fãs e os seguranças, mas decidiu por ficar calado porque não estavam sozinhos. Ele simplesmente detestava esse tipo de coisa e nunca tinha sofrido um assédio desse jeito.

Para Rafael, nada disso iria estragar o dia dele. Empurrou e encorajou os amigos a seguirem em frente, sendo levados até o estúdio do programa, no terceiro andar, onde um casal de VJs esperava ansioso. Se apresentaram e disseram que entrariam ao vivo em dez minutos, mas antes teriam que ir até a sacada do estúdio dar alô aos fãs lá embaixo.

– Eu quase fui atacado na entrada, acho que vão jogar coisas na gente!

– Sem drama, Danny – Caio disse, esperando que os câmeras organizassem a posição dos equipamentos e seguindo juntos para a varanda, que era bem pequena.

Assim que chegaram lá, ouviram a gritaria vinda de baixo. Os duzentos fãs pareceram multiplicar e sacudiam faixas com o nome da banda e de Rafael, cartazes com pedidos de casamento e números de telefones, além de balões e outros detalhes. O coro de "Rafael" era alto, fazendo o garoto quase subir na sacada para acenar.

– Me sinto em *Eurotrip* de verdade, nesse momento! Cadê o chapéu de Papa? – Bruno perguntou, fazendo os amigos rirem.

– A gente devia gravar um clipe assim da próxima vez – Caio sentiu que uma ideia genial estava surgindo. Ao lado de Rafael, eles posaram para fotos, mandaram beijos e orquestraram os fãs a cantarem *You've Got a Friend*. Foi realmente muito legal e emocionante, inclusive para Rafael. Ele finalmente estava se sentindo em casa, novamente.

Minutos depois, precisaram voltar ao estúdio para dar início à transmissão. O *roadie* da banda, um careca divertido que trabalhava há anos com Fábio, tinha trazido da van os violões, o baixolão e o cajón novo de Bruno. Estavam terminando de organizar ao lado do sofá, onde ficariam sentados para a entrevista.

– Vamos responder perguntas de fãs, então nunca sabemos bem o que pode acontecer. Vai acontecer uma pré-seleção na sala de edição, com a diretora do programa, mas infelizmente pode surgir qualquer coisa! – a VJ, uma garota loira com *dreads*, explicou a eles. Os garotos concordaram, ajustando os microfones. Minutos depois, estavam ao vivo para o Brasil todo.

Perguntaram sobre a escolha de *You've Got a Friend* para um *cover*, os prêmios do PNM e o próximo álbum. Os quatro foram muito simpáticos, Rafael fez piadas e todo mundo parecia se divertir. Mas ele estava esperando o momento em que iriam querer saber sobre o seu problema e parecia ansioso antes mesmo de responder.

– Rafael, temos uma pergunta de uma fã nas redes sociais. A Isadora Ribeiro, de Brasília, quer saber como você está, se está em tratamento e o que fez para superar a depressão. Aparentemente ela tem os sintomas e se espelha muito em você para vencer isso.

Rafael congelou por alguns segundos enquanto a VJ falava. Ninguém percebeu seu nervosismo, porque era bom escondendo as coisas, mas sentiu as mãos tremerem e o coração bater forte. Tinha tido princípio de depressão, como sua terapeuta informou e ele estudara o bastante sobre a doença para poder falar dela com propriedade. Porém, era uma enorme responsabilidade. Uma fã, naquele momento, estava sofrendo e precisava que ele a ajudasse. Sabia que o poder de um ídolo era enorme e que qualquer coisa que dissesse iria fazer com que ela se sentisse bem. Mas não deixava de ser algo muito importante.

– Isadora, tudo bem? A única forma de vencer isso da maneira correta é pedir ajuda a especialistas, como eu fiz. Estou em tratamento, adoro minha terapeuta nova aqui de São Paulo e sigo todas as recomendações. Aproveitei pra viver uma vida mais saudável, tentar ioga e buscar coisas novas. Me ajudou muito a voltar a me sentir bem! – disse, sorrindo. Caio parecia orgulhoso ao seu lado, então provavelmente estava fazendo algo certo. – Namastê.

Daniel e Bruno seguraram uma risada e a VJ percebeu isso. Olhou para eles, querendo saber o motivo.

– Rafael voltou meio riponga, acordando cedo e fazendo vitaminas de frutas diversas. Eu não estou acostumado ainda!

– Adotei um cachorro semana passada e ele se conectou cosmicamente com o Rafael, sabe como é. Acho que vão morar juntos quando ele se formar na faculdade – Daniel zombou, fazendo com que os amigos começassem a rir.

– Sério, ele voltou tão bem que outro dia me deu uma porrada antes de começar a ioga, o que me fez pensar que ele realmente está precisando! – Bruno complementou. A VJ brincou com Rafael, que confirmou o incidente e disse que ele tinha merecido.

– A próxima pergunta é da Aline Costa, de Cubatão. Ela quer saber do Caio o motivo de ter escondido a namorada por tantos anos.

– Bom – Caio começou, respirando fundo –, era uma prática de banda. Algo que fizemos para que nos concentrássemos exclusivamente na nossa música e que as pessoas de fora também pudessem pensar assim. Não achei que fosse tão importante na época, mas hoje eu sei o quanto a minha namorada sofreu e eu, se pudesse, teria feito diferente.

– E os outros três? Namoradas escondidas para revelarem? – O VJ, que tinha a pele escura e cabelo *blackpower*, quis saber. Daniel queria socar a cara dele, porque era uma pergunta infeliz e que ele não tinha recebido recomendações sobre como responder. Rafael e Bruno negaram e Daniel continuou calado, fazendo com que a atenção se virasse para ele.

– E então, Daniel? Sua fama de pegador é verdadeira?

– Com toda certeza. Sou muito bonito pra ter uma namorada agora! – ele piscou, irônico e soando meio idiota. As fãs iriam adorar, ele sabia. Mas teria problemas em casa.

***

Anna, Maya e Amanda assistiam ao programa ao vivo enquanto comiam pipoca. Quando o VJ fez aquela pergunta, Amanda já sabia qual seria a resposta de Daniel e, mesmo assim, não estava preparada psicologicamente para aquilo. Para ser rejeitada em cadeia nacional.

Levantou do sofá, decepcionada, atirando uma das almofadas na parede.

– Vou ao banheiro – disse, saindo da sala. Anna e Maya se entreolharam com certa pena, porque não sabiam bem o que fazer. Mas Amanda sabia.

Daniel teria uma enorme surpresa quando voltasse para casa.

quarenta

Daniel chegou em casa, esperava por uma briga gigantesca, Amanda chorando ou coisas quebradas. Mas o que encontrou foi apenas Jones dormindo num canto da sala, a parte dela do armário vazia e as malas sumidas. O garoto sentou, incrédulo, na cama passando as mãos no rosto, pensando no que fazer. Tinha estragado tudo de novo e seria, aquela vez, a última? Por causa de algo tão idiota?

Se recusava a acreditar nisso e saiu de casa, batendo direto na de Caio para saber se Amanda estava por lá.

– Ela está tomando banho lá em cima e eu não acho que queira falar com você agora – Anna disse, assim que ele entrou e se sentou no sofá. Caio saiu da cozinha, sem camisa, com uma garrafa de cerveja na mão.

– Eu te disse pra admitir logo publicamente. Amanda deve ter um limite de paciência e eu vou ter que concordar com ela. Você não é flor que se cheire!

– Posso pegar uma dessas? – Daniel perguntou, ignorando e apontando para a mão do garoto, que concordou. Foi até a cozinha e ficou parado um tempo, olhando para a porta da geladeira aberta. Foi acordado com o barulho de alguém descendo pelas escadas e, sem pegar a bebida, correu para o corredor. Amanda estava de cabelo molhado e usava um moletom cinza. Por incrível que pareça, para o espanto dos três, sorriu para ele.

– O programa na MTV foi ótimo! Parabéns pelo sucesso! – e o abraçou. Daniel ficou confuso e o abraço saiu um pouco desconfortável. Amanda continuou sorrindo. – Você podia ter sido mais legal comigo, mas estou tentando compreender a sua natureza.

– Por que levou suas coisas embora, se não vai quebrar a minha cara?

– Ah, eu vou quebrar sim. Não agora. Você é meu namorado, certo? – e ele concordou. – Só que, pelo visto, não exclusivo. Então eu não moro mais com você. Mas nada mudou entre a gente.

– Como nada mudou?

– Ué. Eu não estou terminando com você. Nem brigando com você. Estou apenas dizendo que não moro mais com você, até esse ser um relacionamento de verdade.

– Mas não é de verdade? – Daniel perguntou. Amanda estava ficando irritada de ter que ensinar tudo para ele, inclusive algo tão óbvio assim.

– Eu não sou sua amante, Daniel. Se você quer uma amante, ótimo. Nos encontramos quando der e vai ser ótimo. Mas enquanto seu *status* pros outros for de solteiro, eu não vou me comprometer como antes. Fazer planos e tudo mais. Eu cansei, sem drama nenhum. Simplesmente estou cansada.

– Como que eu vou ficar naquela casa vazia sem você? – ele perguntou, parecendo realmente muito triste. E estava. Sua cabeça funcionava rapidamente, embora ele não conseguisse dizer nada para concertar aquilo tudo.

– Você tem o Jones agora. Vai ficar tudo bem – ela chegou perto dele, dando um abraço e o beijando. Daniel retribuiu o beijo, se sentindo esquisito. – Mas eu preciso dormir porque amanhã tenho que ir ao centro de manhã cedo entregar meus documentos para o trabalho e voltar antes de vocês saírem para Alta Granada.

– Ih, é amanhã! Vou ligar pro Rafael e pro Bruno e confirmar que eles lembram disso. Danny, enviei o telefone daquele hotel para cachorros por email – Caio subiu as escadas atrás do seu celular. Anna seguiu o namorado, abrindo a porta de casa antes, dando boa noite para Daniel.

O garoto olhou para a porta aberta e sentiu como se o mundo estivesse desabando em cima dele. Amanda disse um boa noite divertido e subiu as escadas, deixando-o sozinho na sala. E ele não entendia bem o que estava acontecendo, mas precisou ir embora e deixar aquelas dúvidas para depois. Então, se ele quisesse ter Amanda de volta, teria que mostrar para todo mundo? Ele poderia fazer isso, né? Amanda era a garota certa e não tinha ninguém no mundo que ele quisesse por perto como a queria. Era só questão de fazer o certo e ele foi para casa pensando nisso. Como mostrar a ela e aos fãs que era a garota mais importante para ele? Pegou o telefone e ligou para Fred.

***

O dia estava claro em Alta Granada, com um vento leve que fazia as árvores balançarem. Estava cedo ainda, mas a cidade toda parecia em fervorosa pelo grande show que aconteceria dali a dois dias, no sábado, com a grande banda mega famosa e vencedora de duas categorias do Prêmio Nacional da Música, Scotty. As pessoas comentavam que os meninos estavam voltando depois de quase cinco anos longe e as opiniões eram bem divididas. Muitas coisas tinham mudado, mas para os jovens da cidade, era um enorme orgulho dizer que a Scotty tinha nascido e crescido ali, nas praias, praças e ruas esburacadas.

A van que trazia os quatro músicos, além de Anna e Maya, estava a caminho e todos os seus passageiros dormiam depois de algumas horas de viagem. Logo atrás, em um carro preto, vinha Carol e Amanda, ouvindo música e aproveitando o passeio como uma *road trip* que nunca tiveram a oportunidade de fazer. Pararam algumas vezes na estrada, tirando fotos e experimentando comidas dos vários restaurantes, embora Carol repetisse o quanto estava com medo de passar mal e ter uma baita dor de barriga.

– Dá pra acreditar que amanhã a Guiga vai ter um filho? Digo, o quanto isso é surreal? – Amanda perguntou, abrindo um pacote de biscoito e garantindo que não iria sujar o carro da amiga. Carol concordou.

– Ela tinha cara de ser a mais santinha de todas nós... – as duas riram.

– Eu me lembro que achava que Guiga gostava de Daniel e me arrependo muito de não ter conversado mais com ela naquela época. Quando todo mundo começou a ir embora, sobrou só a gente na cidade, e eu percebi que as coisas nunca voltariam a ser como eram antes.

– Graças a Deus que não! – Carol falou, buzinando para alguém que tinha cortado seu carro. – Você lembra da gente no colégio? Até pra mim era um exagero, quando penso nisso me sinto envergonhada.

– Mas os perdedores nos salvaram...

– Salvaram... – Carol sorriu. – E você e o Daniel agora? Vão continuar com a chatice de quando a gente era adolescente?

– Não! – Amanda gargalhou. – Estou dando um gelo nele só pelo fim de semana. Segunda-feira eu digo que o perdoei e fica tudo bem. Nada de drama real, juro. Quero que ele tome um susto, porque ele tá merecendo.

Carol sabia bem como ela se sentia e apoiava a amiga. Daniel precisava crescer, de uma vez por todas.

***

A cidade estava cheia de fãs da Scotty, de vários lugares e municípios próximos. Por esse motivo, Fred reservou quartos de hotel, no mesmo que eles tinham ficado da última vez quando foram ao casamento de Kevin. A ideia era dispersar os fãs para que os meninos pudessem passar em casa, visitar suas famílias e ir ao hospital, claro, já que Guiga estava internada desde a noite anterior para o parto no dia seguinte.

Alguns fãs estavam na entrada do hotel e os meninos pararam para falar com eles. Tiraram fotos, deram autógrafos e levaram suas malas e instrumentos para os quartos reservados. Fred chegou logo depois, distribuindo abraços e comemorando muito que o fim de semana seria entre amigos. Ele passava muito tempo sozinho, trabalhando à distância e a presença deles era sempre muito animadora.

– A estrutura do show está animal, mesmo que fora dos padrões que estão acostumados lá em São Paulo! – ele disse, sentado na cama de Bruno, que dividia o quarto com Rafael. Maya estava na sacada, olhando a vista bonita de florestas.

– Fred, você parece uns vinte anos mais velho. Se não fosse por essa roupa ridícula de mendigo e os cabelos compridos – Rafael falou, puxando a barra da camiseta do amigo. Fred riu.

– Eu me sinto vinte anos mais velho! Meu filho vai nascer amanhã, dá pra acreditar? Eu sendo pai?

– Vou levar uma caixa de som pro hospital pra criança já nascer ouvindo Scotty – Bruno saiu do banheiro, com a roupa trocada. Maya entrou no quarto, rindo.

– Ainda bem que é um garoto. Se fosse menina, teria que manter longe do Bruno quando crescesse! – Fred fez careta para a amiga, insinuando como era nojento aquele papo todo e deixou claro que, se tivesse uma menina, ela nunca sairia de casa. – Seu machista de araque.

– Não que meu filho vá sair de casa também, já viram a avó que ele tem? Vai ser um drama criar do nosso jeito, mas a Guiga me garantiu que a mãe dela vai ficar fora do nosso esquema familiar até o garoto ter tipo... duzentos anos. – Fred garantiu, fazendo os amigos rirem.

– Bom, perdedores, vou passar em casa antes que minha mãe me ligue mais uma vez para dizer como sou ingrata. Eles não gostaram muito que abandonei a faculdade, embora meu irmão ache super maneiro que eu more em São Paulo com "a banda mais legal do mundo".

– Seu irmão é sensacional – Bruno riu.

– Eu vou dormir um pouco e mais tarde nos encontramos na praia. Kevin marcou na frente do posto salva-vidas e disse que quase ninguém frequenta lá de noite. Vai ser divertido voltar a fazer um luau depois desse tempo todo! – Rafael se jogou na cama, vendo Maya sair do quarto.

– Tô indo ver a Guiga, quer passar lá comigo e depois ir no parque ver a estrutura do palco? Aproveitar que o pessoal está vendo as famílias e tudo mais. – Fred perguntou a Bruno. Em alguns minutos, Rafael estava sozinho e poderia dormir o tempo que precisasse para se preparar para encarar a noite com os amigos sem precisar beber nada. Ele estava tentando, de verdade.

***

A primeira coisa que Amanda fez assim que chegou à cidade foi parar na sorveteria de Kevin. Tinha ligado para o amigo para saber sobre o encontro da noite e soube ele estava por lá. Nada melhor do que começar bem o dia com *milk-shake* de graça.

Amanda e Carol ficaram emocionadas quando abriram a porta de vidro e escolheram uma mesa para sentar. A decoração era a mesma de cinco anos atrás e tudo parecia nos mesmos lugares. Viram Kevin, de longe, na bancada e acenaram. Em dois minutos, Albert, de avental, parava ao lado da mesa delas.

– O que vão querer? – ele perguntou, entediado, sem perceber quem estava atendendo. Foi divertido olhar o desespero dele assim que prestou atenção e notou que eram as duas. Amanda sorriu, fingida, como se não soubesse que ele estava ali.

– Meu Deus, Albert! Que coincidência! O que está fazendo aqui?

– Trabalhando, Amanda – ele respondeu entre dentes. – O que vão querer comer?

– Não era você que tirava tanta onda de que iria para o Rio de Janeiro, pra faculdade e tudo mais? Seu pai desistiu de te bancar? – Carol apoiou o queixo nas mãos, parecendo muito fofa ao ser sarcástica. Albert ignorou e apenas sorriu, esperando o pedido delas com uma caneta e um bloquinho.

– Temos sorvetes especiais para menopausa – ele falou. Amanda soltou uma risada alta, achando realmente divertido.

– Traga dois, por favor. De chocolate com calda de brigadeiro! – Carol respondeu, vendo-o dar meia volta e bater os pés até a bancada. As duas se entreolharam rindo. – Preciso admitir que apesar de idiota e, bom, de ser o Albert, ele é incrivelmente bonito e forte.

– Não faz mais o meu tipo! – Amanda piscou, pegando o celular do bolso. Tinha recebido uma mensagem de Daniel perguntando onde ela estava e resolveu responder. Seria ainda mais divertido se ele fosse até elas. – Caio foi visitar a mãe com a Anna e eu vou ter que passar em casa qualquer hora do dia. Não sei nem se meus pais vão estar lá, sabe como eles são. Agora que meu pai se aposentou, ele e minha mãe acham que são pessoas ricas e passam o dia no clube, na praia ou em qualquer lugar que possam tomar drinques com as pessoas olhando.

– Agora Alta Granada tem um clube! Quem dera a gente pudesse ir a um na nossa época!

Albert se aproximou, minutos depois, com os sorvetes. Amanda olhou dele para a taça de chocolate com calda na sua frente e fez uma cara triste.

– Ah, querido, me desculpe. Você ouviu errado? Queríamos um sorvete de creme com calda de caramelo!

– Não foi o que pediram – Albert arregalou os olhos, vendo Kevin se aproximar.

– Tenho certeza que foi o que ela pediu – Carol avisou, dando de ombros. Albert respirou fundo, extremamente bravo, recolheu as taças e voltou à bancada. As garotas começaram a rir, se levantando para abraçar Kevin, que também usava um avental colorido.

– Já estão torturando meu pior empregado? Adoro vocês!

***

Daniel passou em frente à sua antiga casa, com o carro alugado que conseguiu no hotel. Ele duvidava que realmente tivesse um serviço que alugava carros por ali e sabia que o que estava usando era provavelmente de um gerente, ou algo assim. A casa agora era de outra família, que tinha colocado um balanço na árvore da frente e cortinas vermelhas bonitas. Ficou parado um tempo do outro lado da rua, ouvindo a rádio e bebendo uma latinha de cerveja. Ficava um pouco emotivo lembrando da sua avó e dos seus pais e por alguns segundos cogitou mandar e-mail para eles, mas desistiu rápido dessa ideia. Não era realmente culpa dele, era? Não era ele o desistente. Daniel não abandonava as pessoas que ele amava.

Pensou em Amanda e imaginou que talvez ela estivesse em casa, matando saudades dos pais. Resolveu enviar uma mensagem e descobriu que não, estava na sorveteria de Kevin com Carol. Daniel ligou o carro, fechando as janelas e se dirigindo para lá, na esperança de tomar um sorvete e conquistar sua namorada de novo.

Assim que entrou no lugar, usando uma roupa toda preta e parecendo um cantor de rock britânico, deu de cara com Albert. Eles se entreolharam e demorou alguns segundos para que ele reparasse que o garoto estava usando o avental da sorveteria e que estava em horário de trabalho. Abriu um sorriso enorme, pensando em todas as coisas que gostaria de dizer naquele momento, mas apenas estendeu a mão cumprimentando, desviando o olhar para procurar Amanda e Carol. Se ele queria jogar na cara do idiota que hoje em dia era rico e famoso? Claro que sim. Mas não estava ali para brigar e arrumar problemas. Aquilo poderia fazer com que todo o fim de semana desse errado.

Antes de dar o primeiro passo, sentiu uma mão o puxando e notou que estivera tão cego pensando em tudo que gostaria de falar para Albert, que não notou Amanda passando ao seu lado. A garota sorriu, entrelaçou sua mão com a dele e o levou para o lado de fora. Carol e Kevin os seguiram.

– Existe um limite pra ficar no mesmo espaço que Albert, pelo amor de Deus vamos embora! – ela falou, rindo. Daniel, com a testa franzida, concordou.

– Nem pude tomar meu sorvete!

– Ele não vai durar muito tempo, gente rancorosa. Não sei como aguentou até agora, deve estar realmente precisando do dinheiro! – Kevin deu de ombros.

– Bom, eu vou passar em casa pra tomar um banho e fingir que sou uma boa filha. Encontro vocês mais tarde? – Carol se despediu, tirando a mala de Amanda de seu carro. Daniel a acompanhou para colocar dentro do dele, vendo a namorada se despedir de Kevin. Acenou de longe e destrancou as portas.

– Quer passar na sua casa? – Daniel perguntou assim que Amanda chegou perto. Ela pareceu decepcionada por um momento, mas concordou, fazendo careta. Daniel riu, notando que ela estava muito bonita e radiante, com os cabelos soltos, pouca maquiagem e uma blusa básica com short jeans. Tinha uma sorte do caramba por uma garota dessas gostar de alguém como ele.

Minutos depois, Daniel estava com o carro parado do outro lado da rua, encostado na lataria, fumando um cigarro. Amanda estava na porta de casa, batendo e tocando a campainha, sem sucesso. Olhou para o garoto, que levantou os braços sem saber o que fazer. Ela imitou.

– Você era bom subindo pela minha janela, quer tentar de novo? – berrou para que ele ouvisse do outro lado. Daniel tirou o cigarro da boca e riu alto.

– Nem a pau, hoje em dia seu pai pode me dar um tiro de verdade. Sou maior de idade!

– Covarde! – Amanda gritou, rindo. Chutou a porta de casa, novamente, e voltou andando até ele, prendendo os cabelos em um coque malfeito. Abraçou o namorado por alguns minutos, sentindo que ele estava um pouco incomodado com o jeito que ela o estava tratando, e ficou tentada a sorrir irônica. Soltou de seus braços olhando diretamente para seus olhos. – Tá a fim de ir na praia?

Daniel sorriu de verdade, fazendo seu rosto ficar redondo e animado. Abriu as portas do carro, dizendo a ela como a ideia era sensacional, e partiram em direção ao lugar que trazia muitas boas lembranças da adolescência.

***

Daniel estacionou no lugar mais vazio que conseguiu. Muita gente estava curtindo o sol do pré-verão e Amanda, de dentro do carro, encarava os pequenos grupos de pessoas, sentindo sua felicidade se esvair. Olhou para Daniel e viu que ele fazia o mesmo, avaliando se poderiam descer ou não.

– Não quer que te vejam comigo, é isso? Tudo bem, podemos voltar só mais tarde – Amanda não deixou de perceber a ironia do destino. Alguns anos atrás era Daniel que se sentia mal por ela não assumir o namoro deles. E, agora, ela se via na mesma posição.

– Não é isso, fofa – Daniel olhou para a namorada, soltando o cinto de segurança. – Estou com medo de fãs ameaçadoras, isso sim. Vamos logo, antes que eu desista da ideia!

Amanda sorriu e desceu do carro, seguindo Daniel para o meio da areia. Ele tirou os tênis e ela fez o mesmo. Andaram lado a lado, sentindo a brisa do mar e o sol queimando a pele pálida dos dois. De vez em quando se olhavam e sorriam, comentando coisas triviais sobre o vento, a areia e a falta de uma roupa de banho. Em determinado momento, resolveram sentar de frente para o mar e ficaram em silêncio por alguns minutos. Depois, sentindo que estavam um pouco distantes, Daniel sentou mais perto dela, fazendo com que Amanda se surpreendesse, feliz.

Algumas pessoas passavam por eles, prestando atenção. Daniel ouviu seu nome algumas vezes, mas não se virou para ver quantos fãs estavam realmente olhando ou supondo que seu ídolo estivesse dando esse mole. Ídolos não davam mole assim, certo?

– Acho que as pessoas estão nos encarando – Amanda falou baixinho, como se fosse um segredo. Daniel, que estava fumando novamente, deu de ombros.

– Não tem problema.

– E eu posso dar um beijo no meu namorado na praia ou preciso pegar uma canga pra tampar a nossa cara? – a garota se virou para ele, em desafio. Daniel apagou o cigarro, limpou a mão cheia de areia na calça e, num ato inimaginável na cabeça dela, puxou seu rosto para o dele. Os olhos abertos se encaravam, enquanto transformavam um selinho em um beijo de verdade. Os dois riram, cúmplices, sem desgrudarem as bocas e ficaram um bom tempo assim, sem se importarem que as pessoas estavam começando a notá-los de verdade.

quarenta e um

Amanda acordou na sexta-feira com o seu celular tocando. Abriu os olhos irritada, com aquela dor de cabeça chata quando parece que não dormimos bem. Checou quem estava interrompendo seu sono, depois de uma noite divertida entre seus amigos em um luau improvisado. Tinha ido dormir de manhã, depois de assistir o sol nascer com Daniel, deitados na capota do carro, de mãos dadas. Ela nunca iria esquecer aquele momento. Como passaram o dia todo quase sem conversar, mas que, pela primeira vez, ele não tinha se importado em ficar com ela na frente de todo mundo. Sabia que tinha gente tirando fotos e até fotógrafos profissionais espalhados pela praia. E ele não tinha ligado para isso. Poderia ser besteira para qualquer um, mas para Amanda dizia muita coisa. Rafael, Maya e Kevin tinham apagado mais cedo, dentro do carro de Daniel, enquanto Bruno e Carol continuaram conversando sentados na calçada, assistindo o sol junto com Amanda e Daniel.

Mas, por incrível que pareça, Fred estava ligando e interrompendo seu sono. E eram quase três horas da tarde. Amanda nem chegou a atender, de susto, pulando de uma das camas solteiro do quarto de Daniel no hotel. Estava dormindo com ele, enquanto Caio resolvera passar a noite na casa da mãe.

– Por que está agitada a essa hora? – o garoto se virou, sem roupa, vendo Amanda correr até o banheiro com sua mala para tomar banho. Ela colocou a cabeça no corredor.

– São quase três da tarde e o parto da Guiga é daqui a uma hora! E a gente nem comeu nada, levanta logo!

– Três horas? Parece que eu dormi por menos de cinco minutos, isso não é justo! – Daniel sentou, esfregando o rosto e xingando em voz baixa. Viu que Fred continuava ligando no celular de Amanda e atendeu.

– Ainda bem que atenderam! Tivemos que adiantar o parto, porque a Guiga sentiu muitas dores e enfim, não interessa o motivo. Vai nascer a qualquer momento, venham pra cá! – e desligou. Daniel deu um berro, procurando sua cueca e calça jeans, batendo na porta do banheiro para apressar

Amanda e garantindo que, em meia hora, estariam no hospital. Isso é, se Rafael e Bruno já estivessem acordados.

***

Em vinte minutos, Daniel estacionava o carro de qualquer jeito na rua, pulando com Amanda, Bruno e Rafael para a calçada e correndo hospital adentro. Encontraram Anna e Caio na recepção, também nervosos, como se tivessem acabado de chegar. Aparentemente a recepcionista estava procurando o número do quarto. Bruno estava ofegante e foi até o bebedouro, percebendo que algumas pessoas olhavam de forma estranha para eles.

– Não sei se fomos reconhecidos ou se simplesmente interrompemos a paz do hospital – ele disse, voltando para perto dos amigos. Anna apressou a recepcionista até ouvir um número e saíram correndo, os seis, para dentro do elevador. Ficaram em silêncio por alguns segundos, ouvindo uma música irritante que, na teoria, era para acalmar os pacientes e não estava funcionando.

– E se o bebê for feio, como devemos agir? – Rafael perguntou de repente. Amanda riu, vendo Caio ficar vermelho.

– Nenhum bebê é feio assim! – Anna reclamou.

– Claro que é, você claramente não segue o 9gag – Bruno comentou, fazendo os amigos rirem.

– Eu não vou conseguir elogiar se for feio, entende? Vou ficar "nossa, que neném... estupendo", porque simplesmente seria uma afronta chamar a criança de linda ou coisa parecida.

– Não pensa muito nisso, Rafa, simplesmente fale o que sente! – Daniel sugeriu, dando de ombros e ajeitando os óculos escuros. Bruno fez careta e xingou quando o elevador parou no primeiro andar e ninguém entrou. Caio apertou, novamente, o botão do terceiro e último andar do hospital.

– Por favor, Rafael, não escute ele. Nunca fale o que sente, isso pode constranger os pais da criança e danificar para sempre nossa relação.

– Vamos combinar um sinal, caso a gente não saiba o que falar e o neném nascer com a cara do Fred, meio Sloth – Rafael bateu palmas sozinho, vendo Amanda e Anna rolarem os olhos.

– Chocolate? – Caio sugeriu, levando um empurrão de Anna. Rafael riu.

– Parece óbvio, todos de acordo? – os amigos iam responder quando o elevador parou no andar e Anna prestou atenção nas placas. O quarto 3182 ficava para a direita e ela saiu andando, sem correr, até onde achava que Fred poderia estar.

As pessoas passavam por eles, notando que estavam apressados, abrindo caminho. Os corredores eram apertados e eles pareciam um grupo muito grande para andarem juntos daquela forma. Pararam em frente ao

3182 e, quando abriram a porta, deram de cara com Kevin, Maya e Carol sentados lado a lado em cadeiras brancas puídas. Os pais de Guiga estavam colados na porta de entrada do centro cirúrgico e só Fred entrara para acompanhar a esposa. A mãe e os irmãos de Fred aguardavam na ala do berçário, já babando nos bebês que estavam lá.

Os amigos se cumprimentaram, nervosos. Amanda se sentou em uma das cadeiras, sentindo-se ansiosa. A qualquer minuto, uma de suas melhores amigas teria um filho e isso era algo completamente surreal na sua cabeça. Era a primeira vez que conhecia alguém da idade dela que seria mãe e não imaginava todas as responsabilidades que poderia ter. É algo muito grande! Daniel foi para o seu lado e segurou sua mão.

– O que a gente faz se a criança for feia? Eu não sei elogiar o que não acho bonito. – Maya perguntou, fazendo com que os amigos rissem, enquanto Rafael fazia um coração com as mãos.

– Diz chocolate – Caio repetiu. Anna rolou os olhos.

Ficavam em silêncio toda vez que ouviam barulhos no corredor. Bruno estava na porta, de braços cruzados, olhando para o vidro que mostrava um pouco do lado de fora. Caio andava de um lado para o outro, enquanto Anna ficava encostada na parede ao seu lado. O resto estava espalhado pelo quarto, um mais apreensivo que o outro, esperando pelo que pareceram algumas horas e, na verdade, foram apenas dez minutos.

Fred logo entrou em um rompante, quase arrebentando a maçaneta, com uma roupa completa de centro cirúrgico e uma câmera na mão, parecendo muito esquisito e adolescente de novo. Todo mundo parou de respirar no momento em que ele começou a falar, chorando ao mesmo tempo.

– Meu filho é lindo e saudável!

Rafael ia perguntar se o neném era bonito mesmo, mas Carol apontou o dedo para ele, vendo todo mundo ir em direção a Fred para abraçá-lo e parabenizá-lo. Ele ficou um tempo entre os braços de Caio, chorando, depois de falar com todos os amigos. Bruno pegou a câmera da mão dele, colocando no vídeo do parto e ouvindo todo mundo falar várias coisas ao mesmo tempo. Mas na hora em que deu *play*, desistiu de assistir porque era assustador demais.

– Olha, ele é realmente fofo! – Maya apontou para o vídeo, fazendo Rafael correr da janela até a cadeira de Amanda e, pelo ombro da amiga, tentar assistir um pouco.

Fred, ainda muito emocionado, avisou que iria encontrar sua família para dar a notícia e, logo após a sua saída, uma enfermeira entrou e pediu que desocupassem o quarto, pois trariam Guiga para descansar. Ela precisava de silêncio para se recuperar da cirurgia, além de se preparar para a amamentação. Eles sabiam que era um momento muito íntimo e resolveram voltar para o hotel e comemorar algo tão bonito e renovador como nascimento do primeiro bebê da família Scotty. Isso, provavelmente, mudaria um pouco da vida de cada um dali para frente. Saíram do quarto, deixando um bilhete em cima da mesinha de canto para Fred.

Seu filho tem muita sorte de ter a gente na vida dele! Agora você tem a difícil tarefa de decidir qual de nós será padrinho e madrinha. Contamos com sua inteligência de fazer a melhor escolha, a mais inteligente, a mais forte ou a mais bonita. Te vemos amanhã, com amor, Scotty e algumas groupies que catamos na estrada. :)

Embora essa última parte sobre *groupies* estivesse rabiscada.

***

Sentados no quarto do hotel, dividiam algumas conversas e músicas depois que a pizza tinha acabado e já passava da meia-noite. Amanda e Daniel estavam sentados lado a lado, ele dedilhando o violão enquanto os amigos discutiam sobre paradoxo temporal. Amanda estava encostada em seu ombro, de olhos fechados, apenas ouvindo a voz dele e a melodia.

– Passo tempo todo dia assim, ainda insisto para entender, como está, onde está você? – ele reproduzia *Ao seu lado*, uma das músicas que mais gostava do primeiro CD da Scotty. Rafael tentava explicar para Maya e Caio sua visão sobre a máquina do tempo existir de verdade só que, na vida real, ser a nave extraterrestre do futuro que buscava informações do passado. Para Maya não fazia sentido nenhum, enquanto Caio achava extremamente genial e pensava em todas as evidências que sabia sobre o assunto. Kevin e Anna jogavam cartas no canto do quarto, rindo alto e discutindo quem era o melhor em cada jogada. Carol tinha sentado perto deles e Bruno, quando voltou do banheiro, sentou-se do lado dela. A garota ficou surpresa, mas não disse nada. – Ainda sonho com o dia que vou correr, eu vou atrás de ti. Eu vou sair, vou sair de casa...

Bruno esticou as pernas, encostando na beirada da cama onde Amanda e Daniel estavam. Carol fez o mesmo, sorrindo. Ele, então, estendeu a mão para ela e a garota entrelaçou seus dedos nos dele. Ficaram parados por um tempo, alheios aos amigos, até que Bruno se inclinou em sua direção, beijando a garota na boca.

Anna, sentada de frente para os dois, arregalou os olhos, ficando muda.

– Qual foi, agora vai blefar pra me distrair? É golpe baixo! – Kevin reclamou. Viu que a amiga negou e, então, olhou para a direção do olhar dela. E arregalou os olhos também, ficando em silêncio e imóvel.

– Mas o tempo já passou, e eu só vejo o passado. Nossa hora já chegou... Foi tão bom estar ao seu lado! – Daniel continuou cantando, sem perceber o que acontecia. Anna, discretamente, puxou o celular do bolso e tirou uma foto de Bruno e Carol, enviando em um *chat* onde estavam todos os amigos. O baterista sentiu o telefone vibrando e, desfazendo o beijo, abriu o anexo enviado.

– Anna, vou matar você! – olhou diretamente para a amiga, furioso. Anna e Kevin explodiram em uma gargalhada e todo mundo parou o que estava fazendo para prestar atenção. Carol estava vermelha e se escondeu atrás do garoto quando cada um desatou a fazer perguntas e falar com os dois ao mesmo tempo.

Daniel, rindo e fazendo gritos de guerra, ainda dedilhando a música, beijou Amanda na testa. Viu que a namorada estava sonolenta, com a maquiagem levemente borrada e, que, ainda assim, era a garota mais bonita do mundo.

– As mensagens que eu já te mandei, os sorrisos que eu já recebi. E as imagens que eu ainda lembro, foi tão ruim ter que te ver partir – ele continuou cantando baixinho, prestando atenção em como ela piscava lentamente os olhos, como sorria com o canto da boca e como parecia lutar para se manter acordada. – E as lembranças que não me abandonam, e as palavras que você falou. O primeiro e o último beijo, que pra mim ainda não terminou...

– Daniel? – ela chamou baixinho. Ele parou de cantar, ainda dedilhando, e fez um barulho com a garganta. – Você me ama?

– Amo muito, fofa – o garoto sorriu.

– Eu também te amo.

– Tudo bem, pode dormir. Quando todo mundo for embora, eu te acordo pra trocar de roupa – ele sussurrou, vendo ela concordar.

– Eu não estou brava com você de verdade, tá bom?

– Obrigado, fico feliz em saber. Mas você deveria. Me ajudou tanto esse tempo todo estando comigo e eu não fiz nada em retorno. Você deveria.

– Eu deveria... – ela sorriu, ajeitando a cabeça em seu ombro. Daniel beijou sua testa e voltou a cantar baixinho, assim que notou que ela tinha caído no sono.

Ele olhou para os amigos, ainda implicando com Bruno e Carol, e teve uma ideia para o dia seguinte. Se desse tudo certo, ele tinha certeza que Amanda ficaria muito feliz. Ou iria terminar com ele de vez.

quarenta e dois

O show começaria às cinco horas da tarde com o pôr-do-sol, no meio do Parque da Cidade. O palco estava montado desde quinta-feira e, às dez da manhã, os Scotty e um grupo contratado para ajudá-los, estavam testando caixas de som, equipamentos e acústica. O camarim era uma tenda armada atrás da estrutura, onde tinham cadeiras, mesa, comidas e o que mais precisassem. No lugar cabiam quase mil pessoas, como em um verdadeiro festival, e todos os ingressos já tinham sido vendidos. Na entrada do parque uma fila enorme de fãs aguardava pacientemente.

– Acho que o meu microfone não está funcionando direito! – Rafael falou, mexendo os braços.

– Você não canta nada mesmo – Daniel retrucou, recebendo um dedo do meio como resposta.

– Podem me ajudar a ajustar o pedal? – Caio pediu e um rapaz foi prontamente ao lado dele. Bruno, enquanto isso, testava a bateria e ajeitava todas as partes dela, calmamente e despreocupado. Bateu no bumbo algumas vezes e fez sinal de "ok" para o técnico de som.

Os amigos decidiram dividir as tarefas de Fred, sabendo que o amigo estava cuidando da família e só iria chegar lá mais tarde. Kevin discutia a organização e proteção do palco com alguns seguranças contratados, já que a estrutura era simples e não como em grandes casas de show. Também verificava com a empresa de montagem para colocar a escada na área isolada em frente ao palco, que era por onde os garotos queriam entrar. Era algo diferente, mas Kevin tinha topado. Ligou para o marido, Lucas, que estava ajudando a trazer barracas de bebidas e cachorro-quente, garantindo que tudo estava saindo conforme o planejado. Todo mundo estava unido na empreitada, fazendo algo grande assim pela primeira vez. E era muito legal. Carol, cansada e com sono, tinha sentado no espaço coberto de grama onde o público iria ficar. Ajudava os meninos verificando a altura dos instrumentos e vozes, mas na real só queria dormir mais um pouco e tomar um banho. Ficar sentada no chão não era realmente a sua praia.

Anna decidiu ajudar no que podia e correu atrás de água, itens de higiene e os espelhos para o camarim. Gostava de ver Caio e os meninos em movimentação no palco. Era sempre revigorante e lembrava a ela o motivo deles amarem tanto o que fazem.

– Acho que os banheiros químicos atrasaram e devem chegar daqui a uma hora – Kevin passou por Amanda com uma prancheta nas mãos. A garota, que estava limpando as guitarras e violões, encarou o amigo.

– Você fica bem assim.

– Assim, como? Bonito e sensual?

– Ocupado! – a garota colocou a língua para fora, vendo Kevin atender o celular, enquanto mostrava o dedo do meio.

– Eu não sei se os meninos vão poder te dar autógrafo, mãe, eles são caras extremamente ocupados! – ele dizia saindo de perto. Amanda riu, voltando ao trabalho.

Rafael tinha comprado suco de laranja para toda a banda e, apesar de estarem loucos por uma cerveja, todos eles fingiram adorar. Daniel, depois de ajeitar seu microfone e entregar as guitarras afinadas à Amanda, desceu do palco e andou até a sede do parque, lentamente, onde tinha uma lanchonete.

Vendo que estava sozinho, pediu uma cerveja e acendeu um cigarro. Sentou em uma das mesas de madeira e puxou o celular, se entretendo com as redes sociais por algum tempo. Respondeu alguns fãs, riu de vídeos de gatinhos e deu uma olhada no site do Bruce Springsteen. Ouviu uma voz perto, chamando seu nome, e levantou o rosto. Era uma garota morena, com os cabelos lisos e compridos, usando uma roupa justa e um enorme decote. Daniel não prestou atenção em seu rosto por alguns segundos, até piscar os olhos e voltar para o seu cigarro. Ela se aproximou meio torta e ele reparou que era porque usava um salto muito alto naquele gramado. Riu baixinho. Por que diabos teria que lidar com *groupies* até em Alta Granada?

– Posso sentar aqui? – ela perguntou. – Está calor e eu vim acompanhar minha irmã mais nova para o show. Você é da banda, né?

– Sou sim – ele disse, sem tirar os olhos do celular. Percebeu que ela se sentou à sua frente, expondo o decote na altura dele. Droga. Não que fosse um monstro sexual e ficasse animado olhando decotes, mas sentia que seria indecente fazer isso e que a garota provavelmente iria levar para o lado errado da coisa. E ele não queria isso.

– Meu pai é dono do mercado, então deu seu jeito de me colocar aqui dentro.

Ele não queria ser preconceituoso quanto às *groupies*, mas todas elas tinham contatos e dinheiro suficiente para burlar o sistema das fãs normais. Daniel e Caio já tinham discutido muito sobre isso e Caio deveria estar aqui agora para perder mais uma aposta.

– Você não é muito de conversar? – ela perguntou, vendo-o ignorar o que ela falava. Daniel tirou os olhos do celular e mirou na testa dela.

– Estou me concentrando pro show.

– Quer uma ajuda?

Daniel riu. Pediu desculpas mentalmente, mas riu. Ele fazia isso por sexo, claro, sempre tinha essas conversas sem propósito com garotas por causa do sexo, então nunca sequer tinha prestado atenção de verdade no que acontecia. Agora, sóbrio e com a cabeça em outro lugar, conseguia ver a situação de forma diferente, de fora, e achou engraçado e ridículo.

– Você quer fazer sexo comigo? – ele perguntou, tragando o cigarro já no fim e encarando a garota. Ela riu, fingindo vergonha.

– Bom, eu estou conversando aqui. Mas a gente pode ir para outro lugar.

– Quantos anos você tem?

– Dezoito – ela piscou. – Sou maior de idade, não é crime.

– Ah, nunca me importei muito com isso – Daniel riu. Estava achando curioso, de verdade. – Pode parecer estranho, mas posso perguntar por que quer fazer sexo comigo?

– Você é gato. E é de uma banda muito legal e famosa. Eu amo música, fui criada com muito *rock'n roll* em casa. Amo de verdade o que você faz. E estou disponível, entediada.

– Olha, eu já peguei *groupies* mais inteligentes e interessadas. Dizer que está entediada não vai fazer um cara ficar animado pra sair com você.

– Eu não sou *groupie* – a garota pareceu ofendida. Daniel franziu a testa, vendo Maya se aproximar com os braços cruzados. Sorriu e levantou a mão, chamando ela para perto. A garota de cabelo liso, que Daniel não sabia o nome, se levantou. – Você não quer minha companhia. Tudo bem, eu já entendi. Estava tentando algo legal aqui, mas você pelo visto não gosta de se divertir.

– Ah, eu adoro me divertir – Daniel respondeu, sorrindo. – Mas isso não está me soando divertido, desculpe. Espero que aproveite o show! E que saiba cantar alguma música! – ele gritou vendo ela sair batendo os pés. Maya chegou ao lado dele e ficou encarando onde a menina tinha sumido.

– O que foi isso?

– Serviço de acompanhantes de shows, acontece sempre – Daniel riu, se levantando. Maya continuou encarando o nada, visivelmente confusa. – Eu dispensei a garota, doce de coco. Não se preocupe. Não fiz nada de errado.

– Você tem certeza? – ela apertou os olhos, de forma ameaçadora. Daniel concordou, torcendo para que Maya não achasse que tinha acontecido algo porque ele, realmente, morria de medo dela.

– Absoluta.

– Tudo bem – Maya respirou fundo, relaxando um pouco. – Nossa, vi na página de vocês agora há pouco uma fã dizer que o Mick Jagger é o Beatle favorito dela. O que os adolescentes de hoje em dia têm na cabeça?

– Você se espantaria se ouvisse o que a gente escuta todos os dias!

– Falou aquele que não sabe os estados brasileiros...

– Sei a história do rock, isso é bem mais relevante!

***

Fred chegou um pouco mais tarde, quase no horário dos portões se abrirem. Checou tudo e ficou tranquilo percebendo que estava em ordem, que todo mundo tinha ajudado um pouco e que a banda já tinha ido ao hotel para se arrumar. Amanda e Carol terminaram de verificar detalhes com Kevin e correram para perto do amigo.

– Como está a Guiga?

– Tá ótima, acordada, com o neném no colo e super feliz. Fui registrar a criança hoje antes de vir pra cá, conheço o rapaz do cartório.

– E que nome deram? – Carol perguntou, coçando o braço, pronta pra reclamar da quantidade de mosquitos que tinha ali.

– Demétrio, acreditem se quiser! – Fred sorriu, dando de ombros. Carol ficou confusa, mas Amanda parecia animada.

– Ah, que diferente! Achei muito legal! Guilhermina e Frederico não são nomes totalmente comuns, vocês fazem uma família moderna e esquisita!

– Obrigado, eu nunca tinha pensado por esse lado. Acho que a Guiga ficou com medo de eu colocar algo como Harry Potter ou Justin Bieber. No fim, ela teve a palavra, como deveria ser – ele bateu as mãos. – O que falta pro show começar?

– A banda chegar e os fãs serem liberados. Kevin foi até a bilheteria e Maya vai ajudá-lo, mas quando o show começar eles devem vir e deixar alguém no lugar deles.

– Tudo certo, então. Vai ser um sucesso, vamos fazer muitas pessoas felizes!

– E muitos adolescentes chatos e barulhentos também – Carol colocou a língua para fora. – Acho que vou passar em casa e colocar uma calça. Não quero ficar a noite toda me sacudindo pra evitar as picadas de mosquitos!

– Vou apressar os garotos e ficar esperando no camarim. A gente se vê depois! – Amanda despediu-se de Fred e Carol e os três foram se organizar para o grande show da noite.

***

Quase mil fãs esperavam ansiosos a Scotty subir ao palco. Era a primeira vez que tocavam em Alta Granada desde que a banda se tornou famosa e isso fazia o show ainda mais especial que o normal. Os fãs sabiam disso. Tinham levado cartazes e faixas, gritavam juntos, animados, até as luzes em torno da estrutura do palco serem apagadas. Os gritos se tornaram ainda mais altos e ensurdecedores, fazendo Kevin e Anna, que estavam sentados logo em frente ao palco, tamparem os ouvidos, reclamando.

– Onde está a faixa do meu cabelo? – Rafael perguntou correndo, ainda no camarim, vendo Bruno e Caio já prontos para darem a volta no palco. Daniel apontou para um canto da tenda com algumas camisas jogadas e o garoto agradeceu. Daniel, então, se virou para Amanda.

– Estou nervoso!

– Eu também, é emocionante tocar de novo nessa cidade. Soube que a professora de literatura está lá no meio junto com um bocado de gente que estudou conosco. – Rafael disse, chegando perto, parecendo animado. Amanda ajeitava o cabelo de Daniel, mudando o visual certinho feito pela equipe de maquiagem e cabelo.

– Um bocado de gente que odiava vocês, então mostrem do que os marotos são capazes! – ela beijou o namorado de leve, abraçou Rafael e se afastou um pouco para que seguissem Caio e Bruno para o palco. Viu Maya indo atrás, junto de um segurança, e se sentou um pouco para respirar fundo. Quando a gritaria recomeçou, ela soube que era hora de se divertir.

As luzes do palco se acenderam ao mesmo tempo que a primeira nota de *Ela é incrível* foi tocada. Os meninos, já posicionados, tinham pela primeira vez a visão de quanta gente estava ali e de como era bonito ali de cima, assistindo o sol se pôr ao fundo. Juntos, tocaram e cantaram, fazendo gracinha até que a música terminasse, aquecendo o público.

– Boa noite, galera de Alta Granada! – Caio gritou no microfone, recebendo uma resposta enorme dos fãs. – Só queria dizer que estamos muito felizes de estar aqui novamente. É uma honra poder ajudar quem precisa, mas também uma honra tocar pra vocês.

– Quando saímos daqui, metade da cidade não acreditava realmente que a gente pudesse seguir nossos sonhos – Daniel complementou, levantando um braço para o alto – Espero que curtam o show e, do fundo do coração...

Amanda fechou os olhos porque pensou que ele fosse falar uma besteira qualquer. Caio também olhava um pouco preocupado, mas Daniel só mirava o público sorrindo.

– ... saiam do chão!

– Arhg, ele virou cantor de axé – Maya sussurrou, vendo o público inteiro pular ao mesmo tempo, enquanto *Sábado à noite* começava. Kevin e Carol, ao lado dela, gargalharam.

Anna, ao lado de Amanda, parecia emocionada. Ela não pulava e nem cantava junto, apenas encarava Caio e os meninos com o olhar mais materno que Amanda tinha visto. E ela conseguia entender. Foram tantos anos e, mesmo voltando ao ponto de partida, onde tudo tinha começado, ela percebia que eles ficavam melhor a cada dia. Eram todos ainda muito novos e tinham a vida toda pela frente, mas Amanda tinha certeza que aprendiam muito o tempo todo. Com cada experiência, quebrando a cara, passando por momentos bons e ruins, mas ficando sempre juntos. O mais importante nisso tudo era ter pessoas do lado. Fazia toda a diferença. É sempre bom saber que se tem amigos, certo?

You've Got a Friend, a versão que tinham gravado de James Taylor, fez com que todos os presentes ficassem emocionados. Daniel, enquanto Caio cantava a primeira estrofe sozinho, foi até Rafael e o abraçou, fazendo o amigo parar de tocar por alguns segundos, assustado. Rafael caiu em prantos logo depois, sentando no canto do palco e fazendo com que todos os fãs cantassem juntos, muitos em meio a lágrimas. Até Carol começou a chorar, sendo abraçada por Fred.

No fim da música o palco ficou escuro para que o garoto pudesse sair e se recompor, até que voltaram para cantar *A menina*, o grande sucesso do momento. Levaram o público à loucura. Até Amanda, Anna, Kevin, Carol, Maya e Fred pulavam juntos, da área restrita, acompanhando os gritos dos fãs. Era contagiante a forma como eles se davam bem no palco e como pareciam ter nascido para aquilo. Para momentos como aquele.

As luzes do palco não eram muitas, mas fizeram com que a noite de sábado ficasse super iluminada no meio de tantas árvores. Em algumas partes parecia como se vários vaga-lumes estivessem ali, assistindo ao show com eles. E a Scotty tocou mais três músicas de sucesso, que todo mundo parecia saber cantar.

Assim que a última música terminou, com a gritaria dos fãs, Amanda viu Daniel ir até Caio e sussurrar algo em seu ouvido. O garoto concordou, trocando a guitarra por outra, enquanto ia até a bateria de Bruno.

– Há muitos anos, em noites como essa, a gente tocava usando máscaras nos bailes da escola. Os sábados à noite eram sempre animados e, pra gente, o momento de colocar pra fora quem realmente éramos sem que ninguém nos julgasse – Daniel começou dizendo. Anna achou estranho, porque a *setlist* dizia que eles tocariam outra música em seguida e, depois, se despediriam. Amanda chamou Kevin para conferir a listagem. – Há muitos anos, eu me apaixonei por uma garota e, como muitos adolescentes, não tive coragem de mostrar quem eu era. Afinal, quem iria gostar de alguém que mentia sobre não saber tocar violão, que só falava coisas clichês, usava máscaras para esconder o rosto e era odiado por metade da escola?

Amanda arregalou os olhos, parando de falar com Kevin para encarar o palco. Os amigos fizeram o mesmo, sem entender o que estava acontecendo. Amanda estava desesperada, o que Daniel estava fazendo?

– Uma garota gostou de mim. E eu queria dizer, com essa galera toda como testemunha – ele esticou os braços, com a guitarra pendurada nos ombros –, que eu amo, você, Amanda. Obrigado por ficar do meu lado. Espero que goste dessa música.

O público gritou e Amanda não sabia o que fazer. Estava petrificada e apavorada, o coração parecia que iria sair pela boca e sentiu vontade de chorar. Estava em choque. Kevin e Maya deram berros de animação e Fred foi até ela, para garantir que estava tudo bem. Amanda concordou com a cabeça, sem conseguir realmente se mexer. Daniel, Caio, Rafael e Bruno começaram, lentamente, a tocar *Ela me deixou*, como tinham feito anos atrás no dia em que Amanda soube de tudo. No dia em que descobriu que o guitarrista mascarado dos seus sonhos era também o garoto que ela amava.

Dias e noites sem dormir e sem saber a verdade
Tentei ligar pra ela e ninguém nunca atendia
Deixei uma mensagem depois do sinal
Me senti um idiota completo no final
Porque não consigo seguir em frente desde que ela me deixou

Ela me disse não se preocupe porque você vai ficar bem
Eu vou ficar bem, você não precisa de mim
E então entendi tudo que ela não queria dizer
E soube o que tinha feito de errado
Agora é tarde, não acredito que ela se foi

Enquanto cobria a boca para evitar chorar mais, Amanda percebeu que Caio fez o solo da guitarra enquanto Daniel deixava a sua de lado e tirava o *plug* do amplificador da calça. A garota, então, percebeu o que ele iria fazer e não conseguiu se conter. Chorou compulsivamente, o vendo descer do palco lentamente, quase que no ritmo da música, e em meio a gritaria de todo mundo à volta. Amanda tinha várias lembranças e todas elas faziam seu coração bater mais forte, mais apaixonado, mais feliz com o fato de ter acreditado em alguém que ninguém mais acreditava. No último degrau, quase na frente dela, Daniel esticou o braço, mas Amanda continuou petrificada. Ele foi até ela, sorrindo, sem perceber que os amigos gritavam animados ao lado, e pegou sua mão.

– Você lembra disso? – perguntou. A garota concordou, sem conseguir dizer nada. – Dança comigo?

Ela riu, de forma boba, sentindo a bochecha ficar vermelha. Ele, então, a abraçou e dançaram juntos, até a música acabar.

***

Amanda abriu os olhos, depois de ter cochilado, e lembrou que estava dentro da van da Scotty, voltando para São Paulo. Coçou os olhos e viu que todos os amigos estavam amontoados lá dentro, conversando e não poderia imaginar qualquer lugar melhor para estar. Daniel dormia ao seu lado e ela pensou na noite de sábado, sorrindo sozinha e parecendo muito boba. Ela nunca tinha pensado em viver algo parecido, depois de tanto tempo, desde que era adolescente e cenas de fantasia pareciam possíveis. A gente nunca acredita que quando cresce a magia ainda pode existir. Daniel tinha milhões de problemas e assuntos a serem lidados, mas por momentos como o do show passado, Amanda sabia que valia a pena. E ela iria cumprir a sua promessa. Ficaria com ele para sempre, não importava o quanto isso durasse.

Bruno, à sua frente, jogava algo no celular, completamente entediado. Rafael, sentado ao lado dele, discutia com Maya quase fazendo escândalo sobre como o mundo seria melhor se as pessoas fossem verdes. Amanda não estava entendendo a discussão, como sempre, mas ouvia palavras tipo "clorofila" e "igualdade" o tempo todo. Maya parecia irritada, no banco da frente, e vez ou outra tentava atingir o garoto com o braço. Anna lia em voz alta para Caio algumas mensagens de fãs deixadas para ela na internet, o fazendo rir da forma dramática como ela encarava tudo isso. Mas sabia por dentro que ela estava sendo forte. Carol tinha ficado na casa dos pais, Fred e Guiga estavam no hospital se acostumando a vida de pais e Kevin se despediu dos amigos aos prantos, porque não se imaginava ficando sozinho novamente.

Amanda pensou naquilo. Em ficar sozinha. Em como já sentira na pele o sentimento de solidão, de abandono, por causa de seus erros. Olhou a sua volta, para cada um de seus melhores amigos, e reparou que, se quisesse, nunca mais precisaria se sentir assim de novo. Que durante anos construiu algo que ninguém poderia derrubar. E, como uma vez eles mesmos disseram, Amanda não tinha medo de crescer. Não se a vida fosse ser assim para sempre. Não importando o quanto o para sempre durasse.

Se o nosso verdadeiro lar é onde o nosso coração está, ela sabia que estava em casa.

Ali era o seu lugar.

Conheça e faça download da trilha sonora exclusiva de *Sábado à noite*:

www.babidewet.com/sabadoanoite

Contato com a autora
bdewet@editoraevora.com.br

Este livro foi impresso pela gráfica Assahi em papel *Lux Cream* 70g.